元古林書堂本《素問》（上）

主　編◎錢超塵
副主編◎王育林　劉陽

北京科学技术出版社

圖書在版編目（CIP）數據

元古林書堂本《素問》：全二册 / 錢超塵主編．—北京：北京科學技術出版社，2019.3

（《黄帝内經》版本通鑒．第一輯）

ISBN 978 – 7 – 5714 – 0094 – 1

Ⅰ．①元… Ⅱ．①錢… Ⅲ．①《素問》 Ⅳ．①R221.1

中國版本圖書館 CIP 數據核字（2019）第018230號

元古林書堂本《素問》：全二册（《黄帝内經》版本通鑒・第一輯）

主　　編： 錢超塵
策劃編輯： 侍　偉　吴　丹
責任編輯： 吕　艷　周　珊
責任印製： 李　茗
責任校對： 賈　榮
出 版 人： 曾慶宇
出版發行： 北京科學技術出版社
社　　址： 北京西直門南大街16號
郵政編碼： 100035
電話傳真： 0086–10–66135495（總編室）
0086–10–66113227（發行部）　0086–10–66161952（發行部傳真）
電子信箱： bjkj@bjkjpress.com
網　　址： www.bkydw.cn
經　　銷： 新華書店
印　　刷： 北京虎彩文化傳播有限公司
開　　本： 787mm × 1092mm　1/16
字　　數： 522千字
印　　張： 43.5
版　　次： 2019年3月第1版
印　　次： 2019年3月第1次印刷
ISBN 978 – 7 – 5714 – 0094 – 1/R・2581

定　　價：1190.00元（全二册）

#《〈黄帝内經〉版本通鑒·第一輯》編纂委員會

主　編　錢超塵

副主編　王育林　劉　陽

前言

中醫是超越時代、跨越國度、具有永恒魅力的中華民族文化瑰寶，是富有當代價值、保護人體健康的生命科學，它將伴隨中華民族而永生。中醫學核心經典《黄帝内經》，包括《素問》和《靈樞》，奠定中醫理論基礎，指導作用歷久彌新，是臨床家登堂入室的津梁，理論家取之不盡的寶藏，是研究中國傳統文化必讀之書。

讀書貴得善本。章太炎先生鍼對中醫讀書不注重善本的問題，指出：『近世治經籍者，皆以得真本爲亟，獨醫家爲藝事，學者往往不尋古始。』認爲這是不好的讀書習慣；又説：『信乎，稽古之士，宜得善本而讀之也！』閲讀《黄帝内經》，必須對它的成書源流、歷史沿革、當代版本存佚狀況有明確的認識，纔能選擇佳善版本，獲取真知。

《黄帝内經》某些篇段出於战國時期，至西漢整理成文，《漢書·藝文志》載有『《黄帝内經》十八卷』。西晋皇甫謐《鍼灸甲乙經》類編其書，序云：『《黄帝内經》十八卷，今《鍼經》九卷，《素問》九卷，即《内經》也。』説明《黄帝内經》一直分爲兩種相對獨立的書籍流傳，一種名《素問》，一種名《鍼經》。《鍼經》即《靈樞》的初名，在流傳過程中也稱《九卷》《九靈》《九墟》，東漢末張仲景、魏太醫令王叔和均引用過《九卷》之名。

《素問》的版本傳承相對明晰。南朝梁全元起作《素問訓解》存亡繼絶，唐初楊上善類編《太素》取之。唐中期乾元三年（七六〇）朝廷詔令《素問》作爲中醫考試教材。唐中期王冰以全元起本爲底本作注，收入『七篇大論』，改爲二十四卷八十一篇，爲《素問》的流行奠定基礎。北宋天聖五年（一〇二七）、景祐二年（一〇三五）兩次以全元起本爲底本雕版刊行。北宋嘉祐年間（一〇五六—一〇六三）校正醫書局林億、孫奇等以王冰注本爲底本，增校勘、訓詁、釋音，仍以二十四卷八十一篇刊行。此後《素問》單行本均以北宋嘉祐本爲原本，歷南宋（金）、元、明、清至今，形成多個版本系統。二十四卷本，以金刻本（存十三卷）、元讀書堂本、明顧從德覆宋本、明無名氏覆宋本、明周曰校本、明《醫統正脉》本爲代表；十二卷本，以元古林書堂本、明熊宗立本、明趙府居敬堂本、明吴悌本爲代表；五十卷本，即道藏本；此外還有明清注家九卷本、日本刻九卷本等。南宋、北宋及更早之本俱已不存。

《靈樞》在魏晋以後至北宋初期的傳承情況，因史料有缺而相對隱晦。唐初楊上善類編《太素》收入《九卷》。唐中期王冰注《素問》引文，始有『靈樞經』之稱。因存本不全，北宋校正醫書局未校《靈樞》。遲至元祐七年（一〇九二），高麗進獻《黄帝鍼經》，始獲全帙，於元祐八年（一〇九三）正月由北宋政府頒行。此後《靈樞》再次沉寂，至南宋紹興乙亥（一一五五），史崧刊出家藏《靈樞》，將原本九卷校正並增修音釋，勒成二十四卷。此本成爲此後所有傳本的祖本，流傳至今形成多個版本系統。其中二十四卷本，以明無名氏仿宋本、明周曰校本爲代表；十二卷本，以元古林書堂本、明熊宗立本、明趙府居敬堂本、明田經本、明吴悌本、明吴勉學本爲代表；二十三卷本，即道藏本；此外還有明詹林所二卷本、道藏《靈樞略》一卷本、日本刻九卷本等。

《素問》《靈樞》各有單行本之外，《黄帝内經》尚有類編本。西晋皇甫謐《鍼灸甲乙經》，將《素問》《九卷》《明堂孔穴鍼灸治要》三書類編，但編輯時『删其浮辭，除其重複』，故與《素問》《靈樞》對勘，《鍼灸甲乙經》文句每不全足。唐代楊上善《黄帝内經太素》三十卷，將《九卷》《素問》全文收入，不加删掇，詳加注釋。《黄帝内經太素》的文獻價值巨大，但南宋之後却沉寂無聞，直到清光緒中葉，學者楊守敬在日本發現仁和寺存有仁和三年（八八七，相當於唐光啓三年）舊鈔卷子本，存二十三卷，遂影寫携歸，一時轟動醫林。嗣後日本國内相繼再發現佚文二卷有奇，至此《太素》現存二十五卷，堪稱《黄帝内經》版本史上的奇迹。

綜觀《黄帝内經》版本歷史，可謂一縷不絶，沉浮聚散；視其存亡現狀，又可謂同源異派，星分飄零。現存《黄帝内經》善本分散保存在國内外諸多藏書機構，此前囿於信息交流、印刷技術，從未有大規模集中最優秀版本出版的先例。當今電子信息技術發展日新月異，互聯網的普及使信息交流具有前所未有的廣泛性、時效性，乘此東風，《黄帝内經》現存的諸多優秀版本得以鳩聚刊印，爲中醫從業者及愛好者、傳統文化學者集中學習、研究提供便利。《〈黄帝内經〉版本通鑒》叢書，是首次對《黄帝内經》精善本的大規模集中解題、影印，目的是保存經典、傳承文明、繼往開來，爲振興中醫奠基，爲中華文化復興增添一份助力。

《〈黃帝内經〉版本通鑒・第一輯》，精選十二部經典版本，包含《素問》八部，《靈樞》二部，《黃帝内經太素》一部，《黃帝内經明堂》一部。列録如下。

①金刻本《素問》；②元古林書堂本《素問》；③元古林書堂本《靈樞》；④明熊宗立本《素問》；⑤明嘉靖無名氏覆宋刻本《素問》；⑥明嘉靖無名氏仿宋刻本《靈樞》；⑦明吳悌本《素問》；⑧明趙府居敬堂本《素問》；⑨明萬曆朝鮮内醫院活字本《素問》；⑩日本摹刻明顧從德本《素問》；⑪仁和寺本《黃帝内經太素》；⑫仁和寺本《黃帝内經明堂》。

這十二部經典版本，其特點如下。

（1）金刻本《素問》，是現存刊刻時代最早的版本，其年代相當於南宋時，版本價值極高。

（2）元古林書堂本《素問》《靈樞》各十二卷，刊刻時代僅次於金刻本，且所據底本爲孫奇家藏本，總體精善，此本已進入聯合國教科文組織《世界記憶亞太地區名録》。

（3）最新發現的『明嘉靖無名氏覆宋刻本《素問》』『明嘉靖無名氏仿宋刻本《靈樞》』各二十四卷合刊本，疑爲明嘉靖前期陸深所刻。此本《素問》各藏書機構多誤録作顧從德覆宋刻本，今考證得實，宇内尚存至少四部，擇品相優者影印推出，屬於史上首次。此本《靈樞》在一九九二年曾由日本經絡學會在版本不明的情況下影印出版，流傳稀少，今考證尚存世至少六部，兹擇品相佳者影印推出，在國内亦屬首次。

（4）《素問》《靈樞》合刊本兩種最具代表性：元古林書堂本是《素問》《靈樞》十二卷本之祖；明

嘉靖無名氏本是現存《靈樞》二十四卷本之祖，同刊《素問》是明周曰校本的底本。

（5）明代其餘四種《素問》均以元古林書堂本爲底本刊刻，而各有特色：熊宗立本爲明代最早，摹刻極工，添加句讀；吴悌本是罕見的去注解白文本；趙府居敬堂本品相上佳，是長期流傳廣泛的國内通行本之一；朝鮮内醫院活字本是現存最早《素問》活字本。

（6）日本摹刻明顧從德本《素問》屬『後出轉精』之作。此本爲日本安政三年（一八五六）由度會常珍所刻，所據底本爲澀江全善藏顧從德本，另據《黄帝内經太素》等校改誤字，澀江全善及森立之父子並參校讎。

（7）仁和寺本《黄帝内經太素》，屬類編《黄帝内經》最經典版本。原卷子抄寫時將楊上善撰注的《黄帝内經明堂類成》殘卷列首（因《黄帝内經太素》缺第一卷），今别析分刊。

本套叢書内的仁和寺本《黄帝内經太素》及《黄帝内經明堂》之底本由北京神黄科技股份有限公司總經理王和平先生免費提供，此義舉體現了王先生襄贊中華文化傳承事業的殷殷之念，在此謹致謝忱與敬意。

《〈黄帝内經〉版本通鑒》卷帙浩大，爲出版這套叢書，北京科學技術出版社章健總編、侍偉主任，以及編輯吴丹、吕艷、李兆弟等同仁以極高的使命感和責任心，付出了極大的心血和努力，克服了諸多困難，終成其功，謹此致以崇高敬意。相信這套叢書的推出，必不辜負同仁之望，在促進中醫藥事業發展、深化祖國傳統文化研究、增强國家文化軟實力等諸多方面做出應有的貢獻。

囿於執筆者眼界、學識，諸篇解題必有疏漏及訛誤之處，請方家、讀者不吝指正。

錢超塵

［説明：爲更準確地體現版本、訓詁學研究的學術内涵，撰寫時保留了部分異體字的使用，所選擇字樣如下：欬（欬嗽）、鍼（鍼灸）、並（並且）、倂（合倂）、嶽（山嶽）、異（異同）。］

目録

《黄帝内經》版本通鑒·第一輯

元古林書堂本《素問》（上）

解題　錢超塵

解　題

《素問》版本傳承較爲明晰，梁全元起本《素問訓解》存亡繼絶，承前啓後。《素問訓解》約亡於兩宋之際。北宋校正醫書局前，《靈樞》傳承史料有缺，僅能描述《靈樞》傳承輪廓。

《黄帝内經》某些篇段出於戰國時期，如『移精變氣論』云：『内無眷慕之累，外無伸官之形。』林億新校正云：『按，全元起本「伸」作「臾」。』傅山《内經批注》、清末田晋藩《内經素問校證》謂『臾』爲先秦『貴』字。古文『貴』字見《説文解字》草部『蕢』字：『有荷貴而過孔氏之門。』『臾』爲六國時期古文形體，非秦隸更非漢隸，據此可知『伸』『申』爲『臾』之形訛，亦可知『外無伸官之形』之『伸官』當作『貴宦』，此篇當成於戰國而非成於秦。『寶命全形論』云：『故鍼有懸布天下者五，黔首共餘食，莫知之也。』新校正云：『按，全元起本「餘食」作「飽食」。』章太炎《論〈素問〉〈靈樞〉》云：『《黄帝内經》之名，本出依托，宋人已知爲七國時作。始皇更民名曰黔首，或有所承。要必晚周常語。《禮記·祭義》明命鬼神，以爲黔首。則亦七國人書也。觀「飽」之誤爲「餘」，則知本依古文作飽。故識者知爲飽，不識者誤爲餘。是知《素問》作於周末，在始皇併天下之前矣。』王念孫《讀書雜志》卷四上提供『黔首』在秦前見諸文獻資料。《廣雅》：『黔首，氓，民也。』王念孫疏證：『黔首者，《説文》：秦謂民爲黔首，謂黑色也。周謂之黎民。《史記·秦始皇本紀》更名民曰黔首。案，《祭義》云：明命鬼神以爲黔首，則鄭注黔首謂民也。』《魏策》云：『撫社稷，安黔首。』《吕氏春秋·大樂篇》云：『和遠近，樂黔首。』《韓非子·忠孝篇》云：『古者黔首悗密蠢愚。』諸書皆在六國未滅之前。蓋舊有此稱，而至秦遂以爲定名，非始皇創之也。』據此，『黔首共餘食』句，爲六國時語亦爲有徵。

西漢將《素問》整理成册。（見《漢書·藝文志》）

東漢末張仲景引用《九卷》《素問》。（見《傷寒論序》）

魏太醫令王叔和《脉經》引用《九卷》《素問》。

西晋皇甫謐《鍼灸甲乙經》類編《九卷》《素問》。

南朝梁全元起作《素問訓解》（見林億《素問序》），全氏本缺一卷（缺卷七）。

隋巢元方《諸病源候論》引用《黄帝内經》。

唐初楊上善《黄帝内經太素》類編《九卷》《素問》。（《素問》取自全元起本。《鍼灸甲乙經》《素問》皆引《九卷》，可破《九卷》出自唐人説。）

唐中期王燾《外臺秘要》引用《黄帝内經》。（王燾引用《素問》出自全元起本，引用之《九卷》當對照《鍼灸甲乙經》《黄帝内經太素》《靈樞》校讀，尋求《靈樞》唐前流傳軌迹。）

唐中期乾元三年（七六〇）朝廷詔令《素問》作爲醫仕考試教材。［見五代漢至北宋初王溥《唐會要》卷八十二《醫術》：『乾元元年（七五八）二月五日制：自今以後，有以醫術入仕者，同明經例處分。至三年（七六〇）正月十日，右金吾長史王淑奏：醫術請同明經法選人。自今以後，各試醫經方術策十道；《本草》二道、《脉經》二道、《素問》二道、張仲景《傷寒論》二道、諸雜經方義二道。通七以上留，以下放。』」所用《素問》爲全元起本。觀《唐會要·醫術》條只考《素問》，不言《靈樞》，則知《靈樞》於五代不見矣。唐中期王冰《素問·調經論》篇林億新校正云：『詳此注（按，『調經論』云：『神有餘則瀉其小絡之血，出血，勿之深斥。無中其大經，神氣乃平。』王冰注：『《鍼經》曰：經脉爲裏，支而横者爲絡，絡之别者爲孫絡』）引《鍼經》曰與《三部九候論》注兩引之，在彼云《靈樞》，而此曰《鍼經》，則王氏之意，指《靈樞》爲《鍼經》也。按今《素問》注中引《鍼經》者多《靈樞》之文。但以《靈樞》今不全，故未得盡知也。』以此觀之，《九卷》（即《靈樞》）自唐末、五代至北宋元祐八年（一〇九三）凡一個多世紀嚴重殘缺，以致北宋校正醫書局未予校定。章太炎《論〈素問〉〈靈樞〉》云：『《靈樞》舊稱《九卷》，亦曰《鍼經》，亦曰《九靈》。黄以周云：「《素問·鍼解篇》之所解，其文出於《九卷》，新校正已言之。又『方盛衰論』言：合五診、調陰陽，已在《經脉》。《經脉》即《九卷》之篇目。王注亦言之，則《素問》且有出於《九卷》之後者矣。」黄説甚確。由今按驗，文義皆非淳古。《靈樞》前乎《素問》，亦不甚遠。』章太炎又云：『林億校《素問》云：《靈樞》今不全。《宋史·哲宗紀》，元祐八年，詔頒高麗所獻《黄帝鍼經》於天下，則是時始有全帙也。今本乃紹興（一一三一——一一六二）中史崧所進，自言家藏舊本，蓋即林億所見殘帙而以高麗所獻補完爾。』南宋末王應麟（一二二三——一二九六）《玉海》卷六十三載高麗獻《鍼經》事：『元祐八年，高麗所獻書有《黄帝鍼經》，正月庚子，秘書監王欽臣請宣布，俾學者誦習。』南宋江少虞《宋朝事實類苑》卷三十一『藏書之府』條載此事最詳：『哲宗時，臣寮言：「竊見高麗獻到書，内有《黄帝鍼經》九卷。據『素問序』稱，《漢書·藝文志》黄帝内經十八卷，《素問》與此書各九卷，乃合本數。此書久經兵火，亡失幾盡，偶存於東夷。今此來獻，篇帙具存，不可不宣布海内，使學者誦習。伏望朝廷詳酌，下尚書工部雕刻印板，送國子監，依例摹印施行。所貴濟衆之功，溥及天下。」有旨：「令秘書省選奏通曉醫書官三兩員校對，及令本省詳定訖，依所申施行。」』高麗所以獻《黄帝鍼經》，是要求購换《資治通鑒》《册府元龜》。《宋史·哲宗紀》載：『禮部尚書蘇軾言，高麗使乞買歷代史及《册府元龜》等書，宜却其請，不許。省臣許之。軾又疏陳五害，極論其不可。有旨：書籍曾經買者聽。』今行之《靈樞》，原名《鍼經》或《九靈》，其中一些篇爲《素問》引用，則一些篇段早於《素問》；但有一些篇段遲於《素問》。《靈樞》成於戰國末西漢前期，歷傳至唐末五代而亡佚多篇，北宋元祐年間高麗獻全本，與殘卷互校並經三兩員文醫兼通之士校釋，南宋紹興間史崧刊行流傳至今。

唐中期（七六二）王冰以全元起本爲底本，將全元起本改編爲二十四卷本八十一篇，將《九卷》改稱《靈樞》，第一次收入流行於漢代的『七篇大論』，爲《素問》之流行奠定基礎。

北宋天聖五年（一〇二七）以全元起本爲底本雕版刊行。（見《玉海》卷六十五。亡。）

北宋景祐二年（一〇三五）以全元起本爲底本刊行。（見《玉海》卷六十五。亡。）

北宋嘉祐年間（一〇五六——一〇六三）校正醫書局林億、孫奇等以全元起本爲底本增校勘訓詁釋音，仍爲二十四卷八十一篇，爲《素問》流行奠定堅實基礎。北宋刊本亡。

南宋紹定年間（一二二八——一二三三）據校正醫書局本刊行。亡。

金（一一一五——一二三四）刻本以北宋校正醫書局本爲底本，原二十四卷，今存十二卷。卷末注釋遠較宋本詳細繁密。注釋引王安石《字説》。《字説》於北宋元祐年間（一〇八六——一〇九四）遭禁，紹聖年間（一〇九四—一〇九八）復起，作爲考試教材，不久又廢。以此觀之，金刻本或刊行於《字説》流行或廢止不久。金刻本對校勘宋本有重要價值。錢超塵、錢會南首次合撰《金刻本〈黄帝内經素問〉校注考證》，於二〇一三年學苑出版社刊行。

元代胡氏古林書堂本《素問》《九卷》刊成於一三三九年，以北宋醫書局孫奇家藏善本爲底本刊行，遺篇一卷。改二十四卷爲十二卷，藏於中國國家圖書館。二〇一〇年，二書順利入選《世界記憶亞太地區名録》。

元讀書堂本，無刊行年月，所據底本當爲北宋校正醫書局本。二十四卷。今存。

明刊本較多，列舉如下。

（1）明嘉靖二十九年（一五五〇）顧從德以北宋校正醫書局本爲底本翻刻，二十四卷。逼真宋本。書口有刻工姓名。該本是《素問》通行本之最佳本。

（2）明趙府居敬堂本《素問》，十二卷，遺篇一卷。以古林書堂本爲底本。品相極佳。明清之際傅山據此本在書眉、書根、行間批注。所以選趙本爲批注底本，爲趙府本出於明之宗族主持刊刻，寓有故國之思焉。今存於中國國家圖書館、北京大學圖書館。

（3）明熊宗立本《素問》以趙府居敬堂本爲底本刊行。

（4）明吴悌本《素問》。白文本。今存。

（5）明潘之恒本《素問》。今存。

（6）明吴勉學本《素問》。今存。

(7)明萬曆十二年甲申(一五八四)周曰校據熊宗立本刊行《素問》。日本藿城公觀《素問考》、丹波元簡《素問識》以甲申周曰校本爲底本。

(8)明醫家除闕注《素問》版本外,又進行注釋,如馬蒔《黄帝内經素問注證發微》九卷、吴崑《素問注》二十四卷、張介賓《類經》三十二卷、李中梓《内經知要》二卷,等等,爲清代《黄帝内經》之學發展奠定良好基礎。

清代《黄帝内經》之學以注釋與考據見長,影響至今。

(1)注釋舉要。如汪昂《素問靈樞類纂約注》三卷、張志聰《素問集注》九卷、高世栻《素問直解》九卷等。

(2)考據著作呈現長川奔涌態勢。考據約分三類。

①古音學考證。顧炎武《音學五書》逐篇考證《靈樞》《素問》古音,據韵判斷篇章成文時代。朱駿聲《説文通訓定聲》將《素問》古韵逐篇注出韵脚(只舉韵脚,不列全句),王念孫深入研究《素問》古韵特點,論證《素問》成書時代與《意林》《新語》爲同一時代,即成於西漢時期。古音學今爲絶學矣,存其亡而繼其絶,不僅爲《黄帝内經》研究之急需,亦爲整理中醫古籍所必備。江有誥《音學十書》對《素問》古音詳加分析研究。②校勘訓詁研究。顧尚之《素問校勘記》《靈樞校勘記》、胡澍《黄帝内經素問校義》、沈彤《釋骨》、孫詒讓《札迻》、俞樾《讀書餘録》、田晉蕃《内經素問校證》、于鬯《香草續校書》等。③《素問難字字典》。

中華人民共和國成立以來是《黄帝内經》研究成就最爲輝煌的時代。二十世紀五十年代,《靈樞》

《素問》影印本出版，《黄帝内經》作爲中等及高等中醫藥院校必修教材。二十世纪八十年代衛生部聘請專家校注《素問》《靈樞》。就著作觀之，特點如下。

（1）《黄帝内經》校注層出叠見。沈祖綿《素問臆斷》《素問瑣語》值得重視。

（2）《黄帝内經》音韵訓詁研究著作不斷呈現。劉衡如《靈樞經校注》以上古音韵學校勘近百訛字，此書二〇一三年六月已由人民衛生出版社再版。天津中醫藥大學郭靄春主編的《黄帝内經素問校注語譯》爲近世校注《素問》翹楚之作。錢超塵《内經語言研究》《中醫古籍訓詁研究》《黄帝内經太素研究》《内經古音研究》《影印清儒内經古音訓詁文集》等都是研究《黄帝内經》文字音韵訓詁的著作。

（3）《黄帝内經》版本受到學者重視。日本《黄帝内經版本叢刊》影印十餘種重要版本，受到國人重視。

（4）從臨床角度研究《黄帝内經》的論文與專著取得重要成績。

希望今後影印《素問》《靈樞》好的版本，培養研究《黄帝内經》的各類人才。此爲振興中醫之根本大計。

錢超塵

附補註素問上

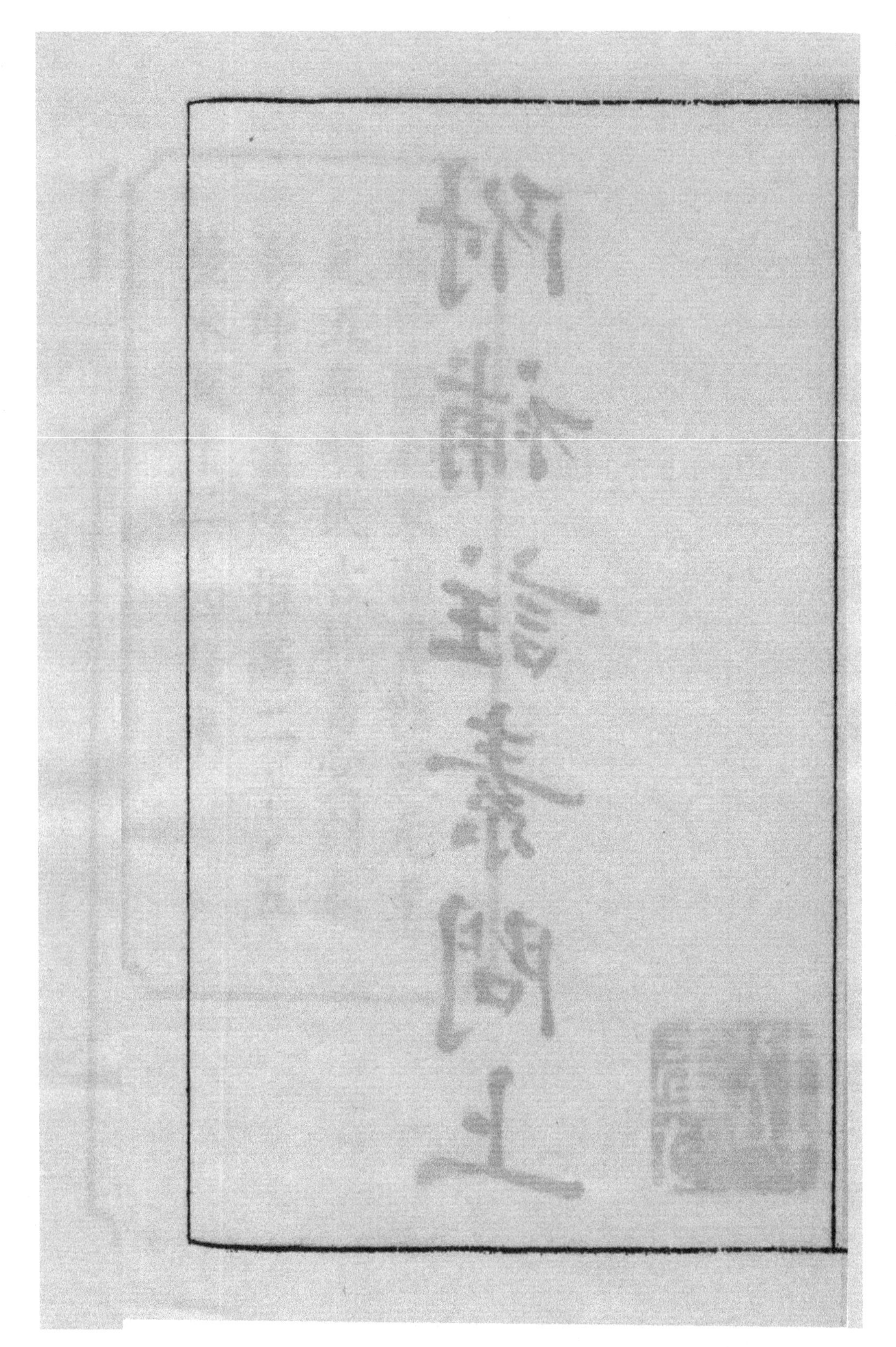

校正黃帝內經素問序

臣聞安不忘危，存不忘亡者，往聖之先務；求民之瘼，恤民之隱者，上主之深仁。在昔黃帝之御極也，以理身緒餘治天下，坐於明堂之上，臨觀八極，考建五常，以謂人之生也，負陰而抱陽，食味而被色，外有寒暑之相盪，內有喜怒之交侵，夭昏札瘥，國家代有。將欲斂時五福，以敷錫厥庶民，乃與岐伯上窮天紀，下極地理，遠取諸物，近取諸身，更相問難，垂法以福後世。於是雷公之倫，受業傳之，而內經作矣。歷代寶之，未有失墜。蒼周之興，秦和述六

氣之論具明於左史厥後越人得其一二演而述
難經西漢倉公傳其舊學東漢仲景撰其遺論晉
皇甫謐次而爲甲乙及隋楊上善纂而爲大素時
則有全元起者始爲之訓解闕第七一通迄唐寶
應中大僕王冰篤好之得先師所藏之卷大爲次
註猶是三皇遺文爛然可觀惜乎唐令列之醫學
付之執技之流而薦紳先生罕言之去聖已遠其
述曖昧是以文註紛錯義理混淆殊不知三墳之
餘帝王之高致聖賢之能事唐堯之授四時虞舜
之齊七政神禹脩六府以興帝功文王推六子以

叙卦氣伊尹調五味以致君箕子陳五行以佐世
其致一也柰何以至精至微之道傳之以至下至
淺之人其不廢絶爲已幸矣頃在嘉祐中仁宗念
聖祖之遺事將墜于地迺詔通知其學者俾之是
正臣等承之典校伏念旬歲遂廼搜訪中外裒集
衆本寖尋其義正其訛舛十得其三四餘不能具
竊謂未足以稱明詔副聖意而又採漢唐書録古
醫經之存於世者得數十家叙而考正焉貫穿錯
綜磅礴會通或端本以尋支或泝流而討源定其
可知次以舊目正繆誤者六千餘字增註義者二

千餘條一言去取必有稽考舛文疑義於是詳明以之治身可以消患於未兆施於有政可以廣生於無窮恭惟皇帝撫大同之運擁無疆之休述先志以奉成興微學而求正則和氣可召災害不生陶一世之民同躋于壽域矣國子博士臣高保衡光禄卿直秘閣臣林億等謹上

朝奉郎守國子博士同校正醫書上騎都尉賜緋魚袋高保衡

朝奉郎守尚書屯田郎中同校正醫書騎都尉賜緋魚袋孫奇

朝散大夫守光禄卿直秘閣判登聞檢院上護軍林億

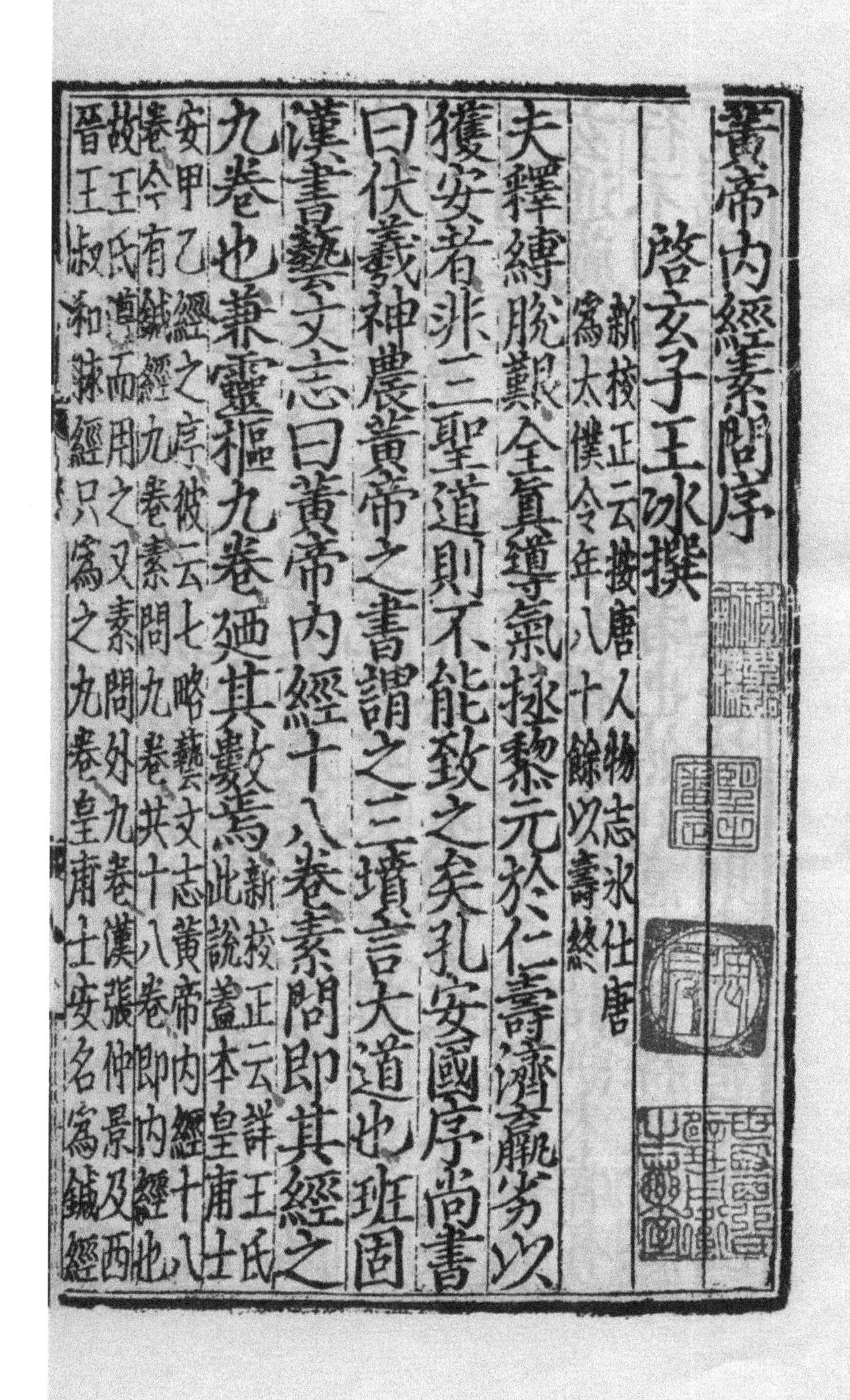

黄帝内經素問序

啓玄子王冰撰

新校正云按唐人物志冰仕唐爲太僕令年八十餘以壽終

夫釋縛脱艱全眞導氣拯黎元於仁壽濟羸劣以獲安者非三聖道則不能致之矣孔安國序尚書曰伏羲神農黄帝之書謂之三墳言大道也班固漢書藝文志曰黄帝内經十八卷素問即其經之九卷也兼靈樞九卷迺其數焉新校正云詳王氏此說蓋本皇甫士安甲乙經之序彼云七畧藝文志黄帝内經十八卷今有鍼經九卷素問九卷共十八卷即内經也故王氏遵而用之又素問外九卷漢張仲景及西晉王叔和脉經只爲之九卷皇甫士安名爲鍼經

亦專名九卷楊玄操云黃帝内經二帙帙各九卷按隋書經籍志謂之九靈王冰名爲靈樞雖
復年移代革而授學猶存懼非其人而時有所隱
故第七一卷師氏藏之今之奉行惟八卷爾然而
其文簡其意博其理奧其趣深天地之象分陰陽
之候列變化之由表死生之兆彰不謀而遐邇自
同勿約而幽明斯契稽其言有徵驗之事不忒誠
可謂至道之宗奉生之始矣假若天機迅發妙識
玄通蒇謀雖屬乎生知標格亦資於詁訓未嘗有
行不由逕出不由戶者也然刻意研精探微索隱
或識契真要則目牛無全故動則有成猶鬼神幽

賛而命世奇傑時時間出焉則周有秦公新校正云按別本一作和緩漢有淳于公魏有張公華公皆得斯妙道者也咸日新其用大濟蒸人華葉遞榮聲實相副蓋教之著矣亦天之假也冰弱齡慕道夙好養生幸遇真經式爲龜鏡而世本紕繆篇目重疊前後不倫文義懸隔施行不易披會亦難歲月既淹襲以成弊或一篇重出而別立二名或兩論併吞而都爲一目或問荅未已別樹篇題或脫簡不書而云世闕重合經而冠鍼服併方宜而爲欬篇隔虛實而爲逆從合經絡而爲論要節皮部爲經絡退

至道以先鍼諸如此流不可勝數且將升岱嶽非
逕奚爲欲詣扶桑無舟莫適乃精勤博訪而并有
其人歷十二年方臻理要詢謀得失深遂夙心時
於先生郭子齋堂受得先師張公秘本文字昭晰
義理環周一以參詳羣疑冰釋恐散於末學絕彼
師資因而撰註用傳不朽兼舊藏之卷合八十一
篇二十四卷勒成一部新校正云詳素問第七卷亡已久矣按皇甫士安晉人也序甲乙經云亦有亡失隋書經籍志載梁七錄亦云止存八卷全元起隋人所註本乃無第七王冰唐寶應中人上至晉皇甫謐甘露中已六百餘年而冰自爲得舊藏之卷今竊疑之仍觀天元紀大論五運行論六微旨論氣交變論五常政論六元正紀論至真要論七篇居今素問四卷篇卷

浩大不與素問前後篇卷等又且所載之事與素
問餘篇略不相通竊疑此七篇乃陰陽大論之文
王氏取以補所亡之卷猶周官無冬官以考工記
補之之類也又按漢張仲景傷寒論序云撰用素
問九卷八十一難經陰陽大論是素問與陰陽大
論兩書甚明乃王氏并陰陽大論於素問中也要
之陰陽大論亦古醫
經終非素問第七矣冀乎究尾明首尋註會經開
發童蒙宣揚至理而已其中簡脫文斷義不相接
者搜求經論所有遷移以補其處篇目墜缺指事
不明者量其意趣加字以昭其義篇論吞并義不
相涉闕漏名目者區分事類別目以冠篇首君臣
請問禮儀乖失者考校尊卑增益以光其意錯簡
碎文前後重疊者詳其指趣削去繁雜以存其要

辭理秘密難粗論述者別撰玄珠以陳其道新校正云詳王氏玄珠世無傳者今有玄珠十卷昭明隱旨三卷蓋後人附託之文也雖非王氏之書亦於素問第十九卷至二十二四卷頗有發明其隱旨三卷與今世所謂天元玉冊者正相表裏而與王冰之義多不同凡所加字皆朱書其文使今古必分字不雜糅女救反雜也庶厥昭彰聖旨敷暢玄言有如列宿高懸奎張不亂深泉淨瀅音瑩鱗介咸分君臣無夭枉之期夷夏有延齡之望俾工徒勿誤學者惟明至道流行徽音累屬千載之後方知大聖之慈惠無窮時大唐寶應元年歲次壬寅序

將仕郎守殿中丞孫兆重改誤

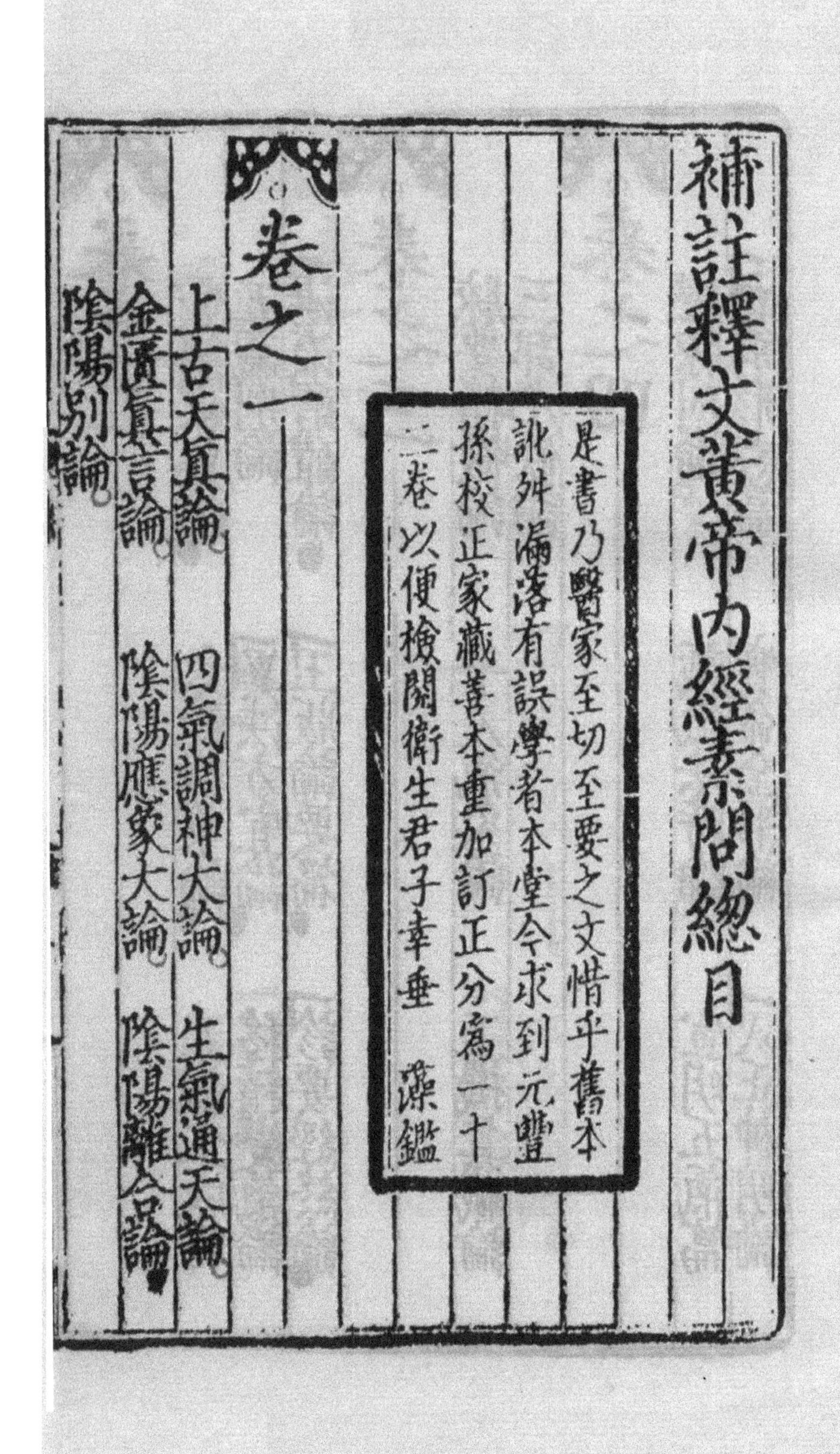

補註釋文黃帝內經素問總目

是書乃醫家至切至要之文惜乎舊本訛舛漏落有誤學者本堂今求到元豐孫校正家藏善本重加訂正分爲一十二卷以便檢閱衛生君子幸垂　藻鑑

卷之一

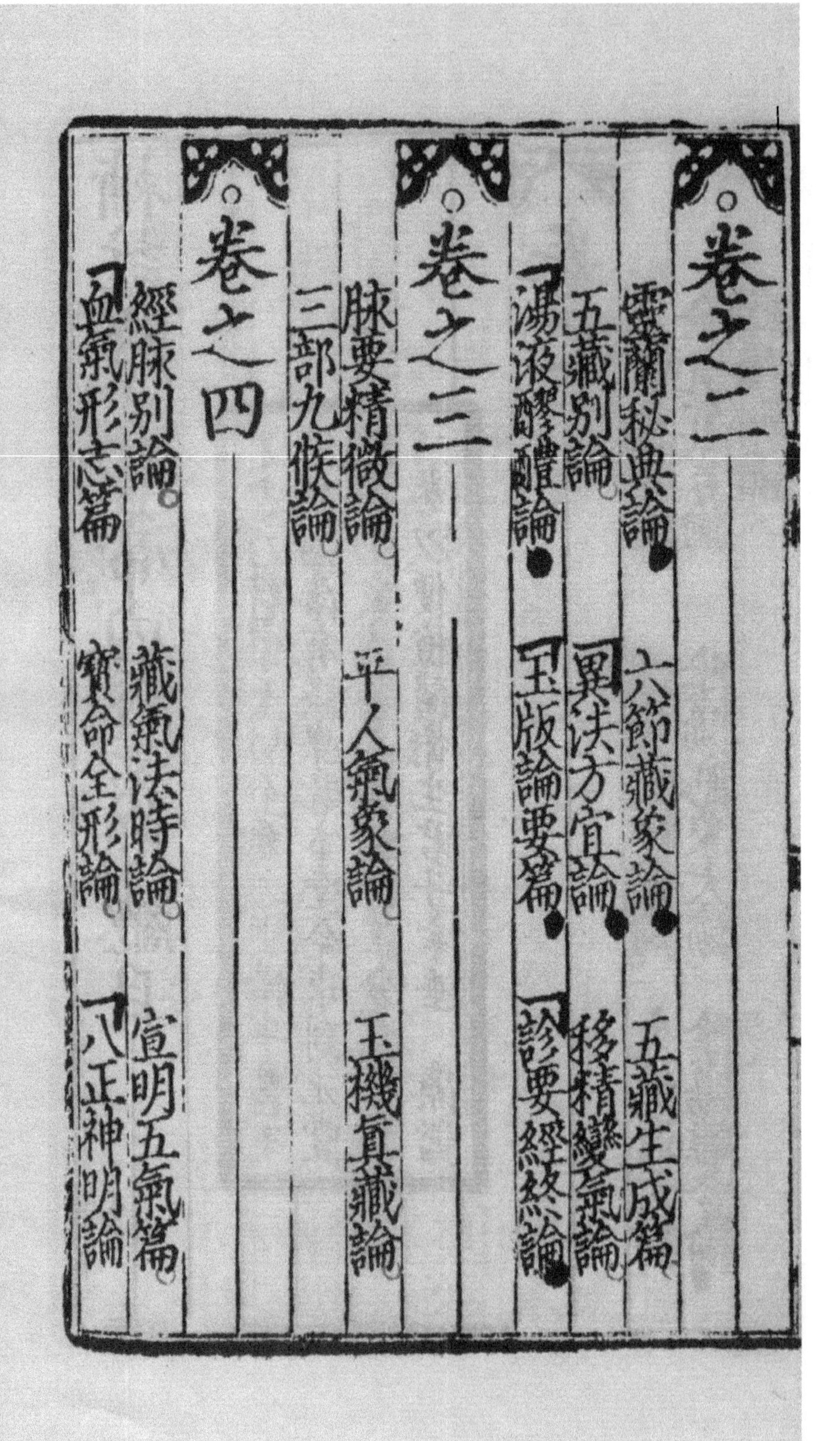

卷之二

卷之三

卷之四

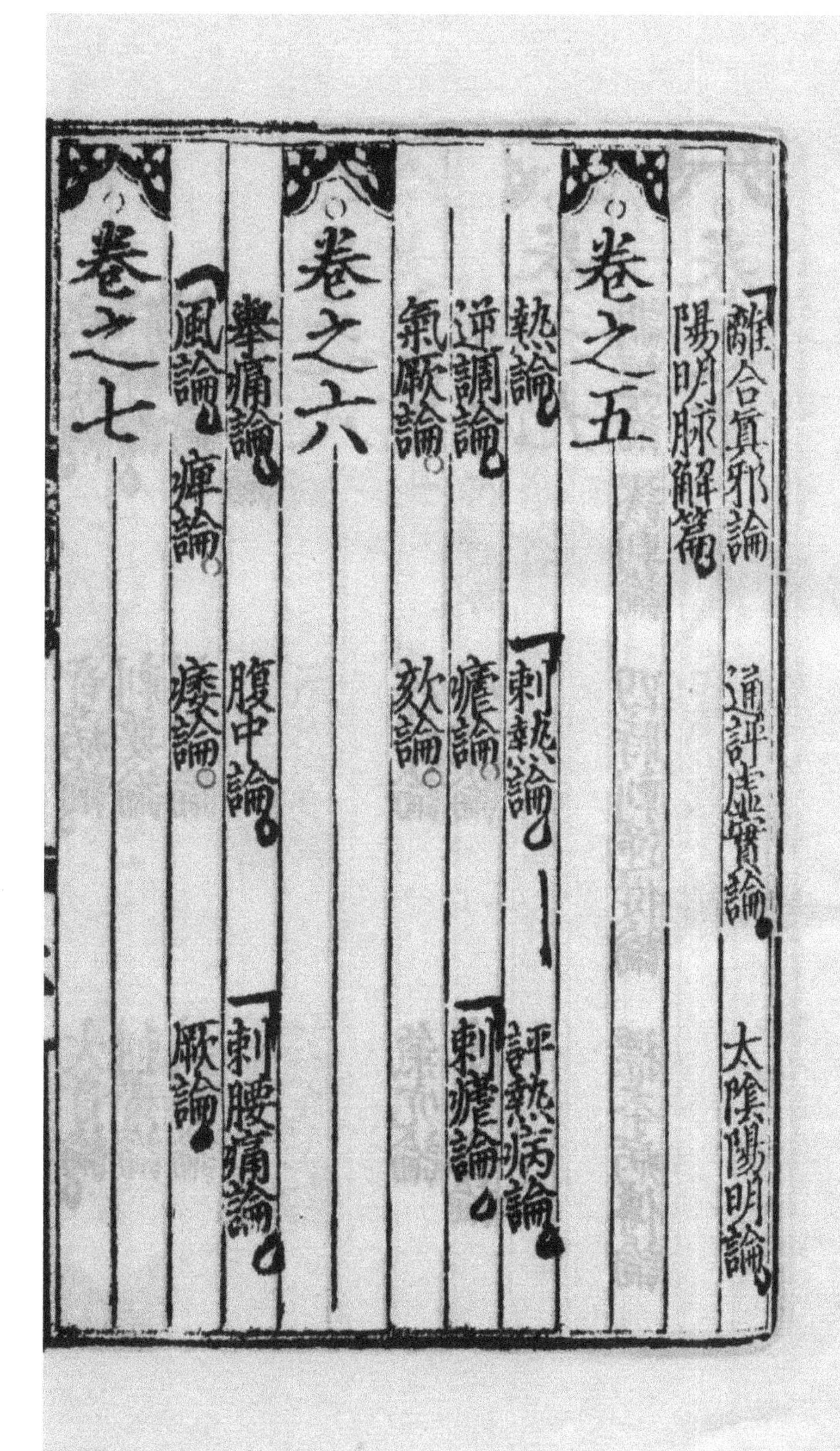

卷之五

卷之六

卷之七

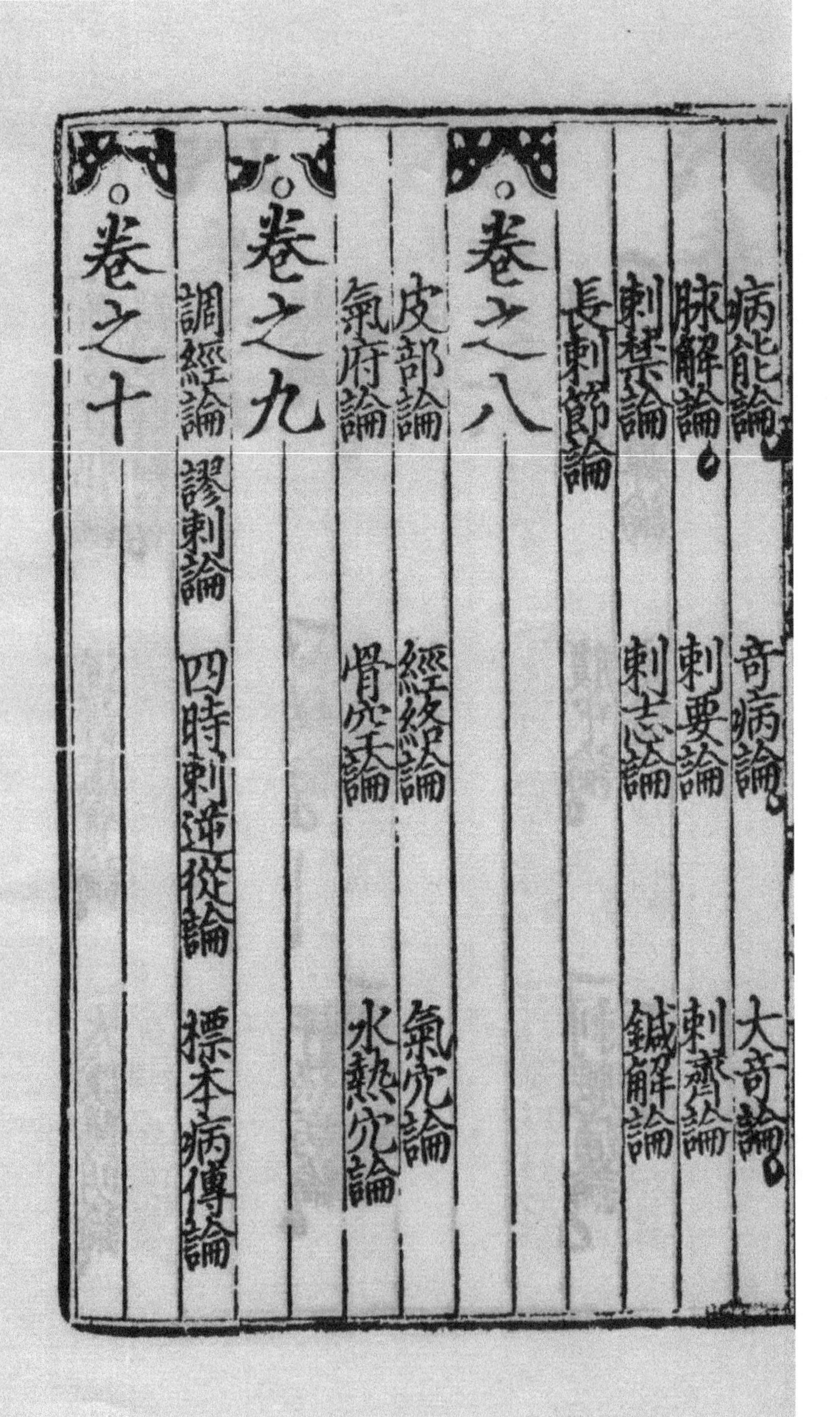

卷之八

卷之九

卷之十

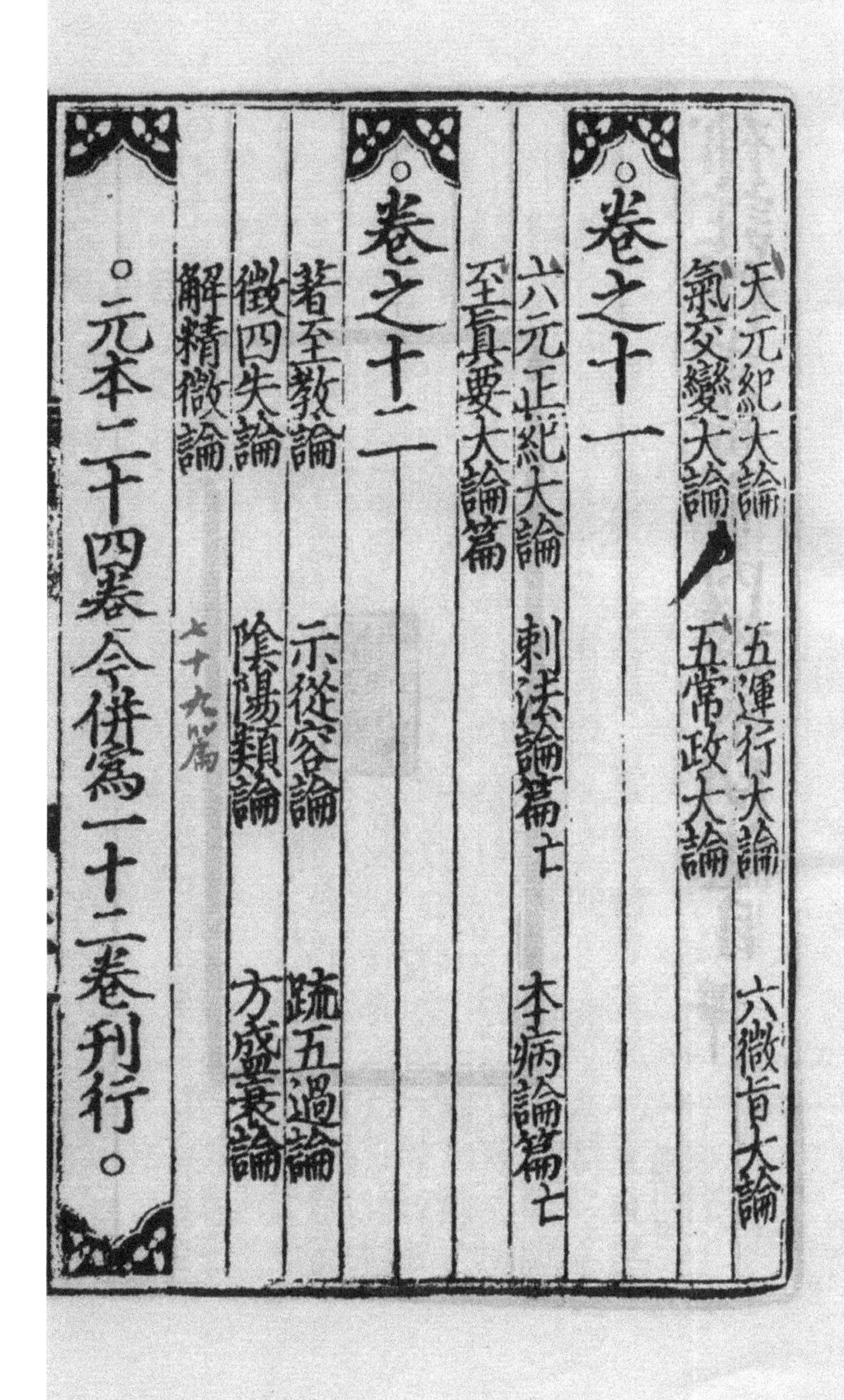

天元紀大論　五運行大論　六微旨大論
氣交變大論　五常政大論
卷之十一
六元正紀大論　刺法論篇亡　本病論篇亡
至真要大論篇
卷之十二
著至教論　示從容論　疏五過論
徵四失論　陰陽類論　方盛衰論
解精微論
七十九篇
元本二十四卷今併爲一十二卷刊行

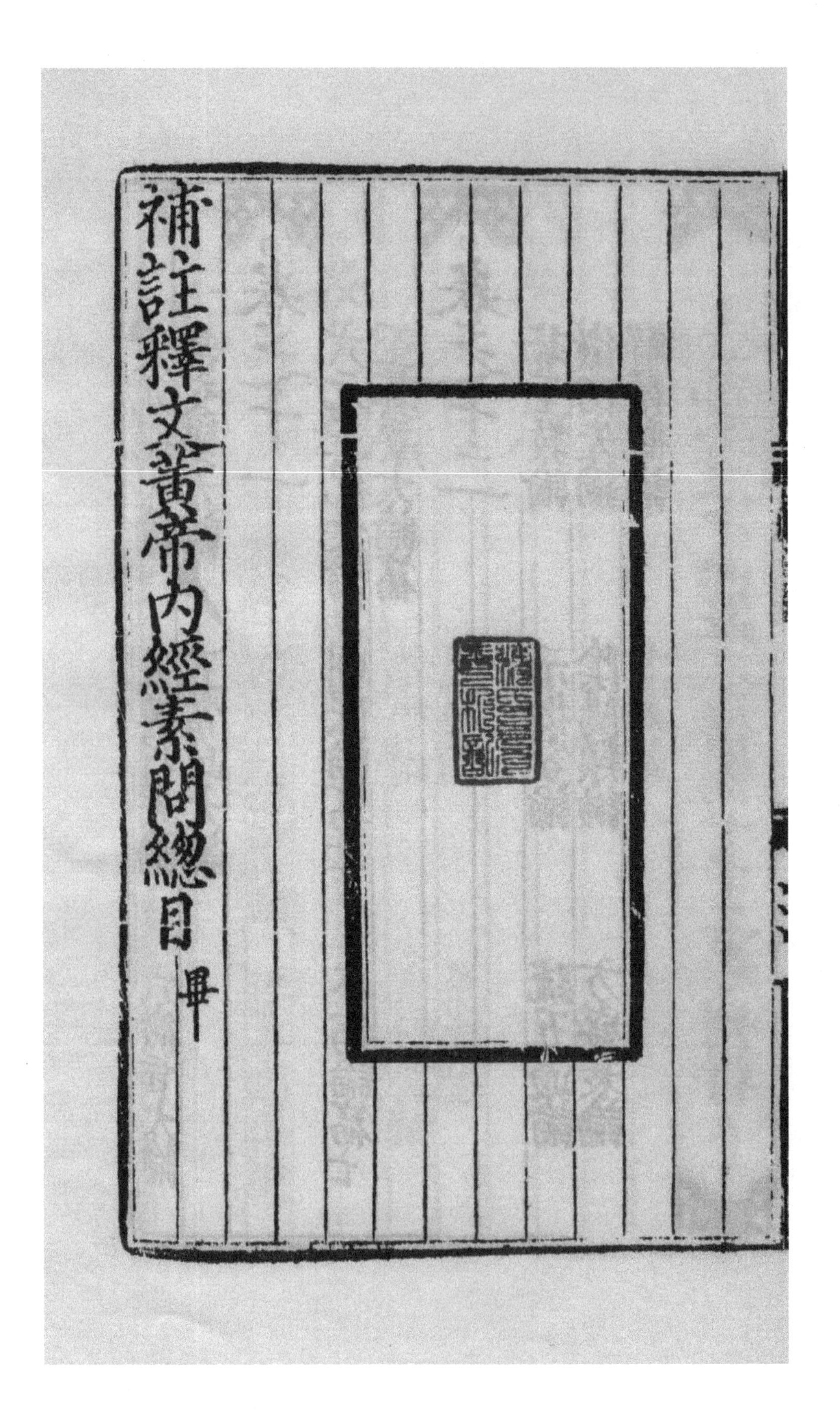
補註釋文黃帝内經素問總目 冊

新刊補註釋文黃帝內經素問卷之一

啓玄子次註林億孫奇高保衡等奉勑校正孫兆重改誤

新校正云按王氏不解所以名素問之義及素問之名起於何代按隋書經籍志始有素問之名甲乙經序晉皇甫謐之文已云素問論病精辨王叔和西晉人撰脉經云出素問鍼經漢張仲景撰傷寒卒病論集云撰用素問是則素問之名著於隋志上見於漢代也自仲景已前無文可見莫得而知據今世所存之書則素問之名起漢世也所以名素問之義全元起有說云素者本也問者黄帝問岐伯也方陳性情之源五行之本故曰素問元起雖有此解義未甚明按乾鑿度云夫有形者生於無形故有太易有太初有太始有太素太易者未見氣也太初者氣之始也太始者形之始也太素者質之始也氣形質具而疴瘵由是萌生故黄帝問此太素質之始也素問之名義或由此

○上古天真論篇第一

（新校正按全元起注本在第九卷王氏重次篇第移冠篇首今注逐篇必具全元起本之卷第者欲存素問舊第目見今之篇次皆王氏之所移也）

昔在黄帝生而神靈弱而能言幼而徇齊長而敦敏成而登

天有熊國君少典之子姓公孫徇疾也敦信也敏達也習用干戈以征不享平定天下殄滅蚩尤以土德王都軒轅之丘故號之曰軒轅黃帝後鑄鼎於鼎湖山鼎成而白日升天羣臣葬衣冠於橋山墓今猶在音徐閏汲迺問於

天師曰余聞上古之人春秋皆度百歲而動作不衰今時之

人年半百而動作皆衰者時世異耶人將失之耶天師岐伯也岐

伯對曰上古之人其知道者法於陰陽和於術數上古謂玄古也知道謂知修養之道也夫陰陽者天地之常道術數者保生之大倫故修養者必謹先之老子曰萬物負陰而抱陽沖氣以為和四氣調神大論曰陰陽四時者萬物之終始死生之本逆之則災害生從之則苛疾不起是謂得道此之謂也食

飲有節起居有常不妄作勞食飲者充虛之滋味起居者動止之綱紀故修養者謹而行之痺論曰飲食自倍腸胃乃傷生氣通天論曰起居如驚神氣乃浮是惡妄動也廣成子曰必靜必清無勞汝形無搖汝精乃可以長生故聖人先之也○新校正云按全元起注本云飲食有常節起居有常度不妄不作太素同楊上善云以理而取聲色芳味不妄視聽也循理而動不為分外之事[illegible]必至反故能形與神俱而盡終其

天年度百歲乃去形與神俱同臻壽分謹於修養以奉天真故盡得終其天年去謂去離於形骸也靈樞經曰人百歲五藏皆虛神氣皆去形骸獨居而終矣以其知道故年長壽延年度百歲謂至一百二十歲也尚書洪範

曰壽百二十歲也今時之人不然也動之死地離於道也以酒為漿溺於飲也以
妄為常寡於信也醉以入房過於色也以欲竭其精以耗散其真樂色曰欲
輕用曰耗樂色不節則精竭輕用不止則真散是以聖人愛精重施髓滿骨堅老子曰弱其志強其骨河上公曰有欲者
亡身曲礼曰欲不可縱。新校正云按甲乙經耗作好不知持滿不時御神言輕用而縱欲也老
子曰持而盈之不如其已言愛精保神如持盈滿之器不慎而動則傾竭天真真誥曰常不能慎事自致百病豈可怨咎
於神明乎此之謂也。新校正云按別本時作解務快其心逆於生樂快於心欲之用則逆養生
之樂矣老子曰甚愛必大費此之類歟夫甚愛而不能救議道而以為未然者伐生之大患也起居無節故
半百而衰也亦耗散而致是也夫道者不可斯須離於道則壽不能終盡於天年矣老子曰物壯則老謂之
不道不道早亡此之謂離道也夫上古聖人之教下也皆謂之虛邪賊風避
之有時邪乘虛入是謂虛邪竊害中和謂之賊風避之有時謂八節之日及太一入從之於中宮朝八風之日也
靈樞經曰邪氣不得其虛不能獨傷人謂人虛乃邪勝之也。新校正云按全元起注本云上古聖人之教也下皆為之
太素千金同楊上善云上古聖人使人行者身先行之為不言之教不言之教勝有言之教故下百姓傚行者衆故曰下
皆為之太一入從於中宮朝八風義具天元玉冊中恬惔虛無真氣從之精神內守病

安從來恬憺虛无靜也法道清靜精氣內持故其虛邪不能為害○恬徒兼反憺音淡是以志閑而少欲心安而不懼形勞而不倦內機息故少欲外紛靜故心安然情欲兩亡是非一貫起居皆適故不倦也氣從以順各從其欲皆得所願志不貪故所欲皆順心易足故所願必從以不異求故无難得也老子曰知足不辱知止不殆可以長久故美其食順精麤也○新校正云按別本美一作甘任其服隨美惡也樂其俗去傾慕也高下不相慕其民故曰朴至无求也是所謂心足也老子曰禍莫大於不知足咎莫大於欲得故知足之足常足矣蓋非謂物足者為知足心足者乃為知足矣不恣於欲是則朴同故聖人云我無欲而民自朴○新校正云按別本曰作日是以嗜欲不能勞其目淫邪不能惑其心目不妄視故嗜欲不能勞心与玄同故淫邪不能惑老子曰不見可欲使心不亂又曰聖人為腹不為目愚智賢不肖不懼於物故合於道情計兩亡不為謀府冥心一觀勝負俱捐故心志保安合同於道庚桑楚曰養汝形抱汝生无使汝思慮營營○新校正云按全元起註本云合於道數所以能年皆度百歲而動作不衰者以其德全不危也不涉於危故德全也莊子曰執道者德全德全者形全形全者聖人之道也又曰无為而性命不全者未之有也帝曰人年老而無子者材力盡邪將天數然也材謂材幹可以立身者

岐伯曰女子七歲腎氣盛齒更髮長老陽之數極於九少陽之數次於七女子爲少陰之氣故以少陽數偶之明陰陽氣和乃能生成其形體故七歲腎氣盛齒更髮長更古行反下齒更同二七而天癸至任脈通太衝脈盛月事以時下故有子癸謂壬癸北方水干名也任脈衝脈皆奇經脈也腎氣全盛衝任流通經血漸盈應時而下天眞之氣降与之從事故云天癸也然衝爲血海任主胞胎二者相資故能有子所以謂之月事者平和之氣常以三旬而一見也故愆期者謂之有病。新校正云按全元起註本及太素甲乙經俱作伏衝下太衝同任如林反三七腎氣平均故眞牙生而長極眞牙謂牙之最後生者腎氣平而眞牙生者表牙齒爲骨之餘也四七筋骨堅髮長極身體盛壯女子天癸之數七七而終年居四七材力之半故身體盛壯長極於斯五七陽明脈衰面始焦髮始墮陽明之脈氣營於面故其衰也髮墮面焦靈樞經曰足陽明之脈起於鼻交頞中下循鼻外入上齒中還出俠口環脣下交承漿卻循頤後下廉出大迎循頰車上耳前過客主人循髮際至額顱手陽明之脈上頸貫頰入下齒縫中還出俠口故面焦髮墮也頞於葛反俠胡夾反下同顱落胡反六七三陽脈衰於上面皆焦髮始白三陽之脈盡上於頭故三陽衰則面皆焦髮始白所以衰者婦人之生也有餘於氣不足於血以其經月數脫血之故七七任脈虛太衝脈衰少天癸竭地道不通故形壞而無子也經水絕止是為地道不通衝任衰微故云形壞无子丈夫八歲腎氣實髮長齒更老陰之數極於十少陰之數次於八男子為少陽之氣故以少陰數合之易繫辭曰天九地十則其數也二八腎氣盛天癸至精氣溢寫陰陽和故能有子男女有陰陽之質不同天癸則精血之形亦異陰靜海滿而去血陽動應合而泄精二者通和故能有子易繫辭曰男女構精萬物化生此之謂也三八腎氣平均筋骨勁強故真牙生而長極以其好用故爾四八筋骨隆盛肌肉滿壯丈夫天癸八八而終年居四八亦材之半也五八腎氣衰髮墮齒槁腎主於骨齒為骨餘腎氣既衰精无所養故令髮墮齒復乾枯六八陽氣衰竭於上面焦髮鬢頒白陽氣亦陽明之氣也靈樞經曰足陽明之脈起於鼻交頞中下循鼻外入上齒中還出俠口環脣下交承漿却循頤後下廉出大迎循頰車上耳前過客主人循髮際至額顱故衰於上則面焦髮鬢白也七八肝氣衰筋不能動天癸竭精少腎藏衰形體皆極肝氣養筋肝衰故筋不能動腎氣養骨腎衰故形體疲極天癸已竭故精少也匪惟材力衰謝固當天數使然八八則齒髮去陽氣竭精氣衰故齒髮不堅離形骸矣去落也腎者主水受五藏六府之精而藏之故五藏盛乃能寫五藏六府精氣淫溢而滲灌於腎腎藏乃受而藏之何以明之靈樞

經曰五藏主藏精藏精者不可傷由是則五藏各有精隨用而灌注於腎此乃腎為都會關司之所非腎一藏而獨有精故曰五藏盛乃能寫也今五藏皆衰筋骨解墮天癸盡矣故髮鬢白身體重行步不正而無子耳所謂物壯則老謂之天道者也帝曰有其年已老而有子者何也言似非天癸之數也岐伯曰此其天壽過度氣脉常通而腎氣有餘也所稟天真之氣本自有餘也此雖有子男不過盡八八女不過盡七七而天地之精氣皆竭矣雖老而生子子壽亦不能過天癸之數帝曰夫道者年皆百數能有子乎岐伯曰夫道者能却老而全形身年雖壽能生子也是所謂得道之人也道成之證如下章云黃帝曰余聞上古有真人者提挈天地把握陰陽真人謂成道之人也夫真人之身隱見莫測其為小也入於無間其為大也遍於空境其變化也出入天地內外莫見跡順至真以表道成之證凡如此者故能提挈天地把握陰陽也呼吸精氣獨立守神肌肉若一真人心合於氣氣合於神神合於無故呼吸精氣獨立守神肌膚若冰雪綽約如處子。新校正云按全元起注本云身肌宗一太素同楊上善云真人身之肌體與太極同質故云宗一故能壽敝天地無有終時體同於道壽與道同故能無有終時而壽盡天地也。敝，皮祭反，盡也。此其道生。惟至道生，乃能如是。中古之時，有至人者，淳德全道，全其至道，故曰至人。然至人以此淳朴之德，全彼妙用之道。新校正云：詳楊上善云：積精全神，能至於德，故稱至人。和於陰陽，調於四時，和謂同和，調謂調適。言至人動靜，必適中於四時生長收藏之令，參同於陰陽寒暑升降之宜。去世離俗，積精全神，心遠世紛，身離俗染，故能積精而復全神。游行天地之間，視聽八遠之外，神全故也。庚桑楚曰：神全之人，不慮而通，不謀而當，精照無外，志凝宇宙，若天地然。又曰：体合於心，心合於氣，氣合於神，神合於無，其有介然之有，唯然之音，雖遠際八荒之外，近在眉睫之內，來干我者，吾必尽知之。夫如是者，神全，故所以能矣。睫，音接。此蓋益其壽命而強者也，亦歸於真人。同歸於道也。其次有聖人者，處天地之和，從八風之理，与天地合德，与日月合明，与四時合其序，与鬼神合其吉凶，故曰聖人。所以處天地之淳和，順八風之正理者，欲其養正，避彼虛邪。適嗜欲於世俗之間，無恚嗔之心，聖人志深於道，故適於嗜欲，心全廣愛，故不有恚嗔。是以常德不離，殁身不殆。恚，於桂反。行不欲離於世，被服章，新校正云：詳被服章三字疑衍，此三字上下文不屬。舉不欲觀於俗，聖人舉事行止，雖常在時俗之間，然其見為則与時俗有異尒。何者？貴法道之清靜也。老子曰：我獨異於人，而貴求食於母。母亦諭道也。外不勞形於事，內無思想

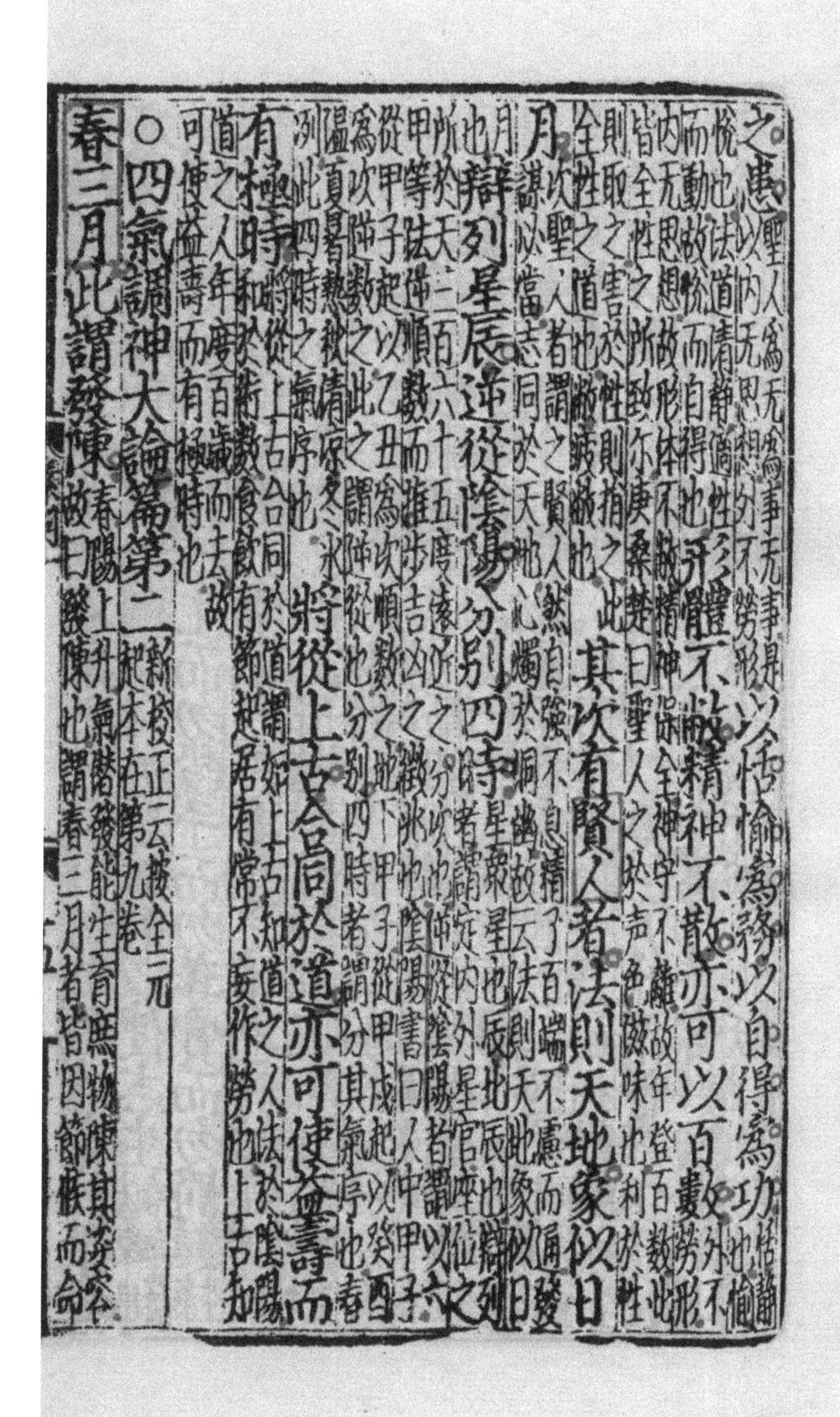

之患
聖人為无為事无事是以內无思想外不勞形
以恬愉為務以自得為功
恬靜也愉悅也法道清靜適性而動故悅而自得也
形體不敝精神不散亦可以百數
外不勞形內无思想故形體不敝精神保全神守不離故年登百數此蓋全性之所致尔庚桑楚曰聖人之於声色滋味也利於性則取之害於性則捐之此全性之道也敝疲敝也
其次有賢人者法則天地象似日月辯列星辰逆從陰陽分別四時
次聖人者謂之賢人然自強不息精了百端不慮而通發謀必當志同於天地心燭於洞幽故云法則天地象似日月也辯列者謂定內外星官座位之所於天三百六十五度遠近之分次也逆從陰陽者謂以六甲等法逆順數而推步吉凶之徵兆也陰陽書曰人中甲子從甲子起以乙丑為次順數之地下甲子從甲戌起以癸酉為次逆數之此之謂逆從也分別四時者謂分其氣序也春溫夏暑熱秋清涼冬冰冽此四時之氣序也
將從上古合同於道亦可使益壽而有極時
將從上古合同於道謂如上古知道之人法於陰陽和於術數食飲有節起居有常不妄作勞也上古知道之人年度百歲而去故可使益壽而有極時也

○四氣調神大論篇第二
新校正云按全元起本在第九卷

春三月此謂發陳
春陽上升氣潛發散生育庶物陳其姿容故曰發陳也所謂春三月者皆因節候而命

之夏秋冬亦然天地俱生萬物以榮天氣溫地氣發溫發相合故万物滋榮夜臥早起廣步於庭溫氣生寒氣散故夜臥早起廣步於庭被髮緩形以使志生法象也春氣發生於万物之首故被髮緩形以使志意發生也生而勿殺予而勿奪賞而勿罰春氣發生施无求報故養生者必順於時也〔予〕音與此春氣之應養生之道也所謂因時之序也然立春之節初五日東風解凍次五日蟄蟲始振後五日魚上冰次雨水氣初五日獺祭魚次五日鴻鴈來後五日草木萌動次仲春驚蟄之節初五日小桃華○新校正云詳小桃華月令作桃始華○次五日倉庚鳴後五日鷹化為鳩次春分氣初五日玄鳥至次五日雷乃發聲芍藥榮後五日始電次季春清明之節初五日桐始華次五日田鼠化為鴽牡丹華後五日虹始見次穀雨氣初五日萍始生次五日鳴鳩拂其羽後五日戴勝降于桑凡此六氣一十八候皆春陽布發生之令故養生者必謹奉天時也○新校正云詳芍藥榮牡丹華今月令无〔釋音〕他時逆反〔鴽〕音如鶉也逆之則傷肝夏為寒變奉長者少逆謂反行秋令也肝象木王於春故行秋令則肝氣傷夏火王而木廢故病生於夏然四時之氣春生夏長逆春傷肝故少氣以奉於夏長之令也夏三月此謂蕃秀陽自春生至夏洪盛物生以長故蕃秀也蕃茂也盛也秀華也美也天地氣交萬物華實舉夏至也脉要精微論曰夏至四十五日陰氣微上陽氣微下由是則天地氣交也然陽氣施化陰氣結成成化相合故万物華實也陰陽應象大

論曰陽化氣陰成形夜臥早起，無厭於日，使志無怒，使華英成秀，使氣得泄，若所愛在外，緩陽氣則物化，寬志意則氣泄，物化則華英成秀，氣泄則膚腠宣通，時令發陽，故所愛亦順陽而在外也。此夏氣之應，養長之道也。立夏之節，初五日螻蟈鳴，次五日蚯蚓出，後五日赤箭生。新校正按月令作王瓜生。次小滿氣，初五日吳葵華。新校正按月令作苦菜秀。次五日靡草死，後五日小暑至。次仲夏芒種之節，初五日螳螂生，次五日鵙始鳴，後五日反舌无声。次夏至氣，初五日鹿角解，次五日蜩始鳴，後五日半夏生，木菫榮。次季夏小暑之節，初五日溫風至，次五日蟋蟀居壁，後五日鷹乃學習。次大暑氣，初五日腐草化為螢，次五日土潤溽暑，後五日大雨時行。凡此六氣一十八候，皆夏氣揚蕃秀之令，故養生者必敬順天時也。新校正詳木菫榮今月令无。鵙古闃反。搏勞鳥。逆之則傷心，秋為痎瘧，奉收者少，冬至重病。逆，謂反行冬令也。痎，痎瘦之瘧也。心象火，王於夏，故行冬令則心氣傷，秋金王而火廢，故病發於秋而為痎瘧也。然四時之氣，秋收冬藏，逆夏傷心，故少氣以奉於秋收之令也。冬水勝火，故重病於冬至之時也。痎音皆。

秋三月，此謂容平，萬物夏長，華實已成，容狀至秋平而定也。天氣以急，地氣以明，天氣以急，風聲切也；地氣以明，物色變也。早臥早起，與雞俱興，懼中寒露，故早臥；欲使安寧，故早起。使志安寧，以緩秋刑，志氣躁則不慎其動，不慎其動則助秋刑急，順殺伐生，故使志安寧，緩秋刑也。收斂神

氣使秋氣平神蕩則欲熾欲熾則傷和氣和氣既傷則秋氣不平調也故收斂神氣使秋氣平也無外
其志使肺氣清亦順秋氣之收斂也此秋氣之應養收之道也立秋之節初五
日涼風至次五日白露降後五日寒蟬鳴次處暑氣初五日
鷹乃祭鳥次五日天地始肅後五日禾乃登次仲秋白露之
節初五日盲風至鴻鴈來次五日玄鳥歸後五日羣鳥養羞
次秋分氣初五日雷乃收聲次五日蟄虫坏戶景天華後五
日水始涸次季秋寒露之節初五日鴻鴈來賓次五日雀入
大水為蛤後五日菊有黃華次霜降氣初五日豺乃祭獸次
五日草木黃落後五日蟄虫咸俯凡此六氣一十八候皆秋
氣正收斂之令故養收生者必謹奉天時也。新校正云詳景
天華三字今月令无【[illegible]】[illegible]回反逆之則傷肺冬為飧泄奉藏者少逆謂反行夏令也肺
象金王於秋故行夏令則氣傷冬冬水王而金廢故病發於冬冬
飧泄者食不化而泄出也逆秋傷肺故少氣以奉於冬藏之
令也【飧】音孫冬三月此謂閉藏草木凋蟄虫去地戶閉塞陽氣伏藏水冰地坼無擾
乎陽陽氣下沈水冰地坼故宜周密不欲煩勞擾謂煩也勞也早臥晚起必待日光避於寒也
使志若伏若匿今詳匿字當作匿若有私意若已有得皆謂不欲妄出於外觸冒
寒氣也故下文云去寒就溫無泄皮膚使氣亟奪去寒就溫言居深室也靈樞經曰冬
日在骨蟄虫周密君子居室无泄皮膚謂勿汗也汗則陽氣
發泄陽氣發泄則數為寒氣所迫奪之亟數也【亟】去吏反

上

此冬氣之應養藏之道也立冬之節初五日水始冰次五日地始凍後五日雉入大水為蜃次小雪氣初五日虹藏不見次五日天氣上騰地氣下降後五日閉塞而成冬次仲冬大雪之節初五日冰益壯地始坼鶡鳥不鳴次五日虎始交後五日芸始生荔挺出次冬至氣初五日蚯蚓結次五日麋角解後五日水泉動次季冬小寒之節初五日鴈北鄉次五日鷙鳥厲疾後五日水澤腹堅凡此六氣一十八候皆冬氣正養藏之令故養生者必謹奉天時也荔音利鷙大頃反鄉音向

逆之則傷腎春為痿厥奉生者少逆謂反行夏令也腎象水王於冬故行夏令則腎氣傷春木王而水廢故病發於春也逆冬傷腎故少氣以奉於春生之令也

天氣清淨光明者也言天明不竭以清淨故致之人壽延長亦由順動而得故言天氣以示於人也

藏德不止故不下也四時成序七曜周行天不形言是藏德也德隱則應用不屈故不下也老子曰上德不德是以有德也言天至尊高德猶見隱也況全生之道而不順天乎新校正云按別本止一作上

天明則日月不明邪害空竅天所以藏德者為其欲隱大明故大明見則小明滅故大明之德不可不藏天若自明則日月之明隱矣所諭者何言人之真氣亦不可泄露當清淨法道以保天真苟離於道則虛邪入於空竅空音孔

陽氣者閉塞地氣者冒明陽謂天氣亦風熱也地氣謂濕亦雲霧也風熱之害人則九竅閉塞霧濕之為病則掩翳精明取類者在天則日月不光在人則兩目藏曜也靈樞經曰天有日月人有眼目易曰喪明于易言喪

失養生之道也

雲霧不精，則上應白露不下

霧者雲之類，露者雨之類。夫陽盛則地不上應，陰虛則天不下交，故雲霧不化精微之氣，上應於天而為白露不下之咎矣。陰陽應象大論曰：地氣上為雲，天氣下為雨，雨出地氣，雲出天氣。明二氣交合，乃成雨露。方盛衰論曰：至陰虛，天氣絕；至陽盛，地氣不足。明氣不相召，亦不能交合也。

交通不表，萬物命故不施，不施則名木多死

夫雲霧不化其精微，雨露不霑於原澤，是為天氣不降，地氣不騰，變化之道既虧，生育之源斯泯，故萬物之命無稟而生，然其死者則名木先應，故云名木多死也。名，謂名果珍木。表，謂表陳其狀也。易繫辭曰：天地絪縕，萬物化醇。然不表交通，則為否也。易曰：天地不交，否。否，部鄙反。

惡氣不發，風雨不節，白露不下，則菀槁不榮

惡，謂害氣也。發，謂散發也。節，謂節度也。菀，謂蘊積也。槁，謂枯槁也。言害氣伏藏而不散發，風雨無度，折傷復多，槁物蘊積，春不榮也。豈惟其物獨遇是而有之哉，人離於道，亦有之矣。故下文曰。菀於遠反。槁音考。縕音尹。

賊風數至，暴雨數起，天地四時不相保，與道相失，則未央絕滅

不順四時之和，數犯八風之害，與道相失，則天真之氣未期久遠而致滅亡。央，久也，遠也。

唯聖人從之，故身無奇病，萬物不失，生氣不竭

道非遠於人，人心遠於道，惟聖人心合於道，故壽命無窮。從，猶順也，謂順四時之令也。然四時之令不可逆之，逆之則五藏內傷而他疾起。

逆春氣，則少陽不生，肝氣內變

生，謂動出也。陽

氣不出內鬱於肝則肝氣混糅變而傷矣逆夏氣則太陽不長心氣內洞長謂外茂也洞謂中空也陽不外茂內薄於心燠熱內消故心中空也燠音欲逆秋氣則太陰不收肺氣焦滿收謂收斂焦謂上焦也太陰行氣主化上焦故肺氣不收上焦滿也○新校正云按焦滿全元起本作進滿甲乙太素作焦滿逆冬氣則少陰不藏腎氣獨沉沉謂沉伏也少陰之氣內通於腎故少陰不伏腎氣獨沉○新校正云詳獨沉太素作沉濁夫四時陰陽者萬物之根本也時序運行陰陽變化天地合氣生育万物故万物之根悉歸於此所以聖人春夏養陽秋冬養陰以從其根陽氣根於陰陰氣根於陽无陰則陽无以生无陽則陰无以化全陰則陽氣不極全陽則陰氣不竆春食涼夏食寒以養於陽秋食溫冬食熱以養於陰滋苗者必固其根伐下者必枯其上故以斯調節從順其根二氣常存蓋由根固百刻曉暮食亦宜然故與萬物沉浮於生長之門聖人所以身无奇病生氣不竭者以順其根也逆其根則伐其本壞其真矣是則失四時陰陽之道也故陰陽四時者萬物之終始也死生之本也逆之則災害生從之則苛疾不起是謂得道謂得養生之道苛者重也道者聖人行之愚者佩之聖人心合於道故勤而行之愚者性守於迷故佩服而已老子曰道者同於道德者同於德失者同於失同於道者道亦

錐

得之同於德者德亦樂得之同於失者失亦得之愚者未同於道德則可謂失道者也從陰陽則生逆之則死從之則治逆之則亂反順為逆是謂內格格拒也謂內性格拒於天道也是故聖人不治已病治未病不治已亂治未亂此之謂也知之至也夫病已成而後藥之亂已成而後治之譬猶渴而穿井鬭而鑄錐不亦晚乎知不及時也備禦虛邪事符握虎噬而後藥雖悔何為

〇生氣通天論篇第三新校正云按全元起注本在第四卷

黃帝曰夫自古通天者生之本本於陰陽天地之間六合之內其氣九州九竅五藏十二節皆通乎天氣六合謂四方上下也九州謂冀兗青徐揚荊豫梁雍也外布九州而內應九竅故云九州九竅也五藏謂五神藏也五神藏者肝藏魂心藏神脾藏意肺藏魄腎藏志而此成形矣十二節者十二氣也天之十二節氣人之十二經脈而外應之咸同天紀故云皆通乎天氣也十二經脈者謂手三陰三陽足三陰三陽也〇新校正云詳通天者生之本六節藏象論甚詳又按鄭康成云九竅者謂陽竅七陰竅二也其生五其氣三數犯此者則邪氣傷人此壽命之本也言人生之所運為則內依五氣以立然其鎮塞天地之內則氣應三元以成三謂天氣地氣運氣也犯謂邪氣

觸犯於生氣也邪氣數犯則生氣傾危故宝養天眞以爲壽命之本也庚桑楚曰聖人之制万物也以全其天天全則神全矣靈樞經曰血氣者人之神不可不謹養此之謂也

蒼天之氣清淨則志意治順之則陽氣固春爲蒼天發生之主也陽氣者天氣也陰陽應象大論曰清陽爲天則其義也本天全神全之理全則形亦全矣雖有賊邪弗能害也此因時之序以因天四時之氣序故賊邪之氣不能害也故聖人傳精神服天氣而通神明夫精神可傳惟聖人得道者乃能尔久服天眞之氣則妙用自通於神明也失之則內閉九竅外壅肌肉衛氣散解失謂逆蒼天清淨之理也然衛氣者合天之陽氣也上篇曰陽氣者閉塞謂陽氣之病人則數瀉閉塞也靈樞經曰衛氣者所以溫分肉而充皮膚肥腠理而司開闔故失其度則內閉九竅外壅肌肉以衛不營運故言散解也分上声此謂自傷氣之削也夫逆蒼天之氣違清靜之理使正眞之氣如削去之者非天降之人自爲之尔

陽氣若天與日失其所則折壽而不彰此明前陽氣之用也諭人之有陽若天之有日天失其所則日不明人失其所則陽不固日不明則天暗暝陽不固則人壽夭折故天運當以日光明言人之生固宜藉眞陽氣也是故陽因而上衛外者也此所以明陽氣運行之部分輔衛人身之正用也

因於寒欲如運樞起居如驚神氣乃浮欲如運樞謂內動也

起居如驚謂暴卒也言因天之寒當深居周密如樞紐之內動不當煩擾筋骨使陽氣發泄於皮膚而傷於寒毒也若起居暴卒驅馳勞役則神氣浮越无所綏寧矣脉要精微論曰冬日在骨蟄虫周密君子居室四氣調神大論曰冬三月此謂閉藏水冰地坼无擾乎陽又曰使志若伏若匿若有私意若已有得去寒就溫无泄皮膚使氣亟奪此之謂也○新校正云按全元起本作連樞元起云陽氣定如連樞者動繫也卒倉沒反逸音逸因於暑汗煩則喘喝

靜則多言此則不能靜慎傷於寒毒至夏而變暑病也煩謂煩躁靜謂安靜喝謂大呵出聲也言病因於暑則當汗泄不為發表邪熱內攻中外俱熱故煩躁喘數大呵而出其聲也若不煩躁內熱外凉瘀熱攻中故多言而不次也喝一為鳴躁則到反喝呼葛反瘀依倨反體若燔炭汗出而散此重明可汗之理也然体若燔炭之炎熱者向以救之必以汗出乃熱氣施散燔一為燔非也因於濕首如裹濕熱不攘大筋

緛短小筋弛長緛短為拘弛長為痿表熱為病當汗泄之反濕其首若濕物裹之望除其熱熱氣不釋兼濕內攻大筋受熱則縮而短小筋得濕則引而長緛縮短故拘攣而不伸弛引長故痿弱而无力弛引也攘汝陽反除也緛音軟縮也痿於危反弱也因於氣為腫四維相代陽氣乃竭素常

氣疾濕熱加之氣濕熱爭故為腫也然邪氣漸盛正氣浸微筋骨血肉互相代負故云四維相代也致邪代正氣不宣通衛无所從便至衰竭故言陽氣乃竭也衛者陽氣也陽氣者煩勞則張精絕辟積於夏

使人煎厥

此又誡起居暴卒煩擾陽和也然煩擾陽和勞筋骨動傷神氣耗竭天真則筋脉膜脹精氣竭絕既傷腎氣又損膀胱故當於夏時使人煎厥以煎迫而氣逆因以煎厥爲名厥謂氣逆也煎厥之狀當如下說○新校正云按脉解云所謂少氣善怒者陽氣不治陽氣不治則陽氣不得出肝氣當治而未得故善怒善怒者名曰煎厥

目盲不可以視耳閉不可以聽潰潰乎若壞都汩汩乎不可止

既且傷腎又竭膀胱腎經內屬於耳中膀胱脉生於目眥故目盲所視耳閉厥聽大矣哉斯乃房之患也既盲目視又閉耳聆則志意心神筋骨腸胃潰潰乎若壞汩汩乎煩悶而不可止也汩古沒反潰在計反又前計反

陽氣者大怒則形氣絕而血菀於上使人薄厥

此又誡喜怒不節過用病生也然怒則傷腎甚則氣絕大怒則氣逆而陽不下行陽逆故血積於心胸之內矣上謂心胸也然陰陽相薄氣血奔并因薄厥生故名薄厥舉痛論曰怒則氣逆甚則嘔血靈樞經曰盛怒而不止則傷志陰陽應象大論曰喜怒傷氣由此則怒甚氣逆血積於心胸之內矣菀積也并去声

有傷於筋縱其若不容

怒而過用氣或迫筋絡內傷機關縱緩形容痿廢若不維持

汗出偏沮使人偏枯

夫人之身常偏汗出而潤濕者久久偏枯半身不隨○新校正云按沮千金作祖全元起本作恒沮子魚反潤也

汗出見濕乃生痤疿

陽氣發泄寒水制之熱怫內餘鬱於皮裏甚爲痤癤微作疿瘡疿風癮也痤祚和反疿方味反怫符弗反

高梁之變足生大丁

受如持虛高膏也梁粱也不忍之人汗出淋洗則結為痤疿膏粱之人內多滯熱皮厚肉密故內變為丁矣外
濕既侵中熱相感如持虛器受此邪毒故曰受如持虛所以丁生於足者四支為諸陽之本也以其甚費於下邪毒襲虛
故爾○新校正云按丁生之處不常於足蓋謂膏粱之變饒生大丁非偏著足也勞汗當風寒薄為
皶鬱乃痤時月寒涼形勞汗發淒風外薄膚腠居寒脂液遂凝稸於玄府依空滲涸皶刺長於皮中形如米或
如針久者上黑長分餘色白黃而瘦於玄府中俗曰粉刺解表已玄府謂汗空也痤謂色赤瞋憤內蘊血膿形小而大如
酸棗或如按豆此皆陽氣內鬱所為待耎攻之大甚焫出之皶織加反稸許竹反[illegible]尺制反焫而劣反陽氣者
精則養神柔則養筋此又明陽氣之運養也然陽氣者內化精微養於神氣外為柔耎以固於筋動
靜失宜則生諸疾開闔不得寒氣從之乃生大僂開謂皮腠發泄闔謂玄府閉封然開
闔失宜為寒所襲內深筋絡結固虛寒則筋絡拘緛形容僂俯矣靈樞經曰寒則筋急此其類也僂力主反陷脈
為瘻留連肉腠陷脈謂寒氣陷缺其脈也積寒留舍經血稽凝久瘀內攻結於肉理○故發為瘍瘻肉腠
相連瘻力鬬反俞氣化薄傳為善畏及為驚駭言若寒中於背俞之氣變化入深而
薄於藏府者則善為恐畏及發為驚駭也俞音庶營氣不從逆於肉理乃生癰腫營逆
則血鬱血鬱則熱聚為膿故為癰腫也正理論云熱之所過則為癰腫魄汗未盡形弱而氣爍

穴俞以閉發爲風瘧汗出未止形弱氣消風寒薄之穴俞隨閉熱藏不出以至於秋秋陽復收兩熱
相合故令振慄寒熱相移以所起爲風故名風瘧也金匱真言論曰夏暑汗不出者秋成風瘧蓋論從風而爲是也故下
文曰故風者百病之始也清靜則肉腠閉拒雖有大風苛毒弗
之能害此因時之序也夫嗜欲不能勞其目淫邪不能惑其心不妄作勞是爲清靜以其清靜故
能肉腠閉皮膚密真正內拒虛邪不侵然大風苛毒不必常求於人蓋由人之冒犯爾故清靜則肉腠閉陽氣拒大風苛
毒弗能害之清靜者謂因循四時氣序養生調節之宜不妄作勞起居有度則生氣不竭永保康寧故病久則
傳化上下不并良醫弗爲并謂氣交通也然病之深久變化相傳上下不通陰陽否隔雖醫良
法妙亦何以爲之陰陽應象大論曰夫善用鍼者從陰引陽從陽引陰以右治左以左治右若是氣相格拒故良醫弗可
爲也塞也○故陽畜積病死而陽氣當隔隔者當寫不亟正治粗
乃敗之言三陽畜積怫結不通不急寫之亦病而死何者畜積不已亦上下不并矣何以驗之隔塞不便則其證
也若不急寫粗工輕侮必見敗亡也陰陽別論曰三陽結謂之隔又曰剛與剛陽氣破散陰氣乃消亡淖則剛柔不和經
氣乃絕淖奴教反下並同故陽氣者一日而主外晝則陽氣在外周身行二十五度靈樞經曰目
開則氣上行於頭衛氣行於陽二十五度也平旦人氣生日中而陽氣隆日西而

陽氣已虛氣門乃閉隆猶高也盛也夫氣之有者皆自少而之壯積暖以成炎炎極又涼物之理也故陽氣平曉生日中盛日西而已減虛也氣門謂玄府也所以發泄經脈營衛之氣故謂之氣門也是故暮而收拒無擾筋骨無見霧露反此三時形乃困薄皆所以順陽氣也陽出則出陽藏則藏暮陽氣衰內行陰分故宜收斂以拒虛邪擾筋骨則逆陽精耗見霧露則寒濕俱侵故順此三時乃天真久遠也岐伯曰新校正云詳篇首云帝曰此岐伯曰非相對問也陰者藏精而起亟也陽者衛外而為固也言在人之用也亟數也陰不勝其陽則脈流薄疾并乃狂薄疾謂極虛而急數也并謂盛實也狂謂狂走或妄攀登也陽并於四支則狂陽明脈解曰四支者諸陽之本也陽盛則四支實實則能登高而歌也熱盛於身故棄衣欲走也夫如是者皆為陰不勝其陽也陽不勝其陰則五藏氣爭九竅不通九竅者內屬於藏外設為官故五藏之氣爭則九竅不通也言九竅謂前陰後陰不通兼言上七竅也若兼則目為肝之官鼻為肺之官口為脾之官耳為腎之官舌為心之官舌非通竅也金匱真言論曰南方赤色入通於心開竅於耳北方黑色入通於腎開竅於二陰故也是以聖人陳陰陽筋脈和同骨髓堅固氣血皆從從順也言循陰陽法近養生道則筋脈骨髓各得其宜故氣血皆能順時和氣也如是則內外調和邪不能害耳目聰明氣立如故

邪氣不能害，故真氣獨立而如常。若失聖人之道，則致疾於身，故下文引曰：風客淫氣，精乃亡，邪傷肝也。自此已下四科，並謂失聖人之道也。風氣應肝，故風淫精亡則傷肝也。陰陽應象大論曰：風氣通於肝也。風薄則熱起，熱盛則水乾，水乾則腎氣不營，故精乃无也。亡，无也。○新校正云：按全元起云：淫氣者，陰陽之亂氣，因其相亂而風客之，則傷精，傷精則邪入於肝也。因而飽食，筋脈橫解，腸澼為痔。甚飽則腸胃橫滿，腸胃滿則筋脈解而不屬，故腸澼而為痔也。痹論曰：飲食自倍，腸胃乃傷。此傷之信也。澼，普擊反。因而大飲則氣逆。飲多則肺布葉舉，故氣逆而上奔也。因而強力，腎氣乃傷，高骨乃壞。強力謂強力入房也。高骨謂腰高之骨也。然強力入房則精耗，精耗則腎傷，腎傷則髓氣內枯，故高骨壞而不用也。聖人交會則不如此，當如下句云。凡陰陽之要，陽密乃固。陰陽交會之要者，正在於陽氣閉密而不妄泄爾。密不妄泄，乃生氣強固而能久長，此聖人之道也。兩者不和，若春無秋，若冬無夏。兩謂陰陽。和謂和合，則交會也。若如此言，絕陰陽和合之道者，如天四時有春无秋，有冬无夏也。所以然者，絕廢於生成也。故聖人不絕和合之道，但貴於閉密以守固天真法也。因而和之，是謂聖度。因陽氣盛發，中外相應，賈勇有餘，乃相交合，則聖人交會之制度也。故陽強不能密，陰氣乃絕。陽自強而不能閉密，則陰泄瀉而精氣竭絕矣。陰平陽祕，精神乃治。陰氣和平，陽氣閉密，則精神之用日益治也。陰陽離

決精氣乃絶若陰不和平陽不閉密強用施寫損耗天真二氣分離經絡決憊則精氣不化乃絶流通也

因於露風乃生寒熱因於露体觸冒風邪風氣外侵陽氣內拒風陽相薄故寒熱生是以春

傷於風邪氣留連乃為洞泄風氣通肝春肝木王木勝脾土故洞泄生也。新校正云按陰

陽應象大論曰春傷於風夏生飧泄夏傷於暑秋為痎瘧夏熱已甚秋陽復收陽熱相攻則為痎瘧

痎老也亦曰瘦也秋傷於濕上逆而欬濕謂地濕氣也秋濕既勝冬水復王水來乘肺故欬逆病

生。新校正按陰陽應象大論云秋傷於濕冬生欬嗽發為痿厥濕氣內攻於藏府則欬逆外散於筋脈則

痿弱也陰陽應象大論曰地之濕氣感則害皮肉筋脈故濕氣之資發為痿厥厥謂逆氣也冬傷於寒春

必溫病冬寒且凝春陽氣發寒不為釋陽怫於中寒怫相持故為溫病。新校正云按此與陰陽應象大論重彼

注甚詳四時之氣更傷五藏寒暑溫涼遞相勝負故四時之氣更傷五藏之和也陰之所

生本在五味陰之五宮傷在五味所謂陰者五神藏也宮者五神之舍也言五神所生

本資於五味五味宣化各湊於本宮雖因五味以生亦因五味以損正為好而過節乃見傷也故下文曰是故味

過於酸肝氣以津脾氣乃絶酸多食之令人癃小便不利則肝多津液津液內溢則肝葉舉

肝葉舉則脾經之氣絶而不行何者木制土也味過於鹹大骨氣勞短肌心氣抑鹹[illegible]

食之令人肌膚縮短又令心氣抑滯而不行何者鹹走血也大骨氣勞鹹歸腎也味過於甘心氣喘滿色黑腎氣不衡甘多食之令人心悶甘性滯緩故令氣喘滿而腎不平何者土抑水也衡平也味過於苦脾氣不濡胃氣乃厚苦性堅燥又養脾胃故脾氣不濡胃氣強厚味過於辛筋脈沮弛精神乃央沮潤也弛緩也央久也辛性潤澤散養於筋故令筋緩脈潤精神長久何者辛補肝也藏氣法時論曰肝欲散急食辛以散之用辛補之○新校正云按此論味過所傷難作精神長久之解央乃殃也古文通用如膏梁之作高梁草滋之作草茲之類蓋古文簡畧字多假借用者是故謹和五味骨正筋柔氣血以流湊理以密如是則氣骨以精謹道如法長有天命是所謂修養天真之至道也

○金匱真言論篇第四新校正云按全元起注本在第四卷

黃帝問曰天有八風經有五風何謂經謂經脈所以流通營衛血氣者也岐伯對曰八風發邪以為經風觸五藏邪氣發病原其所起則謂八風發邪經脈受之則循經而觸於五藏以邪干正故發病也所謂得四時之勝者春勝長夏長夏勝冬冬勝夏夏勝秋秋勝春所謂四時之勝也春木夏火長夏土秋金冬

水皆以所剋殺而為勝也言五時之相勝者不謂八風中人則病各謂隨其不勝則發病也勝謂制剋之也東風
生於春病在肝俞在頸項春氣發榮於万物之上故俞在頸項歷忌曰甲乙不治頸此之謂也
南風生於夏病在心俞在胷脅心少陰脈循胷出脇故俞在焉西風生於秋
病在肺俞在肩背肺處上焦背為胷府肩背相次故俞在焉北風生於冬病在腎
俞在腰股腰為腎府股接次之以氣相連故兼言也中央為土病在脾俞在脊以脊
應土言居中爾故春氣者病在頭春氣謂肝氣也各隨其藏氣之所應○新校正云按周禮云春時有
痟首疾夏氣者病在藏心之應也秋氣者病在肩背肺之應也冬氣者病
在四支四支氣少寒毒善傷隨所受邪則為病處故春善病鼽衄以氣在頭也禮記月令曰季秋
行夏令則民多鼽嚏仲夏善病胷脅心之脈循胷脅故也長夏善病洞泄寒中土主
於中是為倉廩糟粕水穀故為洞泄寒中也秋善病風瘧以涼折暑乃為是病生氣通天論曰魄汗未盡
形弱而氣爍究俞以閉發為風瘧此謂以涼折暑之義也禮記月令曰孟秋行夏令則民多瘧疾冬善病痺
厥血象於水寒則水凝以氣薄流故為痺厥故冬不按蹻春不鼽衄按謂按摩蹻謂如蹻捷者
之舉動手足是所謂導引也然擾動筋骨則陽氣不藏春陽氣上升重熱熏肺肺通於鼻病則形之故冬不按蹻春不鼽

鼽謂鼻中水出衄謂鼻中血出鼽音喬 春不病頸項仲夏不病胷脇長夏不病洞泄寒中。秋不病風瘧冬不病痹厥飧泄而汗出也此上五句並為冬不按蹻之所致也○新校正云詳飧泄而汗出也六字上文疑剩 夫精者身之本也故藏於精者春不病溫此正謂冬不按蹻則精氣伏藏以陽不妄升故春無溫病 夏暑汗不出者秋成風瘧此正謂以風涼之氣折暑汗也○新校正云詳此下義與上文不相接 此平人脉法也謂平病人之脉法也 故曰陰中有陰陽中有陽言其初起與其王也 平旦至日中。天之陽陽中之陽也日中至黃昏天之陽陽中之陰也日中陽盛故曰陽中之陽黃昏陰盛故曰陽中之陰陽氣主晝故平旦至黃昏皆為天之陽而中復有陰陽之殊也 合夜至雞鳴天之陰陰中之陰也雞鳴至平旦天之陰陰中之陽也雞鳴陽氣未出故曰天之陰平旦陽氣已升故曰陰中之陽 故人亦應之夫言人之陰陽則外為陽內為陰言人身之陰陽則背為陽腹為陰言人身之藏府中陰陽則藏者為陰府者為陽藏謂五神藏府謂六化府 肝心脾肺腎五藏皆為陰膽胃大腸小腸膀胱三焦六府皆為陽靈樞經曰三焦者上合於手心主又曰足三焦者太陽之別名也正理論曰三焦者有名無形上合於手心主下合右腎主謁道諸氣名爲使者所以欲知陰中之陰陽中之陽者何也爲冬病在陰夏病在陽春病在陰秋病在陽皆視其所在爲施鍼石也故背爲陽陽中之陽心也心爲陽藏位處上焦以陽居陽故爲陽中之陽也靈樞經曰心爲牡藏牡陽也背爲陽陽中之陰肺也肺爲陰藏位處上焦以陰居陽故謂陽中之陰也靈樞經曰肺爲牝藏牝謂陰也腹爲陰陰中之陰腎也腎爲陰藏位處下焦以陰居陰故謂陰中之陰也靈樞經曰腎爲牝藏牝陰也腹爲陰陰中之陽肝也肝爲陽藏位處中焦以陽居陰故謂陰中之陽也靈樞經曰肝爲牡藏牡陽也腹爲陰陰中之至陰脾也脾爲陰藏位處中焦以太陰居陰故謂陰中之至陰也靈樞經曰脾爲牝藏牝陰也此皆陰陽表裏內外雌雄相輸應也故以應天之陰陽也以其氣象參合故能上應於天帝曰五藏應四時各有收受乎岐伯曰有東方青色入通於肝開竅於目藏精於肝精謂精氣也木精之氣其神魂陽升之方以目爲用故開竅於目其病發驚駭象木屈伸有搖動迹○新校正詳東方云病發驚駭餘方各闕者按五常政大論委和之紀其發驚駭疑此文爲衍其味酸其類

草木性柔脆而曲直其畜雞以雞為畜取巽言之易曰巽為雞其穀麥五穀之長者麥故東方用
之本草曰麥為五穀之長。新校正按五常政大論云其畜犬其穀麻其應四時上為歲星木之
精氣上為歲星十二年一周天是以春氣在頭也萬物發榮於上故春氣在頭。新校正詳東方言春
氣在頭不言故病在頭餘方言故病在某不言某氣在某者互文也其音角角木聲也孟春之月律中太蔟林鐘
所生三分益一管率長八寸仲春之月律中夾鐘夷則所生三分益一管率長七寸五分。新校正按鄭康成云七寸二
千一百八十七分之寸千七十五。季春之月律中姑洗南呂所生三分益一管率長七寸又一十分寸之一。新校正
按鄭康成云九分寸之一。凡是三管皆木氣應之其數八木生數三成數八尚書洪範曰三曰木是以
知病之在筋也木之堅柔類筋氣故其臭臊凡氣因木變則為臊。新校正云詳臊月令作羶
南方赤色入通於心開竅於耳藏精於心火精之氣其神神舌為心之官當言
於舌舌用非竅故云耳也繆刺論曰手少陰之絡會於耳中義取此也故病在五藏以夏氣在藏也其
味苦其類火性炎上而燔灼。燔音煩其畜羊以羊為畜言其未也以土同王故通而言之。新校
正云按五常政大論云其畜馬其穀黍黍赤色其應四時上為熒惑星火之精氣上為
熒惑星七百四十日一周天
是以知病之在脈也火之躁動類於脈氣其音徵徵火聲也

孟夏之月律中仲呂無射所生三分益一管率長六寸七分○新校正云按鄭康成云六寸萬九千六百八十三分寸之
萬二千九百七十四。仲夏之月律中蕤賓應鍾所生三分益一管率長六寸三分。新校正云按鄭康成云六寸八十
一分寸之二十六。季夏之月律中林鍾黃鍾所生三分減一管率長六寸凡是三管皆火氣應之其數七火生
數二成數七尚書洪範曰二曰火其臭焦凡氣因火變則為焦中央黃色入通於脾開
竅於口藏精於脾土精之氣其神意脾為化穀口主迎糧故開竅於口故病在舌本脾脈
上連於舌本故病氣居之其味甘其類土性安靜而化造其畜牛土王四季故畜取丑牛又以牛
色黃也其穀稷色黃而味甘也其應四時上為鎮星土之精氣上為鎮星二十八年一周
天是以知病之在肉也土之柔厚類肉氣故其音宮宮土聲也律書以黃鍾為濁宮林鍾
為清宮蓋以林鍾當六月管也五音以宮為主律呂初起於黃鍾為濁宮林鍾為清宮也其數五土數五尚書洪
範曰五曰土其臭香凡氣因土變則為香西方白色入通於肺開竅於鼻藏
精於肺金精之氣其神魄肺藏氣鼻通息故開竅於鼻故病在背以肺在胸中背為胸中之府也其
味辛其類金性音聲而堅勁其畜馬畜馬者取乾也易曰乾為馬○新校正云按五常政大論云其
畜雞其穀稻稻堅白其應四時上為太白星金之精氣上為太白星三百六十五日一

剛天
是以知病之在皮毛也金之堅密類皮毛也其音商商金声也孟秋之月律中夷則
大呂所生三分減一管率長五寸七分仲秋之月律中南呂大簇所生三分減一管率長五寸三分季秋之月律中無射
夾鍾所生三分減一管率長五寸凡是三管皆金氣應之其數九金生數四成數九尚書洪範曰四曰金其
臭腥凡氣因金變則為腥羶之氣也北方黑色入通於腎開竅於二陰藏精
於腎水精之氣其神志腎藏精陰泄注故開竅於二陰也故病在谿谿謂肉之小會也氣穴論曰肉之大
會為谷肉之小會為谿其味鹹其類水性潤下而滲灌其畜彘彘水畜也其穀豆豆黑
色其應四時上為辰星水之精氣上為辰星三百六十五日一周天是以知病之
在骨也骨主幽暗骨體內藏以類相同故病居骨也其音羽羽水声也孟冬之月律中應鍾姑洗所生
三分減一管率長四寸七分半仲冬之月律中黃鍾仲呂所生三分益一管率長九寸季冬之月律中大呂蕤賓所生三
分益一管率長八寸四分凡是三管皆水氣應之其數六水生數一成數六尚書洪範曰一曰水其臭
腐凡氣因水變則為腐朽之氣也故善為脈者謹察五藏六府一逆一從陰
陽表裏雌雄之紀藏之心意合心於精心合精微則際知通變非其人
勿教非其真勿授是謂得道隨其所能而与之是謂得師資教授之道也靈樞經曰明目者

可使視色聰耳者可使聽音捷疾辭語者可使傳論語徐而安
靜手巧而心審諦者可使行鍼艾理血氣而調諸逆順察陰
陽而兼諸方緩節柔筋而心和調者可使導引行氣疾毒言
語輕人者可使唾癰呪病爪苦手毒為事善傷者可使按積
抑痺由是則各得其能方乃可行其名
乃彰故曰非其人勿教非其真勿授也

○陰陽應象大論篇第五 新校正云按全元起本在第九卷

黃帝曰陰陽者天地之道也 謂變化生成之道也老子曰万物負陰而抱陽沖氣以為和易繫辭曰一陰一陽之謂道此之謂也 萬物之綱紀 滋生之用也陽与之正氣以生成陰為之主時以立故為万物之綱紀也陰陽離合論曰陽与之正陰為之主則謂此也 變化之父母 異類之用也何者然鷹化為鳩田鼠化為鴽腐草化為螢雀入大水為蛤雉入大水為蜃如此皆異類因變化而成者也 生殺之本始 寒暑之用也万物假陽氣溫而生因陰氣寒而死故知生殺本始是陰陽之所運為也 神明之府也 府官府言所以生殺變化之多端者何哉以神明居其中也下文曰天地之動靜神明為之綱紀故易繫辭曰陰陽不測之謂神亦謂居其中也○新校正云詳陰陽至神明之府与天元紀大論同注頗異 治病必求於本 陰陽与万類生殺變化猶然在於人身同相參合故治病之道必先求之 故積陽為天積陰為地 言陰陽為天地之道者何以此 陰靜陽躁 言應物類運用之標格也 陽生陰長陽殺陰藏 明前天地生殺

之殊用也神農曰天以陽生陰長地以陽殺陰藏。新校正云詳陰長陽殺之義或者疑之按周易八卦布四方之義則
可見矣坤者陰也位西南隅時在六月七月之交萬物之所盛長也安謂陰无長之理乾者陽也位戌亥之分時在九月
十月之交万物之所收殺也孰謂陽无殺之理以是明之陰長陽殺之理可見矣此語又見天元紀大論其說自異矣
陽化氣，陰成形。明前万物滋乃形生之綱紀也寒極生熱，熱極生寒。明前大体也寒
氣生濁，熱氣生清。言正氣也清氣在下，則生飧泄；濁氣在上，則生
䐜脹。熱氣在下則穀不化故飧泄寒氣在上則氣不散故䐜脹何者以陰靜而陽躁也䐜昌真切肉脹起也此
陰陽反作，病之逆從也。反謂反覆作謂作務反覆作務則病如是故清陽為天，濁
陰為地。地氣上為雲，天氣下為雨；雨出地氣，雲出天氣。陰凝上結
則合以成雲陽散下流則注而為雨雨從雲以施化故言雨出地雲憑氣以交合故言雲出天天地之理且然人身清濁
亦如是也故清陽出上竅，濁陰出下竅。氣本乎天者親上氣本乎地者親下各從其類也上
竅謂耳目鼻口下竅謂前陰後陰清陽發腠理，濁陰走五藏。腠理謂滲泄之門故清陽可以
散發五藏為包藏之所故濁陰可以走之滲所禁反清陽實四支，濁陰歸六府。四支外動故清
陽實之六府內化故濁陰歸之水為陰，火為陽。水寒而靜故為陰火熱而躁故為陽陽為氣，陰

爲味氣惟散布故陽爲之味曰從形故陰爲之味歸形形歸氣氣歸精精歸化形食味故味歸形氣養形故形歸氣精食氣歸精化生精故精歸化故下文曰精食氣形食味氣化則精生味和則形長故云食之也化生精氣生形精微之液惟血化而成形質之有資氣行營立故斯二者各奉生乎味傷形氣傷精過其節也精化爲氣氣傷於味精承化養則食氣精若化生則不食氣精血內結鬱爲癥瘕攻實則五味倨然不得入也女人重身精化百日皆傷於味也陰味出下竅陽氣出上竅味有質故下流於便寫之竅氣無形故上出於呼吸之門味厚者爲陰薄爲陰之陽氣厚者爲陽薄爲陽之陰陽爲氣氣厚者爲純陽陰爲味味厚者爲純陰故味薄者爲陰中之陽氣薄者爲陽中之陰味厚則泄薄則通氣薄則發泄厚則發熱陰氣潤下故味厚則泄利陽氣炎上故氣厚則發熱味薄爲陰少故通泄氣薄爲陽少故汗出發泄謂汗出也壯火之氣衰少火之氣壯火之壯者壯已必衰火之少者少已則壯壯火食氣氣食少火壯火散氣少火生氣氣生壯火故云壯火食氣少火滋氣故云氣食少火以壯火食氣故氣得壯火則耗散以少火益氣故氣得少火則生長人之陽氣壯少亦然氣味辛甘發散爲陽酸苦涌泄爲陰非惟氣味分正陰陽然辛甘酸苦之中復有陰陽殊氣亦何者辛散甘緩故發散爲陽酸收

者由此故偏由爲陰之也

陰勝則陽病，陽勝則陰病。勝則不病，不勝則病。陽勝則熱，陰勝則寒。是則太過而致也。新校正云：按甲乙經作陰病則熱，陽病則寒，文異意同。重寒則熱，重熱則寒。物極則反，亦猶壯火之氣衰，少火之氣壯也。寒傷形，熱傷氣。寒則衛氣不利，故傷形；熱則榮氣內消，故傷氣。雖陰成形，陽化氣，一過其節，則形氣被傷。氣傷痛，形傷腫。氣傷則熱結於肉分，故痛；形傷則寒薄於皮腠，故腫。故先痛而後腫者，氣傷形也；先腫而後痛者，形傷氣也。先氣證而病形，故曰氣傷形；先形證而病氣，故曰形傷氣。風勝則動，風勝則庶物皆搖，故爲動。新校正云：按左傳曰：風淫末疾，即此義也。熱勝則腫，熱勝則陽氣內鬱，故洪腫暴作，甚則榮氣逆於肉理，聚爲癰膿之腫。燥勝則乾，燥勝則津液竭涸，故皮膚乾燥。寒勝則浮，寒勝則陰氣結於玄府，玄府閉密，陽氣內攻，故爲浮。濕勝則濡寫。濕勝則內攻於脾胃，脾胃受濕則水穀不分，水穀相和，故大腸傳道而注寫也。以濕內盛而寫，故謂之濡寫。新校正云：按左傳曰：雨淫腹疾，則其義也。風勝則動至此五句，与天元紀大論文重，彼注頗詳。天有四時五行，以長生收藏，以生寒暑燥濕風。春生夏長，秋收冬藏，謂四時之生長收藏。冬水寒，夏火暑，秋金燥，春木風，長夏土濕，謂五行之寒暑濕燥風也。然四時之氣，土雖寄王，原其所主，則濕屬中央，故云五行以生寒暑燥濕風五氣也。人有五藏化五氣，以生喜怒悲憂恐五藏謂肝心脾肺腎五氣謂喜怒悲憂恐然是五氣更傷五藏之和氣矣。○新校正云按天元紀大論悲作思又本篇下文肝在志為怒心在志為喜脾在志為思肺在志為憂腎在志為恐玉機真藏論作悲諸論不同皇甫士安甲乙經精神五藏篇具有其說蓋言悲者以悲能勝怒取五志迭相勝而為言也舉思者以思為脾之志也各舉一則義俱不足兩見之則互相成義也

故喜怒傷氣寒暑傷形喜怒之所生皆生於氣故云喜怒傷氣寒暑之所勝皆勝於形故云寒暑傷形近取諸身則如斯矣細而言者則熱傷於氣寒傷於形

暴怒傷陰暴喜傷陽怒則氣上喜則氣下故暴卒氣上則傷陰暴卒氣下則傷陽

厥氣上行滿脉去形厥氣逆也逆氣上行滿於經絡則神氣浮越去離形骸也

喜怒不節寒暑過度生乃不固靈樞經曰智者之養生也必順四時而適寒暑和喜怒而安居處然喜怒不常寒暑過度天真之氣何可久長

故重陰必陽重陽必陰言傷寒傷暑亦如是

故曰冬傷於寒春必病温夫傷於四時之氣皆能為病以傷寒為毒者最為殺厲之氣中而即病故曰傷寒不即病者寒毒藏於肌膚至春變為温病至夏變為暑病故養生者必慎傷於邪也

春傷於風夏生飧泄風中於表則內應於肝肝氣乘脾故飧泄。○新校正云按生氣通天論云春傷於風邪氣留連乃為洞泄

夏傷於暑秋必痎瘧夏暑已甚秋熱復收兩熱相攻故為痎瘧痎瘦也

秋傷於濕冬生欬嗽秋濕既多冬水復王水濕相得肺氣

盡

又衰故冬寒甚則為咳嗽新校正云按生氣通天論云秋傷於濕上逆而欬發為痿厥帝曰余聞上古
聖人論理人形列別藏府端絡經脉會通六合各從其經氣
穴所發各有處名谿谷屬骨皆有所起分部逆從各有條理
四時陰陽盡有經紀外內之應皆有表裏其信然乎六合謂十二經
脉之六合也靈樞經曰太陰陽明為一合少陰太陽為一合厥
陰少陽為一合手足之脉各三則為六合也手厥陰則心包
絡脉也氣穴論曰肉之大會為谷肉之小會為谿肉分之間
谿谷之會以行榮衛以會大氣屬骨者為骨相連屬處表裏
者諸陽經脉皆為表諸陰經脉皆為裏○新校正云詳帝
曰至信其然乎全元起本及太素在上古聖人之教也上岐
伯對曰東方生風陽氣上騰散為風也風者天之號令風為教始故生自東方風生木風鼓
木榮則風生木也木生酸凡物之味酸者皆木氣之所生也尚書洪範曰曲直作酸酸生肝生謂生長
也凡味之酸者皆先生長於肝肝生筋肝之精氣生養筋也筋生心陰陽書曰木生火然肝之木氣內養
筋已乃生心也肝主目目見曰明類齊同也其在天為玄玄謂玄冥言天色高遠尚未盛明也在
人為道道謂道化以道而化人則歸從在地為化化謂造化也庶類時育皆造化者也化生五
味萬物生五味具皆變化為母而使生成也道生智智從正化而有故曰道生智玄生神玄冥之內

神處玄中，故曰玄生神。神在天為風，飛揚鼓坼，風之用也。然發而周遠，无所不通，信乎神化而能爾。在地為木，柔軟曲直，木之性也。○新校正云：詳其在天至為木，与天元紀大論同，註頗異。在體為筋，束絡連綴而為力也。在藏為肝，其神魂也。道經義曰：魂居肝，魂靜則至道不亂。在色為蒼，蒼謂薄青色之象木色也。在音為角，角謂木音，調而直也。樂記曰：角亂則憂，其民怨。在聲為呼，呼謂叫呼，亦謂之嘯。在變動為握，握所以牽就也。○新校正云：按楊上善云：握憂也。噦、欬、慄五者，改志而有名，曰變動也。在竅為目，目所以司見形色也。在味為酸，酸可用收斂也。在志為怒，怒所以禁非也。怒傷肝，雖志為怒，甚則自傷。悲勝怒，悲則肺金并於肝木，故勝怒也。宣明五藏氣篇曰：精氣并於肺則悲。○新校正云：詳五志云怒喜思憂恐，悲當云憂，今變憂為悲者，蓋以恚憂而不解則傷意，悲哀而動中則傷魂，故不云憂也。風傷筋，風勝則筋絡拘急。○新校正云：按五運行大論曰：風傷肝。燥勝風，燥為金氣，故勝木風。酸傷筋，過節也。辛勝酸，辛金味，故勝木酸。南方生熱，陽氣炎燥，故生熱。熱生火，鑽燧改火，惟熱是生。火生苦，生物之味苦者，皆火氣之所生也。尚書洪範曰：炎上作苦。苦生心，凡味之苦者，皆先生長於心。心生血，心之精氣，生養血也。血生脾，陰陽書曰：火生土。然心火之氣，內養血已，乃生脾土。○新校正云：按大素血作脈。心主舌，心別是非，舌以言事，故主舌。其在天為熱，暄暑熾燠，熱之用也。在地

為火炎上翕赩火之性也赩許極反在體為脈通行榮衛而養血也在藏為心其神也
首義曰神怒心神守則血氣流通在色為赤象火也在音為徵徵謂火音和而美也樂記曰徵亂則
哀其事勤在聲為笑笑喜聲也在變動為憂憂可以成務○新校正云按楊上善云心之憂在心
變動肺之憂在肺之志是則肺主於秋憂為正也而心主於夏變而生憂也在竅為舌舌所以司辨五味也
金匱真言論曰南方赤色入通於心開竅於耳尋其為竅則舌義便乘以其主味故云舌也在味為苦苦可
用燥泄也在志為喜喜所以和樂也喜傷心雖志為喜甚則自傷恐勝喜恐則腎水并於心火
故勝喜也宣明五氣篇曰精氣并於腎則恐熱傷氣熱勝則喘息促急寒勝熱寒為水氣故勝火熱
苦傷氣以火生也○新校正云詳此篇論所傷之旨其例有二東方云風傷筋酸傷筋中央云濕傷肉甘傷肉是
自傷者也南方云熱傷氣苦傷氣北方云寒傷血鹹傷血是傷已所勝西方云熱傷皮毛是被勝傷己辛傷皮毛是自傷
者也凡此五方所傷有此三例不同大素則俱云自傷鹹勝苦鹹水味故勝火苦中央生濕陽氣
盛薄陰氣固升升薄相合故生濕也易義曰陽上薄陰陰能固之然後蒸而為雨明濕生於固陰之氣也○新校正云按
楊上善云六月四陽二陰合蒸以生濕氣也濕生土土濕則固明濕生也○新校正云按楊上善云四陽二陰
合而為濕蒸腐萬物成土也土生甘凡物之味甘者皆土氣之所生也尚書洪範曰稼穡作甘甘生脾

凡味之甘者皆先生長於脾脾生肉脾之精氣生養肉也肉生肺陰陽書曰土生金然脾土之氣內養

肉已乃生肺金脾主口脾受水穀口納五味故主口其在天為濕霧露雲雨濕之用也在地

為土安靜稼穡土之德也在體為肉覆裹筋骨充其形也在藏為脾其神意也道經義曰意託

脾意宅則智無所越在色為黃象土色也在音為宮宮謂土音大而和也樂記曰宮亂則荒其君驕

在聲為歌歌嘆聲也在變動為噦噦謂噦噫胃寒所生○新校正云詳王謂噦為噦噫噫非噦也

按楊上善云噦氣忤也噦乙劣反噫烏界反在竅為口口所以司納水穀在味為甘甘可用寬

緩也在志為思思所以知遠也思傷脾雖志為思甚則自傷怒勝思怒則不思勝可知矣濕

傷肉脾主肉而惡濕故濕勝則肉傷風勝濕風為木氣故勝土濕甘傷肉亦過節也新校正云按

五運行大論云甘傷脾酸勝甘酸木味故勝土甘西方生燥天氣急切故生燥燥生金

金燥有聲則生金也金生辛凡物之味辛者皆金氣之所生也尚書洪範曰從革作辛辛生肺凡味之辛

者皆先生長於肺肺生皮毛肺之精氣生養皮毛皮毛生腎陰陽書曰金生水然肺金之氣養皮

毛已乃生腎水肺主鼻肺藏氣鼻通息故主鼻其在天為燥輕急勁強燥之用也在地為

金堅勁從革金之性也在體為皮毛包藏膚腠扞其邪也在藏為肺其神魄也道經義曰魄在

肺魄安則德修壽延。在色為白，象金。在音為商，商謂金声，輕而勁也。樂記曰：商乱則陂，其官壞。在聲為哭，哭，哀声也。在變動為欬，欬謂欬嗽，所以利咽喉也。在竅為鼻，鼻所以司嗅呼吸。在味為辛，辛可用散潤也。在志為憂，憂，深慮也。憂傷肺，雖志為憂，過則損也。喜勝憂，喜則心火并於肺金，故勝憂也。宣明五氣篇曰：精氣并於心則喜。熱傷皮毛，熱從火生，耗津液故。寒勝熱，陰制陽也。〇新校正云：按太素作燥傷皮毛，熱勝燥。又按王注五運行大論云：火有二別，故此再舉熱傷之形證。辛傷皮毛，過而招損。苦勝辛，苦，火味，故勝金辛。北方生寒，陰氣凝冽，故生寒也。寒生水，寒氣盛凝，變為水。水生鹹，凡物之味鹹者，皆水氣之所生也。尚書洪範曰：潤下作鹹。鹹生腎，凡味之鹹者，皆先生長於腎。腎生骨髓，腎之精氣生養骨髓。髓生肝，陰陽書曰：水生木。然腎水之氣養骨髓已，乃生肝木。腎主耳，腎屬北方，位居幽暗，聲入故主耳。其在天為寒，凝清慘冽，寒之用也。在地為水，清潔潤下，水之用也。在體為骨，端直貞幹，以立身也。在藏為腎，其神志也。道經義曰：志藏腎，志營則骨髓滿實。在色為黑，象水。在音為羽，羽謂水音，沉而深也。樂記曰：羽亂則危，其財匱。在聲為呻，呻吟聲也。在變動為慄，慄謂戰慄，甚寒大恐而悲有之。在竅為耳，耳所以司聽五音。〇新校正云：按金匱真言論云：開竅於二陰。蓋以心寄竅於耳，故与此不同。在味為鹹，鹹可

用事耎也在志為恐恐所以懼惡也恐傷腎恐而不已則內感於腎故傷也靈樞經曰恐懼而不解則
傷精明感腎也思勝恐思深慮遠則見事源故勝恐也寒傷血寒則血凝傷可知也新校正云按太素
血作骨燥勝寒燥從熱生故勝寒也○新校正云按太素燥作濕鹹傷血食鹹而渴傷血可知○新
校正云按太素血作骨甘勝鹹甘土味故勝水鹹○新校正云詳自前岐伯對曰至此与五運行論同兩注頗
異當並用之故曰天地者萬物之上下也觀其覆載而万物之上下可知矣陰陽
者血氣之男女也陰主血陽主氣陰生女陽生男左右者陰陽之道路也陰陽
間氣左右循環故左右為陰陽之道路也○新校正云詳間氣之說具六微旨大論中楊上善云陰氣右行陽氣左行謂
此也水火者陰陽之徵兆也觀水火之氣則陰陽徵兆可明矣陰陽者萬物之
能始也謂能為變化生成之元始○新校正云詳天地者至万物之能始与天元紀大論同注頗異彼无陰陽者
血氣之男女一句又以金木者生成之終始代陰陽者万物之能始故曰陰在內陽之守也陽
在外陰之使也陰靜故為陽之鎮守陽動故為陰之役使帝曰法陰陽奈何岐伯
曰陽勝則身熱腠理閉喘麤為之俛仰汗不出而熱齒乾以
煩冤腹滿死能冬不能夏陽勝故能冬熱甚故不能夏奴代反下能夏形能並同下陰

勝則身寒汗出身常清數慄而寒寒則厥厥則腹滿死厥謂氣逆
能夏不能冬陰勝故能夏寒甚故不能冬此陰陽更勝之變病之形能也
帝曰調此二者奈何調謂順天癸性而治身之血氣精氣也岐伯曰能知七損
八益則二者可調不知用此則早衰之節也用謂房色也女子以七七為天
癸之終丈夫以八八為天癸之極然知八可益知七可損則各隨氣分脩養天真終其天年以度百歲上古天真論曰女
子二七天癸至月事以時下丈夫二八天癸至精氣溢寫然陰七可損則海滿而血自下陽八宜益交會而泄精由此則
七損八益理可知矣年四十而陰氣自半也起居衰矣內耗故陰減中乾故氣力始衰
靈樞經曰人年四十腠理始踈榮華頹落髮班白由此之節言之亦起居衰之次也年五十體重耳目
不聰明矣衰之漸也年六十陰痿氣大衰九竅不利下虛上實涕
泣俱出矣衰之甚矣故曰知之則強不知則老知謂知七損八益全形保性之道也
故同出而名異耳同謂同於好欲異謂異其老壯之名智者察同愚者察異智者
察同欲之間而能性道愚者見形容別異方乃効之自性則道益有餘放効則治生不足故下文曰放妃兩反愚者
不足智者有餘先行故有餘後學故不足有餘則耳目聰明身體輕強老

者復壯壯者益治夫保性全形蓋由知道之所致也故曰道者不可斯須離可離非道此之謂也是
以聖人為無為之事樂恬憺之能從欲快志於虛無之守故
壽命無窮與天地終此聖人之治身也聖人不為无益以害有益不為害性而順
性故壽命長遠與天地終庚桑楚曰聖人之於声色滋味也利於性則取之害於性則損之此全性之道也書曰不作无
益害有益也天不足西北故西北方陰也而人右耳目不如左明
也在上故法天地不滿東南故東南方陽也而人左手足不如右
強也在下故法地帝曰何以然岐伯曰東方陽也陽者其精并於
上并於上則上明而下虛故使耳目聰明而手足不便也西
方陰也陰者其精并於下并於下則下盛而上虛故其耳目
不聰明而手足便也故俱感於邪其在上則右甚在下則左
甚此天地陰陽所不能全也故邪居之夫陰陽之應天地猶水之在器也器圓則
水圓器曲則水曲人之血氣亦如是故隨不足則邪氣留居之并去声故天有精地有形天有
八紀地有五里陽為天降精氣以施化陰為地布和氣以成形五行為生育之井里八風為變化之綱紀

八紀為八歲之紀五里謂五行化育之里故能為萬物之父母陽天化氣陰地成形五里運行八風
鼓動收藏生長无替時宜夫如是故能為万物變化之父母也清陽上天濁陰歸地所以能為万物
之父母者何以有是之升降也是故天地之動靜神明為之綱紀清陽上天濁陰歸地
然其動靜誰所主司蓋由神明之綱紀爾上文曰神明之府此之謂也故能以生長收藏終而
復始神明之運為乃能如是惟賢人上配天以養頭下象地以養足中
傍人事以養五藏頭圓故配天足方故象地人事更易五藏遞遷故從而養也天氣通於
肺居高故地氣通於嗌次下故伊昔切風氣通於肝風生木故雷氣通於
心雷象火之有声故谷氣通於脾谷空虛脾受納故雨氣通於腎腎主水故〇新校正
云按千金方云風氣應於肝雷氣動於心穀氣感於脾雨氣潤於腎六經為川流注不息故腸胃為
海以皆受納也靈樞經曰胃為水穀之海九竅為水注之氣清明者象水之內明流注者象水之
流注也以天地為之陰陽以人事配象則近指天地以為陰陽陽之汗以天地之雨
名之夫人汗泄於皮膚者是陽氣之發泄爾然其取類於天地之間則雲騰雨降而相似也故曰陽之汗以天地之
雨名之陽之氣以天地之疾風名之陽氣散發疾風飛揚故以應之舊經无名之二字尋

前癰也故加之暴風象雷暴風鼓擊鳴轉有聲故逆氣象陽逆氣陵上陽氣亦然故治不
法天之紀不用地之理則災害至矣背天之紀違地之理則六經反作五氣更傷真
氣既傷則災害之至可知矣○新校正云按上文天有八紀地有五里此文注中理字當作里故邪風之至
疾如風雨至謂至於身形故善治者治皮毛止於萌也其次治肌膚救其已生
其次治筋脈攻其已病其次治六府治其已甚其次治五藏治五藏者
半死半生也治其已成神農曰病勢已成可得半愈然初成者獲愈固久者伐形故治五藏者半生半死也
故天之邪氣感則害人五藏四時之氣八正之風皆天邪也金匱真言論曰八風發邪以為
經風觸五藏邪氣發病故天之邪氣感則害人五藏水穀之寒熱感則害於六府熱傷胃及
膀胱寒傷腸及膽氣地之濕氣感則害皮肉筋脈濕氣勝則榮衛之氣不行故感則害於皮
肉筋脈故善用鍼者從陰引陽從陽引陰以右治左以左治右
以我知彼以表知裏以觀過與不及之理見微則過用之不
殆深明故物善診者察色按脈先別陰陽別於陽者則知病處別於陰者則知死生之期
審清濁而知部分謂察色之青赤黃白黑也部分謂藏府之位可占候視喘息聽音聲

而知所苦（謂聽聲之宮商角徵羽也。視喘息，謂候呼吸之長短也。）觀權衡規矩而知病所主（權謂秤錘，衡謂星衡，規謂圓形，矩謂方象。然權也者所以察中外，衡也者所以定高卑，規也者所以表柔虛，矩也者所以明強盛。脈要精微論曰：以春應中規，言陽氣柔軟；以夏應中矩，言陽氣盛強；以秋應中衡，言陰升陽降，氣有高下；以冬應中權，言陽氣居下也。故善診之用，必備見焉。所主者，謂應四時之氣所主生病之在高下中外也。）按尺寸，觀浮沈滑濇而知病所生以治（浮沈滑濇，皆脈象也。浮脈者浮於手下也，沈脈者按之乃得也，滑脈者往來易，濇脈者往來難。故審尺寸，觀浮沈，而知病之所生以治之也。○新校正云：按甲乙經作知病所在以治則無過，下無過二字續此為句。濇音色。）無過以診則不失矣（有過無過，皆以診之，則所主治無誤失也。）故曰：病之始起也，可刺而已（以輕微也。）其盛，可待衰而已（病盛取之，毀傷真氣，故其盛者必可待衰。）故因其輕而揚之（輕者發揚，則邪去。）因其重而減之（重者即減去之。）因其衰而彰之（因病氣衰，攻令邪去，則真氣堅固，血色彰明。）形不足者溫之以氣，精不足者補之以味（氣謂衛氣，味謂五藏之味也。靈樞經曰：衛氣者，所以溫分肉而充皮膚，肥腠理而司開闔。故衛氣溫則形分足矣。上古天真論曰：腎者主水，受五藏六府之精而藏之，故五藏盛乃能寫。由此則精不足者補五藏之味也。）其高者因而越之（越謂越揚也。）其下者引而竭之（引謂泄引也）中滿者寫之於內（內謂腹內）其有邪者漬形以為汗（邪謂風邪之氣風中於表則汗而發之）其在皮者汗而發之（在外故汗發泄也）其慓悍者按而收之（慓疾也悍利也氣候疾利則按之以收斂也慓匹遙反悍音汗）其實者散而寫之（陽實則發散陰實則宣寫故下文云）審其陰陽以別柔剛（陰曰柔陽曰剛）陽病治陰陰病治陽（所謂從陰引陽從陽引陰以右治左以左治右者也）定其血氣各守其鄉（鄉謂本經之氣位）血實宜決之（決謂決破其血）氣虛宜掣引之（掣讀為導導引則氣行條暢○新校正云按甲乙經掣作掣）

陰陽離合論篇第六（新校正云按全元起本在第三卷）

黃帝問曰余聞天為陽地為陰日為陽月為陰大小月三百六十日成一歲人亦應之（以四時五行運用於內故人亦應之○新校正云詳天為陽至成一歲與上六節藏象篇重）今三陰三陽不應陰陽其故何也岐伯對曰陰陽者數之可十推之可百數之可千推之可萬萬之大不可勝數然其要一也（一謂離合也雖不可勝數然其要妙以離合推步悉可知之）天覆地載萬

物方生未出地者命曰陰處名曰陰中之陰處陰之中故曰陰處形未動出
亦是為陰以陰居陰故曰陰中之陰則出地者命曰陰中之陽形動出者是則為陽以陽居陰
故曰陰中之陽陽予之正陰為之主陽施正氣万物方生陰為主持羣形乃立予音与故生
因春長因夏收因秋藏因冬失常則天地四塞春夏為陽故生長也秋冬
為陰故收藏也若失其常道則春不生夏不長秋不收冬不藏夫如是則四時之氣閉塞陰陽之氣无所運行矣陰
陽之變其在人者亦數之可數天地陰陽雖不可勝數在於人形之用者則數可知之
帝曰願聞三陰三陽之離合也岐伯曰聖人南面而立[illegible][illegible]前曰
廣明後曰大衝廣大也南方丙丁火位主之陽氣盛明故曰大明也嚮明治物故聖人南面而立易曰相
見乎離蓋謂此也然在人身中則心藏在南故謂前曰廣明衝脈在北故謂後曰大衝然大衝者腎脈與衝脈合而盛大
故曰大衝是[illegible][illegible]以下文云大衝之地名曰少陰此正明兩脈相合而為表裏也少陰之上
名曰太陽腎藏為陰膀胱府為陽陰氣在下陽氣在上此為一合之經氣也靈樞經曰足少陰之脈者腎脈也
起於小指之下斜趣足心又曰足太陽之脈者膀胱脈也循京骨至小指外側由此故少陰之上名太陽也是以下文曰
太陽根起於至陰結於命門名曰陰中之陽至陰穴名在足小指外側命門

者藏精光照之所則兩目也太陽之脈起於目而下至於足故根於指端結於目也靈樞經曰命門者目也此與靈樞義合以太陽居少陰之地故曰陰中之陽○新校正云按素問太陽言根結於經不言結甲乙今具中身而上名曰廣明廣明之下名曰太陰靈樞經曰天為陽地為陰腰以上為天腰以下為地分身之前則中身之上屬於廣明廣明之下屬太陰也又心廣明藏下則太陰脾藏也太陰之前名曰陽明人身之中胃為陽明脈行在脾脈之前脾為太陰脈行於胃脈之後靈樞經曰足太陰之脈者脾脈也起於大指之端循指內側白肉際過核骨後上內踝前廉上踹內循胻骨之後厈陽明之脈者胃脈也下膝三寸而別以下入中指外閒由此故太陰之前名陽明也昇以下文曰踹市兗反陽明根起於厲兌名曰陰中之陽厲兌穴名在足大指次指之端以陽明居太陰之前故曰陰中之陽厥陰之表名曰少陽人身之中膽少陽脈行肝脈之分外肝厥陰脈行膽脈之位內靈樞經曰足厥陰脈者肝脈也起於足大指聚毛之際上循足跗上廉足少陽之脈者膽脈也循足跗上出小指次指之端由此則厥陰之表名少陽也故下文曰跗甫无反少陽根起於竅陰名曰陰中之少陽竅陰穴名在足小指次指之端以少陽居厥陰之表故曰陰中之少陽是故三陽之離合也太陽為開陽明為闔少陽為樞離謂別離應用合謂配合於陰別離則正位於三陽配合則表裏而為藏府矣開闔樞者言三陽之氣多少不等動用殊

也。夫開者所以司動靜之基，闔者所以執禁固之權，樞者所以主動轉之微。由斯殊氣之用，故此三變之也。○新校正云：按《九墟》：太陽為關，陽明為闔，少陽為樞。故關折則肉節潰緩而暴病起矣，故候暴病者取之太陽。闔折則氣無所止息，悸病起，故悸者皆取之陽明。樞折則骨搖而不能安於地，故骨搖者取之少陽。《甲乙經》同。

三經者不得相失也，搏而勿浮，命曰一陽。三經之至，搏擊於手而无輕重之異，則正可謂一陽之氣，无復有三陽差降之為用也。搏音轉。

帝曰：願聞三陰。岐伯曰：外者為陽，內者為陰，言三陽為外運之離合，三陰為內用之離合也。然則中為陰，其衝在下，名曰太陰。衝脈在脾之下，故言其衝在下也。《靈樞經》曰：衝脈者，与足少陰之絡皆起於腎下，上行者過於胞中，由此則其衝之上，太陰位也。

太陰根起於隱白，名曰陰中之陰。隱白，穴名，在足大指端。以太陰居陰，故曰陰中之陰。

太陰之後，名曰少陰。藏位及經脈之次也。太陰，脾也。少陰，腎也。脾藏之下近後則腎之位也。《靈樞經》曰：足太陰之脈起於大指之端，循指內之側，及上內踝前廉，上腨內，循䯒骨後。足少陰之脈起於小指之下，斜趨足心，出於然骨之下，循內踝後，以上腨內，由此則太陰之下名少陰也。腨音行。

少陰根起於湧泉，名曰陰中之少陰。湧泉，穴名，在足心下踡指宛宛中。踡音權。

少陰之前，名曰厥陰。亦藏位及經脈之次也。少陰，腎也。厥陰，肝也。腎藏之前近上則肝之位也。《靈樞經》曰：足少陰脈循內踝之後，上腨內廉；足厥陰脈循足跗上踝去內踝一寸上踝八寸交出太陰之後上膕內由此故少陰之前名厥陰也厥陰根起於大敦陰之絕陽名曰陰之絕陰大敦穴名在足大指之端三毛之中也兩陰相合故曰陰之絕陽盡也陰氣至此而盡故名曰陰之絕陰是故三陰之離合也太陰為開厥陰為闔少陰為樞亦氣之不等也○新校正云按九墟云關折則倉廩无所輸隔洞者取之太陰闔折則氣弛而善悲悲者取之厥陰樞折則脈有所結而不通不通者取之少陰甲乙經同三經者不得相失也搏而勿沈名曰一陰沈言殊見也陽浮亦然若經氣應至无沈浮之異則悉可謂一陰之氣非復有三陰差降之殊用也陰陽𩆜𩆜積傳為一周氣裏形表而為相成也𩆜𩆜言氣之往來積謂積脈之動也傳謂陰陽之氣流傳也夫氣往來動而不止積其所動氣血循環水下一刻而一周於身故曰傳為一周也然榮衛之氣因息遊布周流形表拒捍虛邪中外主司互相成立故言氣裏形表而為相成也○新校正云按別本𩆜𩆜作衝衝

陰陽別論篇第七新校正云按全元起本在第四卷

黃帝問曰人有四經十二從何謂經謂經脈從謂順從岐伯對曰經應四時十二從應十二月十二月應十二脈春脈弦夏脈洪秋脈浮冬脈沉謂四

紀脈也從順天氣順行十二辰之分故應十二月也十二月謂春建寅卯辰夏建巳午未秋建申酉戌冬建亥子丑之月也十二脈謂手三陰三陽足三陰三陽之脈也以氣數相應故參合之

脈有陰陽知陽者知陰知陰者知陽深知則備識其變易

凡陽有五五五二十五陽五陽謂五藏之陽氣也五藏應時各形一脈一脈之內包總五藏之陽五五相乘故二十五陽也新校正云按玉機真藏論云故病有五五五二十五變與此文義同

所謂陰者真藏也見則為敗敗必死也五藏為陰故曰陰者真藏也然見者謂肝脈至中外急如循刀刃責責然如按琴瑟絃心脈至堅而搏如循薏苡子累累然肺脈至大而虛如以毛羽中人膚腎脈至搏而絕如以指彈石辟辟然脾脈至弱而乍數乍疏夫如是脈見者皆為藏敗神去故必死也

所謂陽者胃脘之陽也胃脘之陽謂人迎之氣也察其氣脈動靜小大與脈口應否也胃為水穀之海故候其氣而知病處人迎在結喉兩傍脈動應手其脈之動常左小而右大左小常以候藏右大常以候府

別於陽者知病處也別於陰者知死生之期陽者衛外而為固然外邪所中別於陽則知病處陰者藏神而內守若考真正成敗別於陰則知病者死生之期新校正云按玉機真藏論云別於陽者知病從來別於陰者知死生之期

三陽在頭三陰在手所謂一也頭謂人迎手謂氣口兩者相應俱往俱來若引繩小大齊等者名曰平人故言所謂一也氣口在手

[illegible]之後一九人迎在結喉兩傍一寸五分皆可以候藏府之氣別於陽者知病忌時別於陰者知死生之期識氣定期故知病忌之時明成敗故知死生之期謹熟陰陽無與衆謀謹量氣候精熟陰陽病忌之準可知生死之疑自決正行無惑何用衆謀議也所謂陰陽者去者為陰至者為陽靜者為陰動者為陽遲者為陰數者為陽言脈動之中也凡持真脈之藏脈者肝至懸絶急十八日死心至懸絶九日死肺至懸絶十二日死腎至懸絶七日死脾至懸絶四日死真脈之藏脈者謂真藏之脈也十八日者金木成數之餘也九日者水火生成數之餘也十二日者金火生成數之餘也七日者水土生數之餘也四日者木生數之餘也故平人氣象論曰肝見庚辛死心見壬癸死肺見丙丁死腎見戊己死脾見甲乙死者以此如是者皆至於期不勝而死也何者以不勝剋賊之氣也曰二陽之病發心脾有不得隱曲女子不月陽謂陽明大腸及胃之脈也隱曲謂隱蔽委曲之事也夫陽胃發病心脾受之心受之則血不流脾受之則味不化血不流故女子不月味不化則男子少精是以隱蔽委曲之事不能為也陰陽應象大論曰精不足者補之以味由是則味不化則精氣少也奇病論曰胞胎者繫於腎又評熱病論曰月事不來者胞脈閉也胞脈者屬於心而絡於胞中今氣上迫肺心氣不得下通故月事不來則其義也又上古天真論曰女

子二七天癸至任脈通太衝脈盛月事以時下丈夫二八天癸至精氣溢寫也此則在女子為不月在男子為少精其傳為風消其傳為息賁者死不治言深久者也胃病深久傳入於脾故為風熱以消削大腸病甚傳入於肺為喘息而上賁然腸胃脾肺兼及於心三藏二府互相克薄故死不治賁音奔曰三陽為病發寒熱下為癰腫及為痿厥腨痛三陽謂太陽小腸及膀胱之脈也小腸之脈起於手循臂繞肩膊上頭膀胱之脈從頭別下背貫臀入膕中循腨故在上為病則發寒熱在下為病則為癰腫腨痟及為痿厥痟痠疼也痿無力也厥足冷即氣逆也腨時兗反痟息兗反膕古或反其傳為索澤其傳為頹疝熱甚則精血枯涸故皮膚潤澤之氣皆散盡也然陽氣下墜陰脈上爭上爭則寒多下墜則筋緩故睾垂縱緩內作頹疝頹[illegible]曰一陽發病少氣善欬善泄一陽謂少陽膽及三焦之脈也膽氣乘胃故善泄三焦內病故少氣陽上熏肺故善欬何故心火內應而然其傳為心掣其傳為隔乘心心熱故陽氣內掣三焦內結中熱故隔塞不便掣尺制反也二陽一陰發病主驚駭背痛[illegible]善噫善欠名曰風厥一陰謂厥陰心主及肝之脈也心主脈起於胸中出屬心包絡[illegible]善噫心氣不足則腎氣乘[illegible]驚駭故驚駭善欠欠則氣乘之風胃氣厥逆風又厥風厥二陰一陽發病善脹心滿善氣二陰謂少陰心腎之脈也腎膽同逆三焦不行

氣溜於上溢於上滿於下流亡盛故氣溢出也三陽三陰發病，為偏枯痿易，四支不舉。一陰不足則發偏枯，三陽有餘則為痿易。易，謂變易常用而痿弱無力也。鼓一陽曰鉤，鼓一陰曰毛，鼓陽勝急曰弦，鼓陽至而絕曰石，陰陽相過曰溜。言何以知陰陽之病脈邪？一陽鼓動，脈見鉤也。何以然？一陽謂三焦，心脈之府，然一陽鼓動者，則鉤脈當之。鉤脈則心脈也，此言正見者也。一陰謂厥陰，肝木氣也。毛，肺金脈也。金來鼓木，其脈則毛，金氣乃乘木。木陽尚勝，急而內見，脈則為弦也。若陽氣至而急，脈名曰弦，屬肝。陽氣至而或如斷絕，脈名曰石，屬腎。陰陽之氣相過，无能勝負，則脈如水之溜也。陰爭於內，陽擾於外，魄汗未藏，四逆而起，起則熏肺，使人喘鳴。若金鼓不已，陽氣大勝，兩氣相搏，內爭外擾，則流汗不止，手足反寒，甚則陽氣內燔，流汗不藏，則熱攻於肺，故起則熏肺，使人喘鳴也。陰之所生，和本曰和。陰謂五神藏也。言五藏之所以能生而全天真和氣者，以各得自從其和性而安靜爾。苟乖所適，則為他氣所乘，百端之病由斯而起，奉生之道可不慎哉。是故剛與剛，陽氣破散，陰氣乃消亡。剛謂陽也。言陽氣內蒸，外為流汗，灼而不已，則陽勝又陽，故盛不久存，而陽氣自散。陽已破敗，陰不獨存，故陽氣破散，陰氣亦消亡。此乃爭勝招敗也。淖則剛柔不和，經氣乃絕。血行者陽常勝，視人之血淖者，宜謹和其氣，常使流通，若不能深思寡欲，使氣序乖衰，陽為重陽，內燔藏府，則死且可待，生其能久乎。死陰之屬不過三日而死火乘金也生陽之屬不過四日而死木乘火也。新校正云按別本作四日而生全元起注本作四日而已俱通詳上下文義作死者非所謂生陽死陰者肝之心謂之生陽母來親子故曰生陽匪惟以木生火亦自陽氣主生爾心之肺謂之死陰陰主刑殺火復乘金金得火亡故云死陰肺之腎謂之重陰亦母子也以俱為陰氣故曰重陰腎之脾謂之辟陰死不治土氣辟併水乃可升土辟水升故云辟陰結陽者腫四支以四支為諸陽之本故結陰者便血一升陰主血故再結二升三結三升一盛二盛謂之再結三盛謂之三結陰陽結斜多陰少陽曰石水少腹腫所謂[illegible]二陽結謂之消二陽結謂胃及大腸俱熱結也腸胃藏熱則喜消水穀。新校正云詳此則少二陰結三陽結謂之隔三陽結謂小腸膀胱熱結也小腸結熱則血脈燥膀胱熱則津液涸故鬲塞而不便寫三陰結謂之水三陰結謂脾肺之脈俱寒結也脾肺寒結則氣化為水一陰一陽結謂之喉痺一陰謂心主之脈一陽謂三焦之脈也三焦心主脈並絡喉氣熱內結故為喉痺痺音閉陰搏陽別謂之有子陰謂尺中也搏謂搏觸於手也尺脈搏擊與寸口殊別陽氣挺然則為有任之兆何者陰中有別陽故任去声陰陽虛腸辟死[illegible]辟陰也然胃氣不留腸開勿禁陰中不廩是真氣竭絕故

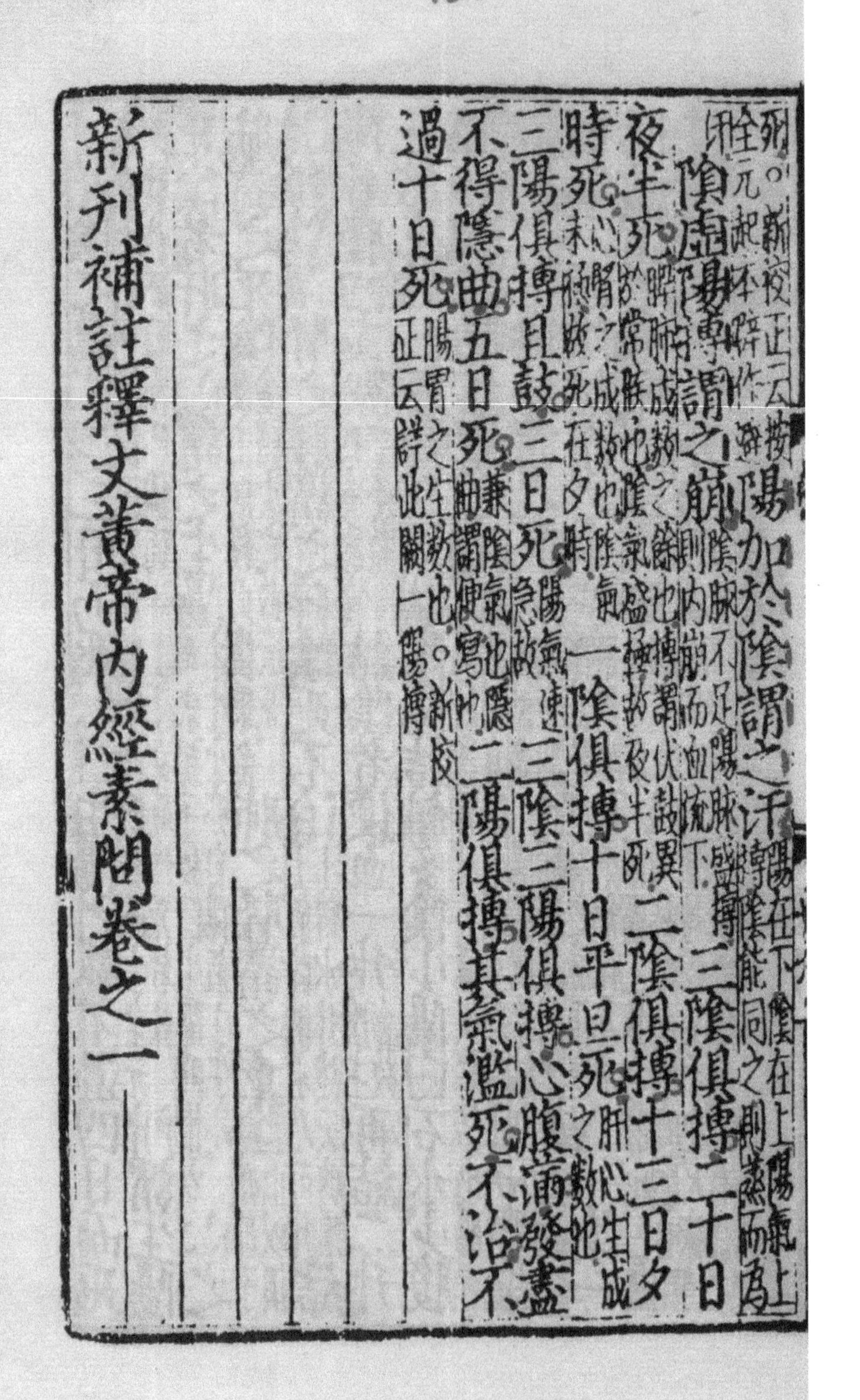

辟。新校正云按全元起本辟作辭陽加於陰謂之汗陽在下陰在上陽氣上搏陰能固之則蒸而爲汗陰虛陽搏謂之崩陰脈不足陽脈盛搏則內崩而血流下三陰俱搏二十日夜半死脾肺成數之餘也搏謂伏鼓異於常候也陰氣盛極故夜半死二陰俱搏十三日夕時死心腎之成數也陰氣未極故死在夕時一陰俱搏十日平旦死肝心生成之數也三陽俱搏且鼓三日死陽氣速急故三陰三陽俱搏心腹滿發盡不得隱曲五日死兼陰氣也隱曲謂便寫也二陽俱搏其病溫死不治不過十日死腸胃之生數也。新校正云詳此闕一陽搏

新刊補註釋文黃帝内經素問卷之一

新刊補註釋文黃帝內經素問卷之三

靈蘭秘典論篇第八

新校正按全元起本名十二藏相使在第三卷

黃帝問曰：願聞十二藏之相使，貴賤何如？藏藏也言腹中之所藏者非復有十二形神之藏也岐伯對曰：悉乎哉問也！請遂言之。心者，君主之官也，神明出焉。任治於物故為君主之官清靜栖靈故曰神明出焉肺者，相傅之官，治節出焉。位高非君故官為相傅主行榮衛故治節由之肝者，將軍之官，謀慮出焉。勇而能斷故曰將軍潛發未萌故謀慮出焉膽者，中正之官，決斷出焉。剛正果決故官為中正直而不疑故決斷出焉膻中者，臣使之官，喜樂出焉。膻中者在胸中兩乳間為氣之海然心主為君以敷宣教令膻中主氣以氣布陰陽氣和志適則喜樂由生分布陰陽故官為臣使也膻特亶反脾胃者，倉廩之官，五味出焉。包容五穀是為倉廩之官營養四傍故云五味出焉廩力稔反大腸者，傳道之官，變化出焉。傳道謂傳不潔之道變化謂變化物之形故云傳道之官變化出焉小腸者，受盛之官，化物出焉。承奉胃司受盛糟粕受已復化傳入大腸故云受盛之官化物出焉腎者作

強之官伎巧出焉強於作用故曰作強造化形容故云伎巧在女則當其伎巧在男則正曰作強三
焦者決瀆之官水道出焉引導陰陽開通閉塞故官司決瀆水道出焉膀胱者州
都之官津液藏焉氣化則能出矣位當孤府故謂都官居下內空故藏津液若得氣海
之氣施化則溲便注泄氣海之氣不及則閟隱不通故曰氣化則能出矣靈樞經曰腎上連肺故將兩藏膀胱是孤府則
此之謂也溲所鳩反小便也凡此十二官者不得相失也失則災害至故不得相失。新
校正云詳此乃十一官脾胃二藏共一官故也
不殆以為天下則大昌主謂君主心之官也夫主賢明則刑賞一刑賞一則吏奉法吏奉法則民
不獲罪於枉濫矣故主明則天下安也夫心內明則銓善惡銓善惡則察安危察安危則身不夭傷於外道矣故以此養
生則壽歿世不至於危殆矣然施之於養生歿世不殆施之於君主天下獲安以其為天下主則國祚昌盛矣主不
明則十二官危使道閉塞而不通形乃大傷以此養生則殃
以為天下者其宗大危戒之戒之使道謂神氣行使之道也夫心不明則邪正一邪正
一則損益不分損益不分則動之凶咎陷身於羸瘠矣故形乃大傷以此養生則殃夫主不明則委於左右委於左右
則權勢妄行權勢妄行則吏不得奉法吏不得奉法則人民失所而皆受枉曲矣且以惟邦本本固邦寧本不獲安國將

何有宗廟之立安有不至於傾危乎故曰戒之戒之者言深慎也窘音窘至道在微變化無窮孰知其原孰誰也言至道之用也小之則微妙而細無不入大之則廣遂而變化無窮然其淵源誰所知察窘乎哉消者瞿瞿新校正云按太素作肖者濯濯瞿音劬孰知其要閔閔之當孰者為良窘要也瞿瞿勤勤也人身之要者道也然以消息異同求諸物理而欲以此知變化之源本者雖瞿瞿勤勤以求明悟然其要妙誰得知乎既未得知轉成深遠閔閔玄妙復不知誰者為善知其要妙哉玄妙深遠固不以理求而可得近取諸身則十二官粗可探尋而為治身之道亦閔閔深遠也良善也○新校正云詳此四句與氣交變大論文重意同彼消字作肖字恍惚之數生於毫氂恍惚者謂似有似无也忽亦數也似无似有而毫釐之數生其中老子曰恍恍惚惚其中有物此之謂也筭書曰似有似无為忽毫氂之數起於度量千之萬之可以益大推之大之其形乃制毫氂雖小積而不已命數乘之則起至於尺度斗量之緇銖千之万之亦可增益而至載之大數推引其大則應通人形之制度也黃帝曰善哉余聞精光之道大聖之業而宣明大道非齋戒擇吉日不敢受也深敬故也韓康伯曰洗心曰齊防患曰戒黃帝乃擇吉日良兆而藏靈蘭之室以傳保焉秘之至也

○六節藏象論篇第九 新校正云按全元起注本在第三卷

黃帝問曰：余聞天以六六之節以成一歲，人以九九制會，新校正云詳下文云地以九九制會計人亦有三百六十五節以為天地久矣不知其所謂也 六六之節謂六竟於六甲之日以成一歲之節限九九制會謂九周於九野之數以制人形之會偏也言人之三百六十五節以應天之六六之節久矣若復以九九為紀法則兩歲大半乃曰一周不知其法真原安謂也○新校正云詳王注云兩歲大半乃曰一周按九九制會當云兩歲四分歲之一乃曰一周也岐伯對曰：昭乎哉問也！請遂言之。夫六六之節、九九制會者，所以正天之度、氣之數也。六六之節天之度也九九制會天之數也所謂氣數者生成之氣也周天之分凡三百六十五度四分度之一以十二節氣均之則氣有三百六十日而終兼之小月日又不足其數矣是以六十四氣而常置閏焉何者以其積差分故也天地之生育本址於陰陽人神之運為始終於九氣然九之為用豈不大哉律書曰黃鍾之律管長九寸冬至之日氣應灰飛由此則万物之生咸因於九氣矣古之九寸即今之七寸三分大小不同以其先秬黍之制而有異也○新校正云按別本三分一作二分天度者，所以制日月之行也；氣數者，所以紀化生之用也。制謂準度紀謂綱紀準日月之行度者所以明日月之行遲速也紀化生之爲用者所以彰氣至而斯應也氣應无差則生成之理不替遲速以度大小之月生焉故日異長短月移寒暑收藏生長无失時宜也天爲陽地爲陰日爲陽月爲陰行有分紀周有道理日行一度月行十三度而有奇焉故大小月三百六十五日而成歲積氣餘而盈閏矣日行遲故晝夜行天之一度而三百六十五日一周天而猶有度之奇分矣月行速故晝夜行天之十三度餘而二十九日一周天也言有奇者謂十三度分復行十九分度之七故云月行十三度而有奇也禮義及漢律曆志云二十八宿及諸星皆從東而循天西行日月及五星皆從西而循天東行今太史說云並循天而東行從東而西轉也諸曆家說月一日至四日月行最疾日夜行十四度餘自五日至八日行次疾日夜行十三度餘自九日至十九日其行遲日夜行十二度餘二十日至二十三日行又小疾日夜行十三度餘二十四日至晦日行又大疾日夜行十四度餘今太史說月行之率不如此矣月行有十五日前疾有十五日後遲者有十五日前遲有十五日後疾者大率一月四分之而皆有遲疾遲速之度固无常准矣雖尔終以二十七日月行一周天凡行三百六十一度二十九日日行二十九度月行三百八十七度少七度而不及日也至三十日日復迊計率至十三分日之八月方反日矣此大盡之月也大率其計率至十三分日之半者亦大盡法也其計率至十三分日之五之六而及日者小盡之月也故云大小月三百六十五日而成歲也正言之者三百六十五日四分日之一乃一歲法以奇不成日故舉六以

言之，若通以六小爲法，則歲止有三百五十四日，歲少十一日餘矣。取月所少之辰，加歲外餘之日，故從閏後三十二日而盈閏焉。尚書曰：期三百有六旬有六日，以閏月定四時成歲，則其義也。積餘盈閏者，盡以月之大小不盡之天度故也。

立端於始，表正於中，推餘於終，而天度畢矣。端，首也。始，初也。表，彰示也。正，斗建也。中，月半也。推，退位也。言立首氣於初節之日，示斗建於月半之辰，退餘閏於相望之後。是以閏之前則氣不及月，閏之後則月不及氣。故常月之制，建初立中；閏月之紀，无初无中。縱曆有之，皆他節氣也。故曆无云其候閏某月節、閏某月中也。推終之義，斷可知乎。故曰立端於始，表正於中，推餘於終也。由斯推日成閏，故能令天度畢焉。

帝曰：余已聞天度矣，願聞氣數何以合之？岐伯曰：天以六六爲節，地以九九制會。新校正云：詳篇首云人以九九制會。

天有十日，日六竟而周甲，甲六復而終歲，三百六十日法也。十日，謂甲乙丙丁戊己庚辛壬癸之日也。十者，天地之至數也。易繫辭曰：天九地十，則其義也。六十日而周甲子之數，甲子六周而復始，則終一歲之日，是三百六十日之歲法，非天度之數也。此蓋十二月各三十日者，若除小月，其日又差也。

夫自古通天者，生之本，本於陰陽，其氣九州九竅，皆通乎天氣。通天，謂元氣，即天真也。然形假地生，命惟天賦，故奉生之氣通繫於天，禀於陰陽，而爲根本也。寶命全形論曰：人生於地，懸命於天，天地合氣，命之曰人。四氣調神大論曰：陰陽四時者方物之終始也死生之本也又曰逆其根則伐其本壞其真矣此其義也九州謂冀兗青徐揚荊豫梁雍也然地列九州人施九竅精神往復氣與參同故曰九州九竅也靈樞經曰地有九州人有九竅則其義也先言其氣者謂天真之氣常繫屬於中也天氣不絕真靈內屬行藏動靜悉與天通故曰皆通乎天氣也

故其生五，其氣三，

形之所存假五行而運用徵其本始從三氣以生成故云其生五其氣三也氣之三者亦副三元故下文曰○新校正云詳夫自古通天者至此與生氣通天論同注頗異當兩觀之

三而成天，三而成地，三而成人，

非惟人獨由三氣以生天地之道亦如是矣故易乾坤諸卦皆必三矣

三而三之，合則爲九，九分爲九野，九野爲九藏，

九野者應九藏而爲義也爾雅曰邑外爲郊郊外爲甸甸外爲牧牧外爲林林外爲坰坰外爲野則此之謂也○新校正云按今爾雅云邑外謂之郊郊外謂之牧牧外謂之野野外謂之林林外謂之坰與王氏所引有異

故形藏四，神藏五，合爲九藏以應之也。

形藏四者一頭角二耳目三口齒四胸中也形分於外故以名焉神藏五者一肝二心三脾四肺五腎也神藏於內故以名焉所謂神藏者肝藏魂心藏神脾藏意肺藏魄腎藏志也故此二別尒○新校正云詳此乃宣明五氣篇文與生氣通天注重又與三部九候論注重所以名神藏形藏之說具三部九候論注

帝曰：余已聞六六九九之會也，夫子言積氣盈閏，願聞何謂氣？請夫子發蒙解惑焉。

請宣揚旨

要然所未聞解疑惑者之心開蒙琳者之耳令啓曉遠感使深明岐伯曰此上帝所祕先師
傳之也上帝則上古帝君也先師岐伯祖之師僦貸季上古之理色脉者也移精變氣論曰上古使僦貸季理色
脉而通神明八素經序云天師對黃帝曰我於僦貸季理色脉已三世矣言可知乎。新校正云詳素一作索或以八為
大楙今太素无此文疑即就反帝曰請遂聞之遂尽也岐伯曰五日謂之候三
候謂之氣六氣謂之時四時謂之歲而各從其主治焉日行天之
五日則五日也三候正十五日也六氣凡九十日正三月也設其多之矣故十八候為六氣六氣謂之時也四時凡三百
六十日故曰四時謂之歲也各從其治謂一歲之日各歸從五行之一氣而為之主以王也故下文曰五運相
襲而皆治之終朞之日周而復始時立氣布如環無端候亦
同法故曰不知年之所加氣之盛衰虛實之所起不可以為
工矣五運謂五行之氣應天之運而主化者也襲謂承襲如嬗之承襲也言五行之氣父子相承主統一周之日常
如是无已周而復始也時謂立春之前當至時也氣謂當王之脉氣也春前氣至脉氣亦至故曰時立氣布也候謂日行
五度之候也言一候之日亦五氣相生而直之差則病矣移精變氣論曰上古使僦貸季理色脉而通神明合之金木水
火土四時八風六合不離其常此之謂也工謂工於脩養者也言必明於此乃可横行天下矣。新校正云詳王注時立

氣布謂立春前當至時當王之脉氣也按此正謂歲立四時時布六氣如環之無端故又曰候亦同法帝曰五
運之始如環無端其太過不及何如岐伯曰五氣更立各有
所勝盛虛之變此其常也言盛虛之變見此乃天之常道爾帝曰平氣何如
岐伯曰無過者也不愆常候則无過也帝曰太過不及奈何岐伯曰在
經有也。言玉機真藏論篇具言五氣平和大過不及之旨也新校正云詳王注言玉機真藏論已具按本篇言
脉之大過不及即不論運氣之大過不及与平氣當云氣交變大論五常政大論篇已具言也帝曰何謂所
勝岐伯曰春勝長夏長夏勝冬冬勝夏夏勝秋秋勝春所謂
得五行時之勝各以氣命其藏春應木木勝土長夏應土土勝水冬應水水勝火夏應火火勝金秋應金金勝木常如是矣四時之中加之長夏故謂
得五行時之勝也所謂長夏者六月也土生於火長在夏中既長而王故云長夏也以氣命藏者春之木內合肝長夏土
內合脾冬之水內合腎夏之火內合心秋之金內合肺故曰各以氣命其
藏也命名也帝曰何以知其勝岐伯曰求其至也皆歸始春始於春謂立春之日也春為四時之
長故候氣皆歸於立春前之日也未至而至此謂太過則薄
所不勝而乘所勝也命曰氣淫不分邪僻內生工不能禁此上

十二字文義不倫應古文錯簡次後五治下乃其義也今朱書之至而不至此謂不及則所勝妄行而所生受病所不勝薄之也命曰氣迫所謂求其至者氣至之時也凡氣之至皆謂立春前十五日乃候之初也未至而至謂所直之氣未應至而先期至也先期而至是氣有餘故曰太過至而不至謂所直之氣應至不至而後期至後期而至是氣不足故曰不及太過則薄所不勝而乘所勝不及則所勝妄行而所生受病所不勝薄之者凡五行之氣我剋者為所勝剋我者為所不勝生我者為所生假令肝木有餘是肺金不足金不制木故木太過木氣既餘則反薄肺金而乘於脾土矣故曰太過則薄所不勝而乘所勝也此皆五藏之氣内相淫併為疾故命曰氣淫也餘太過例同之又如肝木氣少不能制土土氣無畏而遂妄行水被土凌故云所勝妄行而所生受病也肝木之氣不平肺金之氣自薄故曰所不勝薄之然木氣不平土金交薄相迫為疾故曰氣迫也餘不及例皆同謹候其時氣可與期失時反候五治不分邪僻内生工不能禁也時謂氣至時也候其年則始於立春之日候其氣則始於四氣定期候其日則隨於候日故曰謹候其時氣可與期也反謂反背也五治謂五行所治主統一歲之氣也然不分五治謬引入邪天真氣運尚未該通人病之由安能精達故曰工不能禁也帝曰有不襲乎言五行之氣有不相承襲者乎岐伯曰蒼天之氣不得無常也氣之不襲是謂非常非常則變

矣（亦多相變易以常也）帝曰：非常而變奈何？岐伯曰：變至則病，所勝則微，所不勝則甚，因而重感於邪則死矣。故非其時則微，當其時則甚也。（言蒼天布氣尚不越於五行，人在氣中豈不應於天道？夫人之氣亂不順天常，故有病死之徵矣。左傳曰：違天不祥。此其類也。假令木直之年，有火氣至，後一歲病矣；土氣至，後二歲病矣；金氣至，後四歲病矣；水氣至，後五歲病矣。真氣不足，復重感邪，真氣內微，故重感於邪則死也。假令非主直年而氣相干者，且為微病，不必內傷於神藏，故非其時則微而且持也。若當所直之歲，則易中邪氣，故當其直時則病疾甚也。諸氣當其下者，皆必受邪，故云非其時則微，當其時則甚也。通評虛實論曰：非其時則生，當其時則死。當謂正直之年也。）帝曰：善。余聞氣合而有形，因變以正名。天地之運，陰陽之化，其於萬物，孰少孰多，可得聞乎？（新校正云：詳從前岐伯曰昭乎哉問也至此，全元起注本及太素並無，疑王氏之所補也。）岐伯曰：悉乎哉問也！天至廣不可度，地至大不可量，大神靈問，請陳其方。（言天地廣大，不可度量而得之，造化玄微，豈可以人心而遍悉？大神靈問，讚聖深明，舉大說凡，粗言綱紀，故曰請陳其方。）草生五色，五色之變，不可勝視；草生五味，五味之美，不可勝極。（言物生之眾，稟化各殊，目視口味，尚猶能盡之，況於人心，乃能包括耶？）嗜欲不同，各有所通言色味之衆雖不可遍盡所由然人所嗜所欲則自隨己心之所愛耳故曰嗜欲不同各有所通天食人以五氣地食人以五味天以五氣食人者臊氣湊肝焦氣湊心香氣湊脾腥氣湊肺腐氣湊腎也地以五味食人者酸味入肝苦味入心甘味入脾辛味入肺鹹味入腎也清陽化氣而上為天濁陰成味而下為地也故天食人以氣地食人以味陰陽應象大論曰清陽為天濁陰為地又曰陽為氣陰為味五氣入鼻藏於心肺上使五色脩明音聲能彰五味入口藏於腸胃味有所藏以養五氣氣和而生津液相成神乃自生心榮面色肺主音聲故氣藏於心肺上使五色脩絜分明音声彰著氣為水母故味藏於腸胃內養五氣五氣和化津液方生津液與氣相副化成神氣乃能生而宣化也帝曰藏象何如象謂所見於外可閱者也岐伯曰心者生之本神之變也其華在面其充在血脈為陽中之太陽通於夏氣心者君主之官神明出焉然君主者萬物繫之以興亡故曰心者生之本神之變也火氣炎上故華在面也心養血其主脈故充在血脈也心王於夏氣合太陽以太陽居夏火之中故曰陽中之太陽通於夏氣也金匱真言論曰平旦至日中天之陽陽中之陽也○新校正云詳神之變全元起本并太素作神之處肺者氣之本魄之處也其華在毛其充在皮為陽中之太陰通於秋氣肺藏氣其神魄

其養皮毛故曰肺者氣之本魄之處華在毛充在皮也肺藏為太陰之氣主王於秋晝日為陽氣所行位非陰處以太陰居於陽分故曰陽中之太陰通於秋氣也金匱真言論曰日中至黃昏天之陽陽中之陰也○新校正云按太陰甲乙經并太素作少陰當作少陰肺在十二經雖為太陰然在陽分之中當為少陰也

腎者主蟄封藏之本精之處也其華在髮其充在骨為陰中之少陰通於冬氣

地戶封閉蟄虫深藏腎又主水受五藏六府之精而藏之故曰腎者主蟄封藏之本精之處也腦者髓之海腎主骨髓髮者腦之所養故華在髮充在骨也以盛陰居冬陰之分故曰陰中之少陰通於冬氣也金匱真言論曰合夜至雞鳴天之陰陰中之陰也○新校正云按全元起本并甲乙經太素少陰作太陰當作太陰腎在十二經雖為少陰然在陰分之中當為太陰

肝者罷極之本魂之居也其華在爪其充在筋以生血氣其味酸其色蒼

新校正云詳此六字當去按太素心其味苦其色赤肺其味辛其色白腎其味鹹其色黑今惟肝脾二藏載其味其色陰陽應象大論已著色味詳矣此不當出之今更不添心肺腎三藏之色味只去肝脾二藏之色味可矣其注中所引陰陽應象大論文四十一字亦當去之○罷音疲

此為陽中之少陽通於春氣

夫人之運動者皆筋力之所為也肝主筋其神魂故曰肝者罷極之本魂之居也爪者筋之餘筋者肝之養故華在爪充在筋也東方為發生之始故以生血氣也陰陽應象大論曰東方生風風生木木生酸酸生肝肝合木故其味酸也又

曰神在藏為肝在色為蒼故其色蒼也以少陽居於陽位而王於春故曰陽中之少陽通於春氣也金匱真言論曰平旦至日中天之陽陽中之陽也○新校正云按全元起本并甲乙經太素作陰中之少陽當作陰中之少陽詳王氏引金匱真言論云平旦至日中天之陽陽中之陽以為證則王意以為陽中之少陽也再詳上文心藏為陽中之太陽王氏以引平旦至日中天之陽陽中之陽為證今肝藏又引為證反不引雞鳴至平旦天之陰陰中之陽為證則王注之失可見當從全元起本及甲乙經太素作陰中之少陽為得

脾胃大腸小腸三焦膀胱者倉廩之本營之居也名曰器能化糟粕轉味而入出者也皆可受盛轉運不息故為倉廩之本名曰器也營起於中焦中焦為脾胃之位故云營之居也然水穀滋味入於脾胃脾胃糟粕轉化其味出於三焦膀胱故曰轉味而入出者也其華在脣四白其充在肌其味甘其色黃新校正云詳此六字當去并註中引陰陽應象大論文四十字亦當去已解在前條此至陰之類通於土氣以為脾宮脾主肌肉故曰華在脣四白充在肌中四白謂脣四際之白色肉也陰陽應象大論曰中央生濕濕生土土生甘脾合土故其味甘也又曰在藏為脾在色為黃故其色黃也脾藏土氣土合至陰故曰此至陰之類通於土氣也金匱真言論曰陰中之至陰脾也凡十一藏取決於膽也上從心藏下至於膽為十一也然膽者中正剛斷無私偏故十一藏取決於膽也故人迎一盛病在少陽二盛病在太

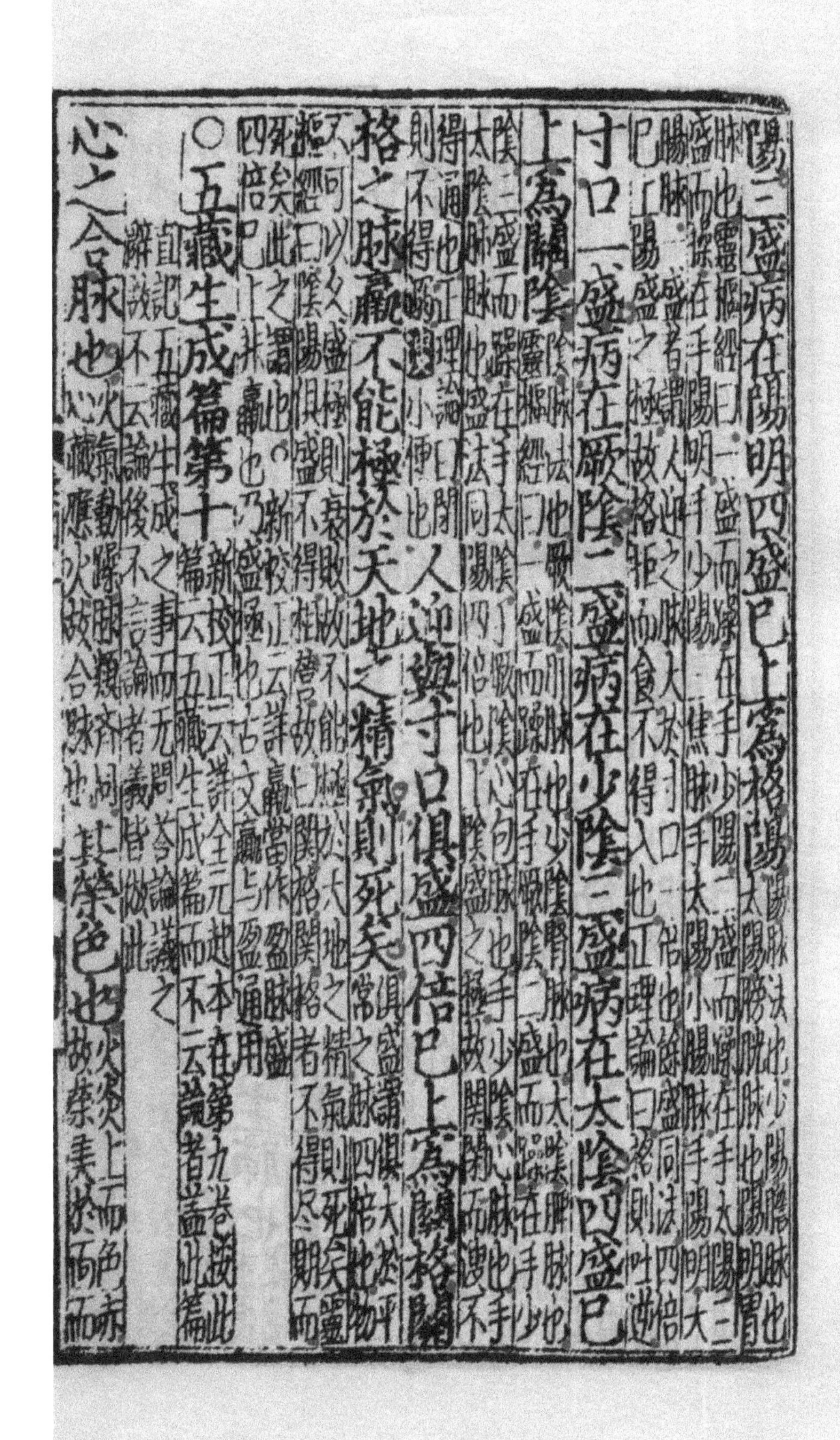

陽，三盛病在陽明，四盛已上為格陽。陽脈法也。少陽，膽脈也。太陽，膀胱脈也。陽明，胃脈也。靈樞經曰：一盛而躁在手少陽，二盛而躁在手太陽，三盛而躁在手陽明。手少陽，三焦脈。手太陽，小腸脈。手陽明，大腸脈。一盛者，謂人迎之脈大於寸口一倍也。餘盛同法。四倍已上，陽盛之極，故格拒而食不得入也。正理論曰：格則吐逆。

寸口一盛病在厥陰，二盛病在少陰，三盛病在太陰，四盛已上為關陰。陰脈法也。厥陰，肝脈也。少陰，腎脈也。太陰，脾脈也。靈樞經曰：一盛而躁在手厥陰，二盛而躁在手少陰，三盛而躁在手太陰。手厥陰，心包脈也。手少陰，心脈也。手太陰，肺脈也。盛法同陽。四倍已上，陰盛之極，故關閉而溲不得通也。正理論曰：閉則不得溺。溺，小便也。

人迎與寸口俱盛四倍已上為關格，關格之脈羸，不能極於天地之精氣，則死矣。俱盛，謂俱大於平常之脈四倍也。物不可以久盛，盛極則衰，敗不能久，故不能極於天地之精氣則死矣。靈樞經曰：陰陽俱盛，不得相營，故曰關格。關格者，不得盡期而死矣。此之謂也。○新校正云：詳「羸」當作「盈」。脈盛四倍已上，非羸也，乃盛極也。古文「羸」與「盈」通用。

○五藏生成篇第十

新校正云：詳全元起本在第九卷。按此篇云五藏生成篇而不云論者，蓋此篇直記五藏生成之事，而無問答論議之辭，故不云論。後不言論者，義皆倣此。

心之合脈也，火氣動躁，脈類齊同，心藏應火，故合脈也。其榮色也，火炎上而色赤，故榮美於面而赤

赤色也新校正云詳王氏以赤色為面榮美未通大抵發見於面之色皆心之榮也豈專為赤哉其主腎也主謂
主与腎相畏也火畏於水水与為官故畏於腎肺之合皮也金氣堅定皮象亦然肺藏應金故合皮也其
榮毛也毛附皮革故外榮其主心也金畏於火火与為官故主畏於心也肝之合筋也
木性曲直筋体亦然肝藏應木故合筋也其榮爪也爪者筋之餘故外榮也其主肺也木畏於金
金与為官故主畏於肺也脾之合肉也土性柔厚肉体亦然脾藏應土故合肉也其榮脣也口為
脾之官故榮於脣脣謂四際白色之內非赤色也其主肝也土畏於木木与為官故主畏於肝也腎之
合骨也水性流濕精氣亦然骨通精髓故合骨也其榮髮也腦為髓海腎氣主之故外榮髮也其
主脾也水畏於土土与為官故主畏於脾也是故多食鹹則脈凝泣而變色心合
脈其榮色也鹹益腎勝於心心不勝故脈凝泣而顏色變易也多食苦則皮槁而毛拔肺合皮其
榮毛苦益心勝於肺肺不勝故皮枯槁而毛拔去也多食辛則筋急而爪枯肝合筋其榮爪辛益
肺勝於肝肝不勝故筋急而爪乾枯也多食酸則肉胝䐢而脣揭脾合肉其榮脣酸益肝勝
於脾脾不勝故肉胝䐢而脣皮揭舉也胝竹尼反䐢側救反多食甘則骨痛而髮落腎合骨其
榮髮甘益脾勝於腎腎不勝故骨痛而髮墮落此五味之所傷也五味入口輸於腸胃而內養五藏各

有所養有所欲欲則互有所傷故下文曰故心欲苦合火故也肺欲辛合金故也肝欲酸合木故也脾欲甘合土故也腎欲鹹合水故也此五味之所合也各隨其欲而歸湊之五藏之氣新校正云按全元起本云此五味之合五藏之氣也連上文太素同故色見青如草茲者死茲滋也言如草初生之青色也黃如枳實者死色青黃也黑如炲者死炲謂炲煤也炲音台赤如衃血者死衃血謂敗惡凝聚之血色赤黑也衃芳杯反白如枯骨者死白而枯槁如乾骨之白也此五色之見死也藏敗故見死色也三部九候論曰五藏已敗其色必夭夭必死矣此之謂也青如翠羽者生赤如雞冠者生黃如蟹腹者生白如豕膏者生黑如烏羽者生此五色之見生也皆謂光潤也色雖可愛若見朦朧尤善矣故下文曰生於心如以縞裹朱生於肺如以縞裹紅生於肝如以縞裹紺生於脾如以縞裹栝樓實生於腎如以縞裹紫是乃真見生色也縞白色紺薄青色此五藏所生之外榮也榮美色也色味當五藏白當肺辛赤當心苦青當肝酸黃當脾甘黑當腎鹹各當其所應而為色味也故白當皮赤當脈青當筋黃當肉黑當骨各當其所養之藏氣

也 諸脈者皆屬於目 脈者血之府宣明五氣篇曰久視傷血由此明諸脈皆屬於目也○新校正云按皇甫士安云九卷曰心藏脈脈舍神神明通體故云屬目 諸髓者皆屬於腦 腦為髓海故諸髓屬之 諸筋者皆屬於節 筋氣之堅結者皆絡於骨節之間也宣明五氣篇曰久行傷筋由此明諸筋皆屬於節也 諸血者皆屬於心 血居脈內屬於心也八正神明論曰血氣者人之神然神者心之主由此故諸血皆屬於心也 諸氣者皆屬於肺 肺藏主氣故也 此四支八谿之朝夕也 谿者肉之小會名也八谿謂肘膝腕也如是氣血筋脈互有盛衰故為朝夕矣 故人臥血歸於肝 肝藏血心行之人動則血運於諸經人靜則血歸於肝藏何者肝主血海故也 肝受血而能視 言其用也目為肝之官故肝受血而能視 足受血而能步 氣行乃血流故足受血而能行步也 掌受血而能握 以當把握之用 指受血而能攝 以當攝受之用也血氣者人之神故所以受血者皆能運用 臥出而風吹之血凝於膚者為痹 謂瘰痹也瘰音頑又音君 凝於脈者為泣 泣謂血行不利 凝於足者為厥 厥謂足逆冷也 此三者血行而不得反其空 故為痹厥也 空者血流之道大經隧也隧音遂 人有大谷十二分 大經所會謂之大谷也十二分者謂十二經脈之部分 小谿三百五十四名少十二俞 小絡所會謂之小谿

此然以三百六十五小絡言之者除十二俞外則當三百五十三名經言三百五十四者傳寫行書誤以三爲四也。新校正云按別本及全元起本太素俞作關

此皆衛氣之所留止邪氣之所客也

衛氣滿填以行邪氣不得居止衛氣虧缺留止則爲邪氣所客故言邪氣所客

鍼石緣而去之

緣謂夤緣行去之貌言邪氣所客衛氣留止藏其谿谷則邪氣夤緣隨脈而行去也

診病之始五決爲紀

五決謂以五藏之脈爲決生死之綱紀也

欲知其始先建其母

建立也母謂應時之王氣也先立應時王氣而後乃求邪正之氣也

所謂五決者五脈也

謂五藏脈也

是以頭痛巔疾下虛上實過在足少陰巨陽甚則入腎

足少陰腎脈巨陽膀胱脈膀胱之脈者起於目內眥上額交巔上其支別者從巔至耳上角其直行者從巔入絡腦還出別下項循肩髆內俠脊抵腰中入循膂絡腎屬膀胱然腎虛而不能引巨陽之氣故頭痛而爲上巔之疾也經病甚已則入於藏矣

徇蒙招尤目冥耳聾下實上虛過在足少陽厥陰甚則入肝

徇疾也蒙不明也言目暴疾而不明招謂掉也搖掉不定也尤甚也目疾不明首掉尤甚謂暴病也目冥耳聾謂漸病也足少陽膽脈厥陰肝脈也厥陰之脈從少腹上俠胃屬肝絡膽貫鬲布脅肋循喉嚨之後入頏顙上出額與督脈會於巔其支別者從目系下頰裏足少陽之脈起於目銳眥上抵頭角下耳後循頸入缺盆其支別者從耳後入耳中以支別者別目銳眥下[illegible]加頰車下頸合缺盆以下

胷中貫鬲絡肝屬膽今頭不足故爲是病○新校正云按王註徇蒙言目暴疾而不明義未甚顯徇蒙者盖謂目瞼瞤動疾數而蒙暗又少陽之脈下顑甲乙經作下頰顑胡限反顙蘇朗反谿奚怫反瞚音諸

腹滿䐜脹支鬲胠脇下厥上冒過在足太陰陽明

胠謂脇上也下厥上冒者謂氣從下逆上而冒於目也足太陰脾脈陽明胃脈也足太陰脈自股內前廉入腹屬脾絡胃上鬲足陽明脈起於鼻交於頞下循鼻外下絡入頤頷循喉嚨入缺盆屬胃絡脾其直行者從缺盆下乳內廉下侠臍入氣街中其支別者起胃下口循腹裏至氣街中而合以下髀故爲是病〇胠去魚反〇䐜音嗔

欬嗽上氣厥在胷中過在手陽明太陰

明大腸脈太陰肺脈也手陽明脈自肩髃前廉上出於柱骨之會上下入缺盆絡肺下鬲屬大腸手太陰脈起於中焦下絡大腸還循胃口上鬲屬肺從肺系橫出腋下故爲欬嗽上氣厥在胷中也○新校正云按甲乙經厥作病

心煩頭痛病在鬲中過在手巨陽少陰

手巨陽小腸脈少陰心脈也巨陽之脈從肩上入缺盆絡心循咽下鬲抵胃屬小腸其支別者從缺盆循頸上頰至目銳眥手少陰之脈起於心中出屬心系下鬲絡小腸故心煩頭痛病在胷中也○新校正云按甲乙經云胷中痛支滿腰脊相引而痛過在手少陰太陽也

夫脈之小大滑濇浮沉可以指別

夫脈小者細小大者滿大滑者往來流利濇者往來蹇澁浮者浮於手下沉者按之乃得也如是雖衆狀不同然手巧心諦而指可分別也

五藏之象可以類推

象謂氣象

也言五藏雖隱而不見然其氣象性用猶可以物類推之何者肝象木而曲直心象火而炎上脾象土而安靜肺象金而剛決腎象水而潤下夫如是皆大舉宗兆其中隨事變化象法傍通者可以同類而推之尒五藏相音可以意識音謂五音也夫肝音角心音徵脾音宮肺音商腎音羽此其常應也然其互相勝負聲見否臧則耳聰心敏者猶可以音識而知之五色微診可以目察色謂顏色也夫肝色青心色赤脾色黃肺色白腎色黑此其常色也然其氣象交互微見吉凶則目明智遠者可以占視而知之能合脈色可以萬全色青者其脈弦色赤者其脈鉤色黃者其脈代色白者其脈毛色黑者其脈堅此其常色脈也然其參校異同斷言成敗則審而不惑萬舉萬全色脈之病例如下說赤脈之至也喘而堅診曰有積氣在中時害於食名曰心痺喘謂脈至如卒喘狀也藏居高病則脈為喘狀故心肺二藏而獨言之尒喘為心氣不足堅則病氣有餘心脈起於心胸之中故積氣在中時害於食也積謂病氣積聚痺謂藏氣不宜行也得之外疾思慮而心虛故邪從之思慮心虛故外邪因之而居止矣白脈之至也喘而浮上虛下實驚有積氣在胸中喘而虛名曰肺痺寒熱喘為不足浮者肺虛肺不足是謂心虛上虛則下當滿矣矣以其不足故善驚而氣積胸中矣然脈喘而浮是肺自不足喘而虛者是心氣上乘肺受熱而氣不得營故名肺痺而外為寒熱也得之醉而使內也醉使

苦燥內益於心醉甚入房故心氣上勝於肺矣青脈之至也長而左右彈有積氣在
心下支胠名曰肝痹脈長而彈是為弦緊緊為寒氣中濕乃弦肝主胠脇近於心故氣積心下又支
胠也下經論脈名例曰緊脈者如切繩狀言左右彈人手也得之寒濕與疝同法腰痛足
清頭脈緊為寒脈長為濕疝之為病亦寒濕所生故言與疝同法也寒濕在下故腰痛也肝脈者起於足上行
至頭出額與督脈會於頭故病則足冷而頭痛也清亦冷也渹所晏反黃脈之至也大而虛有
積氣在腹中有厥氣名曰厥疝脈大為氣脈虛為虛既氣又虛故脾氣積於腹中也若腎
氣逆上則是厥疝腎氣不上則但虛而脾氣積也女子同法得之疾使四支汗出當
風女子同法言同其候也風氣通於肝故汗出當風則脾氣積滿於腹中黑脈之至也上堅而
大有積氣在小腹與陰名曰腎痹上謂寸口也腎主下焦故氣積聚於小腹與陰也
得之沐浴清水而臥濕氣傷下自歸於腎况沐浴而臥得无病乎靈樞經曰身半以下濕之中也
凡相五色之奇脈面黃目青面黃目赤面黃目白面黃目黑
者皆不死也奇脈謂與色不相偶合也凡色見黃皆為有胃氣故不死也。○新校正云按甲乙經無之奇脈
二字面青目赤面赤目白面青目黑面黑目白面赤目青皆死

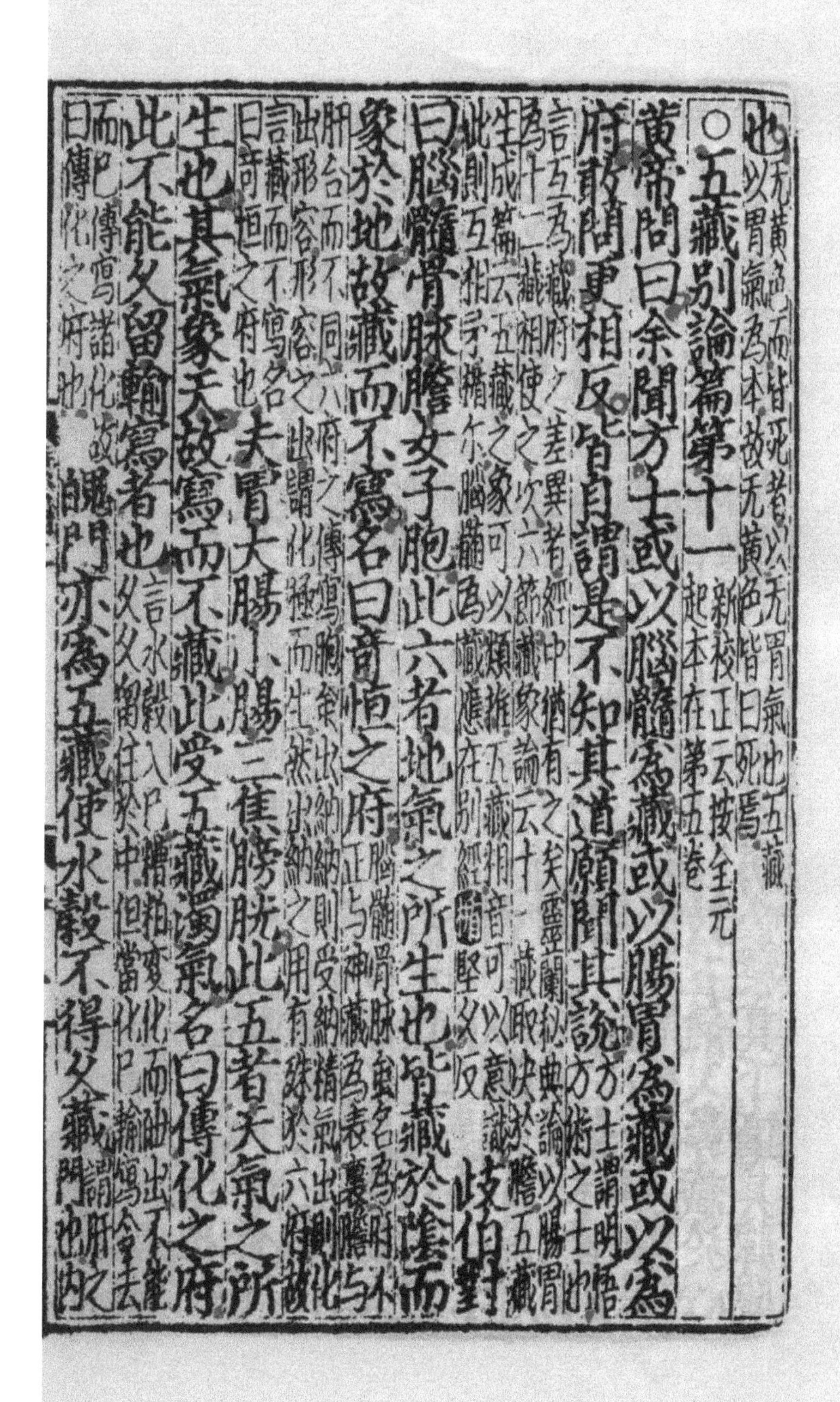

也无黄色而皆死者以无胃氣也五藏以胃氣為本故无黄色皆曰死焉

○五藏别論篇第十一 新校正云按全元起本在第五卷

黄帝問曰余聞方士或以腦髓為藏或以腸胃為藏或以為府敢問更相反皆自謂是不知其道願聞其說 方士謂明悟方術之士也言五為藏府之差異者經中猶有之矣靈蘭秘典論以腸胃為十二藏相使之次六節藏象論云十一藏取決於膽五藏生成篇云五藏之象可以類推五藏相音可以意識此則互相矛楯尔腦髓為藏應在別經髓堅久反

岐伯對曰腦髓骨脉膽女子胞此六者地氣之所生也皆藏於陰而象於地故藏而不寫名曰奇恒之府 腦髓骨脉雖名為府不正與神藏為表裏膽與肝合而不同六府之傳寫胞雖出納納則受納精氣出則化出形容形容之出謂化極而生然出納之用有殊於六府故言藏而不寫名曰奇恒之府也

夫胃大腸小腸三焦膀胱此五者天氣之所生也其氣象天故寫而不藏此受五藏濁氣名曰傳化之府此不能久留輸寫者也 言水穀入已糟粕變化而泊出不能久久留住於中但當化已輸寫令去而已傳寫諸化故曰傳化之府也

魄門亦為五藏使水穀不得久藏 謂肛之門也內

通於肺故曰魄門受已化物則為五藏行使然水穀亦不得久藏於中所謂五藏者藏精氣而
不寫也故滿而不能實精氣為滿水穀為實但藏精氣故滿而不能實○新校正云按全元起本
及甲乙經太素精氣作精神六府者傳化物而不藏故實而不能滿也以不
藏精氣但受水穀故也所以然者水穀入口則胃實而腸虛以未下也食下
則腸實而胃虛水穀下也故曰實而不滿滿而不實也帝曰氣口
何以獨為五藏主氣口則寸口也亦謂脈口以寸口可候氣之盛衰故云氣口可以切脈之動靜故云
脈口皆同取於手魚際之後同身寸之一寸是則寸口也岐伯曰胃者水穀之海六府之
大源也人有四海水穀之海則其一也受水穀已榮養四傍以其當運化之源故為六府之大源也五味
入口藏於胃以養五藏氣氣口亦太陰也氣口在手魚際之後同身寸之一寸
氣口之所候脈動者是手太陰脈氣所行故言氣口亦太陰也是以五藏六府之氣味皆出
於胃變見於氣口榮氣之道內穀為實○新校正云詳此注出靈樞實作寶○穀入於胃氣傳與肺精
專者循肺氣行於氣口故云變見於氣口也○新校正云按全元起本出作入故五氣入鼻藏於心
肺心肺有病而鼻為之不利也凡治病必察其下適其脈觀

其志意與其病也〔下謂目下所見可否也調謂適其脉之盈虛觀量志意之邪正及病深淺成敗之宜乃守法以治之也○新校正云按太素作必察其上下適其脉候觀其志意與其病能〕拘於鬼神者不可與言至德〔志意邪則好祈禱言至德則事必違故不可與言至德也〕惡於鍼石者不可與言至巧〔惡於鍼石則巧不得施故不可與言至巧○惡音污〕病不許治者病必不治治之無功矣〔心不許人治之是其必死強為治者功亦不成故曰治之無功矣〕

○異法方宜論篇第十二〔新校正云按全元起本在第九卷〕

黃帝問曰：醫之治病也，一病而治各不同，皆愈何也？〔不同謂鍼石灸焫毒藥導引按蹻也〕岐伯對曰：地勢使然也。〔謂法天地生長收藏及高下燥濕之勢〕故東方之域，天地之所始生也，〔法春氣也〕魚鹽之地，海濱傍水，〔魚鹽之地海之利也濱水際也隨業近之〕其民食魚而嗜鹹，皆安其處，美其食。〔豐其利故居安處其味故食美〕魚者使人熱中，鹽者勝血，〔魚發瘡則熱中之信鹽發渴則勝血之徵〕故其民皆黑色踈理，其病皆為癰瘍，〔血弱而熱故喜為癰瘍〕其治宜砭石。〔砭石謂以石為鍼也山海經曰高氏之山有石如玉可以為鍼則砭石也○新校正云按氏一作伐〕故砭石者，亦從

東方來 東人今用之 西方者金玉之域沙石之處天地之所收引也 法秋氣也引謂牽引使收斂也 其民陵居而多風水土剛強 居室如陵故曰陵居金氣肅殺故水土剛強也○新校正云詳大抵西方地高民居高陵故多風也不必室如陵矣 其民不衣而褐薦其民華食而脂肥 不衣絲綿故曰不衣褐謂毛布也薦謂細草也華謂鮮美酥酪骨肉之類也以食鮮美故人體脂肥 故邪不能傷其形體其病生於内 水土剛強飲食脂肥膚腠閉封血氣充實故邪不能傷也内謂喜怒悲憂恐及飲食男女之過甚也○新校正云詳悲一作思當作思已具陰陽應象大論注中 其治宜毒藥 能攻其病則謂之毒藥以其血氣盛肌肉堅飲食華水土強故病宜毒藥方制御之藥謂草木虫魚鳥獸之類皆能除病者也 故毒藥者亦從西方來 西人方術今奉之 北方者天地所閉藏之域也其地高陵居風寒冰冽 法冬氣也 其民樂野處而乳食藏寒生滿病 水寒冰冽故生病於藏寒也○新校正云按甲乙經無滿字 其治宜灸焫 火艾燒灼謂之灸焫 故灸焫者亦從北方來 北人正行其法 南方者天地所長養陽之所盛處也其地下水土弱霧露之所聚也 法夏氣也地下則水流歸之水多故土弱而霧露聚 其民嗜酸而食胕 言其所食不芬香○新校正云

按全元起云食魚也故其民皆緻理而赤色其病攣痺酸味收斂故人皆肉理密緻陽盛之處故色赤濕氣內滿熱氣外薄故筋攣脈痺也其治宜微鍼微細小也細小之鍼調脈衰盛也故九鍼者亦從南方來南人盛崇之中央者其地平以濕天地所以生萬物也眾法土德之用故生物眾然東方海南方下西方北方高中央之地平以濕則地形斯異生病殊焉其民食雜而不勞四方輻輳而萬物交歸故人食紛雜而不勞也故其病多痿厥寒熱濕氣在下故多病痿弱氣逆及寒熱也陰陽應象大論曰地之濕氣感則害皮肉筋脈居近於濕故爾其治宜導引按蹻導引謂搖筋骨動支節按謂抑按皮肉蹻謂捷舉手足故導引按蹻者亦從中央出也中央用為養神調氣之正道也故聖人雜合以治各得其所宜隨方而用各得其宜惟聖人法乃能然矣故治所以異而病皆愈者得病之情知治之大體也達性懷故然

○移精變氣論篇第十三新校正云按全元起本在第二卷

黃帝問曰余聞古之治病惟其移精變氣可祝由而已今世治病毒藥治其內鍼石治其外或愈或不愈何也移謂移易變謂變改

皆使邪不傷正精神復强而內守也生氣通天論曰聖人傳精神服天氣上古天真論曰精神內守病安從來岐伯
對曰往古人居禽獸之間動作以避寒陰居以避暑內無眷
慕之累外無伸宦之形新校正云按全元起本伸作臾此恬憺之世邪不能
深入也故毒藥不能治其內鍼石不能治其外故可移精祝
由而已古者巢居穴處夕隱朝游禽獸之間斷可知矣然動躁陽盛故身熱足以禦寒涼氣生寒故陰居可以避
暑矣夫志捐思想則內無眷慕之累心亡願欲故外無伸宦之形靜保天真自無邪勝是以移精變氣無假毒藥祝說病
由不勞鍼石而已○新校正云按全元起云祝由南方神今之世不然情慕云為遠於道也憂患緣
其內苦形傷其外又失四時之從逆寒暑之宜賊風數至虛
邪朝夕內至五藏骨髓外傷空竅肌膚所以小病以甚大病
必死故祝由不能已也帝曰善余欲臨病人觀死生決嫌疑
欲知其要如日月光可得聞乎岐伯曰色脈者上帝之所貴
也先師之所傳也上帝謂上古之帝先師謂岐伯祖世之師僦貸季也上古使僦貸季
理色脈而通神明合之金木水火土四時八風六合不離其

常先師以色白脉毛而合金應秋以色青脉弦而合木應春以色黑脉石而合水應冬以色赤脉洪而合火應夏以色
黃脉代而合土應長夏及四季然以是色脉下合五行之休王上副四時之往來故六合之間八風鼓拆不離常候尽可
與期何者以見其變化而知之也故下文曰變化相移以觀其妙以知其要欲知
其要則色脉是矣言所以知四時五行之氣變化相移之要妙者何以色脉故也色以應日
脉以應月常求其要則其要也言脉應月色應日者占候之期準也常求色脉之差忒是
則平人之診要也夫色之變化以應四時之脉此上帝之所貴以合
於神明也所以遠死近生觀色脉之臧否曉死生之徵兆故能常遠於死而近於生也生
道以長命曰聖王上帝聞道勤而行之生道以長惟聖王乃尔而常用也中古之治病
至而治之湯液十日以去八風五痺之病八風謂八方之風五痺謂皮肉筋骨
脉之痺也靈樞經曰風從東方來名曰嬰兒風其傷人也外
在於筋紐內舍於肝風從東南來名曰弱風其傷人也外在
於肌內舍於胃風從南方來名曰大弱風其傷人也外在於
脉內舍於心風從西南來名曰謀風其傷人也外在於肉內
舍於脾風從西方來名曰剛風其傷人也外在於皮內舍於
肺風從西北來名曰折風其傷人也外在於手太陽之脉內
舍於小腸風從北方來名曰大剛風其傷人也外在於骨內
舍於腎風從東北來名曰凶風其傷人也外在於腋脇內舍

於大腸。又痹論曰：以春甲乙傷於風者為筋痹，以夏丙丁傷於風者為脈痹，以秋庚辛傷於風者為皮痹，以冬壬癸傷於風者為骨痹，以至陰遇此者為肉痹。是所謂八風五痹之病也。○新校正云：按此註引痹論，今經中痹論不如此，當云風論曰：以春甲乙傷於風者為肝風，以夏丙丁傷於風者為心風，季夏戊己傷於邪者為脾風，以秋庚辛中於邪者為肺風，以冬壬癸中於邪者為腎風。痹論曰：風寒濕三氣雜至，合而為痹。以冬遇此者為骨痹，以春遇此者為筋痹，以夏遇此者為脈痹，以至陰遇此者為肌痹，以秋遇此者為皮痹。

十日不已，治以草蘇草荄之枝，本末為助，標本已得，邪氣乃服。草蘇謂藥煎也，草荄謂草根也，枝謂莖也。言以諸藥根苗合成其煎，俾相佐助而以服之。凡藥有用根者，有用莖者，有用枝者，有用華實者，有用根莖枝華實者，湯液不去則尽用之，故云本末為助也。標本已得，邪氣乃服者，言工人与病主療相應，則邪氣率服而隨時順也。湯液醪醴論曰：病為本，工為標，標本不得，邪氣不服，此之謂主療不相應也。或謂取標本論末云鍼也。○新校正云：按全元起本又云：得其標本，邪氣乃散矣。

暮世之治病也則不然，治不本四時，不知日月，不審逆從，四時之氣，各有所在，不本其處而即妄攻，是反古也。四時刺逆從論曰：春氣在經脈，夏氣在孫絡，長夏氣在肌肉，秋氣在皮膚，冬氣在骨髓。工當各隨所在而辟伏其邪爾。不知日月者，謂日有寒溫明暗，月有空滿虧盈也。八正神明論曰：凡刺之法，必候日月星辰、四時八正之氣，氣定乃刺之。是故天溫日明，則人血淖液而衛氣浮，故血易瀉，氣易行；天寒日陰，則

人血凝泣而衛氣沉月始生則血氣始精衛氣始行月郭滿則血氣盛肌肉堅月郭空則肌肉減經絡虛衛氣去形獨居
是以因天時而調血氣也是故天寒无刺天溫无疑月生无寫月滿无補月郭空无治是謂得時而調之因天之序盛虛
之時移光定位正立而待之故曰月生而寫是謂藏虛月滿而補血氣盈溢絡有留血命曰重實月郭空而治是謂亂經
陰陽相錯真邪不別沉以留止外虛內亂淫邪乃起此之謂也不審逆從者謂不審量其病可治與不可治也故下文曰
病形已成乃欲微鍼治其外湯液治其內言心意粗略不精審也粗工
兇兇以為可攻故病未已新病復起粗謂粗略也兇兇謂不料事宜之可否也何以
言之假令飢人形氣羸劣食令極飽能不霍乎豈其與食而為惡邪蓋為失時復過節也非病逆鍼石湯液失時過節則
其害反增矣。新校正云按別本霍一作害帝曰願聞要道岐伯曰治之要極無
失色脈用之不惑治之大則惑謂惑亂則謂法則也言色脈之應昭然不欺但順用而不亂
紀綱則治病審當之大法也逆從到行標本不得亡神失國逆從到行謂以順為逆標
本不得謂工病失宜夫以反理到行所為非順豈惟治人而神氣受害若使之輔佐君主亦令國祚不保康寧矣去
故就新乃得真人標本不得工病失宜則當去故逆理之人就新明悟之士乃得至真精曉之人以全
己也帝曰余聞其要於夫子矣夫子言不離色脈此余之所知

也岐伯曰治之極於一帝曰何謂一岐伯曰一者因得之[因問而得之也]帝曰奈何岐伯曰閉戸塞牖繫之病者數問其情以從其意[問其所欲而察是非也]得神者昌失神者亡帝曰善

○湯液醪醴論篇第十四[新校正云按全元起本在第五卷]

黄帝問曰為五穀湯液及醪醴奈何[液謂清液醪醴謂酒之屬也]岐伯對曰必以稻米炊以稻薪稻米者完稻薪者堅[堅謂資其堅勁完謂取其完全完全則酒清冷堅勁則氣迅疾而效速也]帝曰何以然[言何以能完堅邪]岐伯曰此得天地之和高下之宜故能至完伐取得時故能至堅也[夫稻者生於陰水之精首戴天陽之氣二者和合然乃化成故云得天地之和而能至完秋氣勁切霜露凝結稻以冬採故云伐取得時而能至堅]帝曰上古聖人作湯液醪醴為而不用何也岐伯曰自古聖人之作湯液醪醴者以為備耳[言聖人懸念生靈先防萌漸陳其法制以備不虞耳]夫上古作湯液故為而弗服也[聖人不治已病治未病故但為備用而不服也]中古之世道德稍衰邪氣時至服之萬全[雖道德稍衰邪氣時至以心猶近道故服]

用不全也帝曰今之世不必已何也言不必如中古之世用也岐伯曰當今之
世必齊毒藥攻其中鑱石鍼艾治其外也言法殊於往古也帝曰形
弊血盡而功不立者何岐伯曰神不使也帝曰何謂神不使
岐伯曰鍼石道也言神不能使鍼石之妙用也何者志意違背於師示故也精神不進志
意不治故病不可愈動離於道耗散天真故爾○新校正云按全元起本云精神進志意定故病可
愈太素云精神越志意散故病不可愈今精壞神去榮衛不可復收何者嗜欲
無窮而憂患不止精氣弛壞榮泣衛除故神去之而病不愈
也精神者生之源榮衛者氣之主氣主不輔生源復消神不内居病何能愈哉帝曰夫病之始生
也極微極精必先入結於皮膚今良工皆稱曰病成名曰逆
則鍼石不能治良藥不能及也今良工皆得其法守其數親
戚兄弟遠近音聲日聞於耳五色日見於目而病不愈者亦
何暇不早乎新校正云按別本暇一作謂岐伯曰病為本工為標標本不
得邪氣不服此之謂也言醫与病不相得也然工人或親戚兄弟該明情疑勿用工先備識不謂

知方鍼艾之妙靡容藥石之攻匪預如是則道雖昭著万舉万全病不許治欲奚為療五藏別論曰拘於鬼神者不可与
言至德惡於鍼石者不可与言至巧病不許治者病不必治治之无功此皆謂工病不相得邪氣不賓服也豈惟鍼艾之
有惡哉藥石亦有之矣○新校正云按移精變氣論曰標本已得邪氣乃服帝曰其有不從毫毛
生而五藏陽以竭也新校正云按全元起本及太素陽作傷義亦通津液充郭其魄
獨居孤精於內氣耗於外形不可與衣相保此四極急而動
中是氣拒於內而形施於外治之奈何不從毫毛言生於內也陰氣內盛陽氣竭
絕不得入於腹中故言五藏陽以竭也津液者水也充滿也郭皮也陰稸於中水氣脹滿上攻於肺肺氣孤危魄者肺神
腎為水害子不救母故云其魄獨居也夫陰精損削於內陽氣耗減於外則三焦閉溢水道不通水滿皮膚身体否腫故
云形不可与衣相保也凡此之類皆四支脉數急而內鼓動於肺中也肺動者謂氣急而欬也言如是者皆水氣格拒於
腹膜之內浮腫施張於身形之外欲窮標本其可得乎四極言四末則四支也左傳曰風淫末疾靈樞經曰陽受氣於四
末○新校正云詳形施於外施字疑誤岐伯曰平治於權衡去宛陳莝新校正云按太
素莝作莖是以微動四極溫衣繆刺其處以復其形開鬼門潔淨
府精以時服五陽已布疏滌五藏故精自生形自盛骨肉相

保巨氣乃平。平治權衡，謂察脉浮沉也。脉浮為在表，脉沉為在裏。在裏者泄之，在外者汗之。故下文云：開鬼門，潔淨府也。去宛陳莝，謂去積久之水物，猶如草莝之不可久留於身中也。全本作草莝。微動四極，謂微動四支，令陽氣漸以宣行，故又曰溫衣也。經脉滿則絡脉溢，絡脉溢則繆刺之，以調其絡脉，使形容如舊而不腫，故云繆刺其處，以復其形也。開鬼門，是啟玄府遺氣也。五陽，是五藏之陽氣也。潔淨府，謂瀉膀胱水去也。脉和則五精之氣以時賓服於腎藏也。然五藏之陽漸而宣布，五藏之外氣穢復除也。如是故精髓自生，形肉自盛，藏府既和，則骨肉之氣更相保抱，大經脉氣然乃平復尔。帝曰：善。

〇玉版論要篇第十五 新校正云：按全元起本在第二卷。

黄帝問曰：余聞揆度奇恒，所指不同，用之奈何？岐伯對曰：揆度者，度病之淺深也。奇恒者，言奇病也。請言道之至數，五色脉变，揆度奇恒，道在於一。謂色脉之應也。知色脉之應，則可以揆度奇恒矣。○新校正云：按全元起本請作謂。神轉不回，回則不轉，乃失其機。血氣者，神氣也。八正神明論曰：血氣者，人之神，不可不謹養也。夫血氣應順四時，遞迁囚王，循還五氣，無相奪倫，是則神轉不回也。回，謂却行也。然血氣隨王，不合却行，却行則反常，反常則回而不轉也。回而不轉，乃失生氣之機矣。何以明之？夫木衰則火王，火衰則土王，土衰則金王金衰則水王水衰則木王終而復始循環此之謂神轉不回也若木衰水王水衰金王金衰土王土衰火王火衰木王此之謂回而不轉也然返天常孰生之何有耶至數之要迫近以微言五色五脉變化之要道迫近於天常而文微妙著之玉版命曰合玉機玉機篇名也言以此回轉之要旨著之玉版合同於玉機論文也○新校正云詳迫之至數至此与玉機真藏論文相重注頗不同容色見上下左右各在其要容色者他氣也如肝木部內見赤黃白黑色皆謂他氣也餘藏率如此例所見皆在明堂上下左右要察候姒故一云各在其要○新校正云按全元起本容作客視色之法具在甲乙經中其色見淺者湯液主治十日已色淺則病微故十日乃已其見深者必齊主治二十一日已色深則病甚故必終齊乃已其見大深者醪酒主治百日已病深甚故日多色夭面脫不治色見大深兼之夭惡面肉又脫不可治也百日盡已色不夭面不脫治之百日盡可已○新校正云詳色夭面脫雖不治然期當百日乃已盡也脉短氣絶死脉短已虛加之斷絶真氣將竭故必死病溫虛甚死甚虛而病溫溫氣內涸其精血故死色見上下左右各在其要上為逆下為從色見於下者病生之氣也故從色見於上者傷神之兆也故逆女子右為逆左為從男子左為逆右為從左為陽故男子右為從而左為逆右為陰故女子右為逆

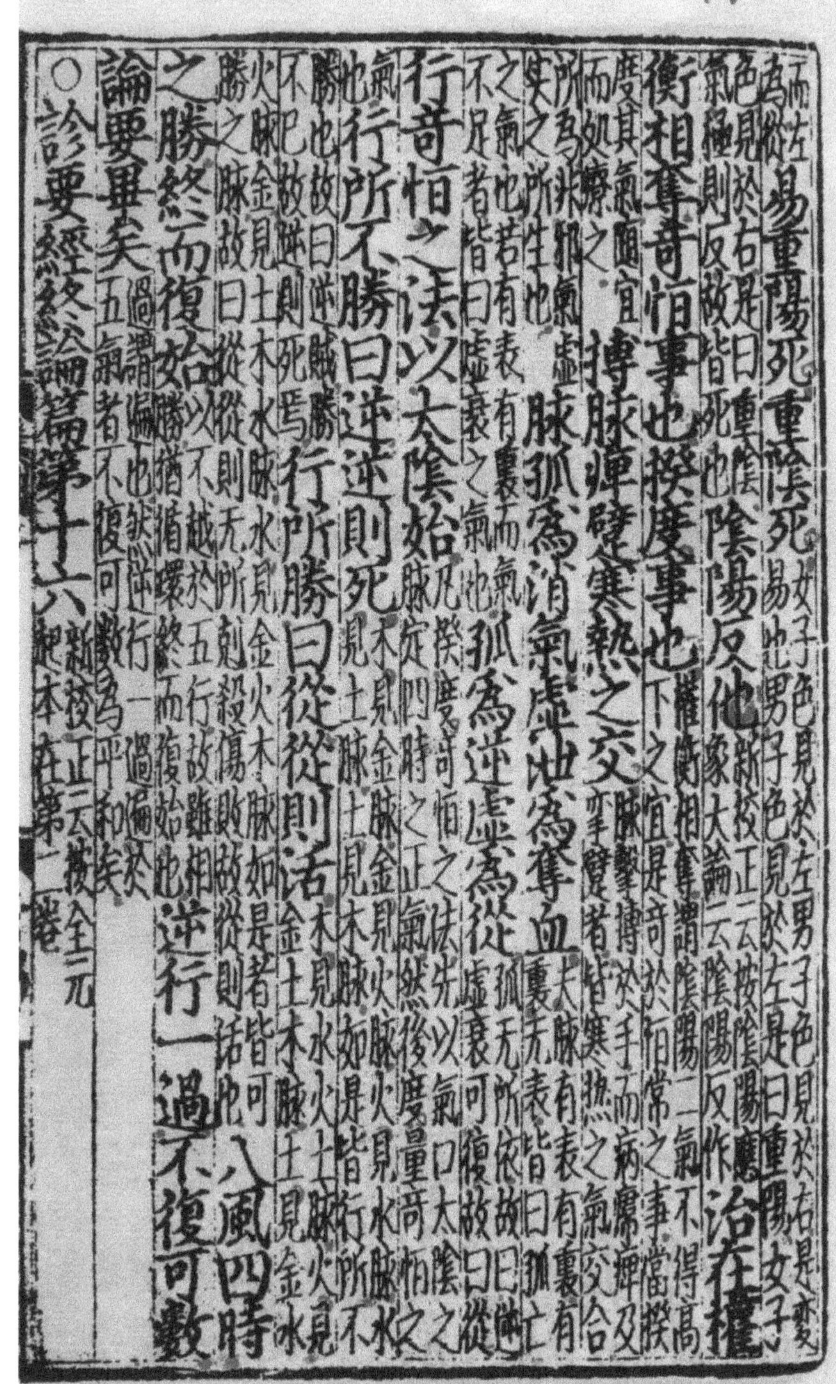

而左爲從易重陽死重陰死女子色見於左男子色見於右是變易也男子色見於左是曰重陽女子色見於右是曰重陰氣極則反故皆死也陰陽反他新校正云按陰陽應象大論云陰陽反作治在權衡相奪奇恒事也揆度事也權衡相奪謂陰陽二氣不得高下之宜是奇於恒常之事當揆度其氣隨宜而處療之搏脈痹躄寒熱之交脈擊搏於手而病瘴痺及攣躄者皆寒熱之氣交合所爲非邪氣虛實之所生也脈孤爲消氣虛泄爲奪血夫脈有表有裏有裏無表皆曰孤亡之氣也若有表有裏而氣不足者皆曰虛衰之氣也孤爲逆虛爲從孤無所依故曰逆虛衰可復故曰從行奇恒之法以太陰始凡揆度奇恒之法先以氣口太陰之脈定四時之正氣然後度量奇恒之氣也行所不勝曰逆逆則死木見金脈金見火脈火見水脈水見土脈土見木脈如是皆行所不勝也故曰逆賊勝不已故逆則死焉行所勝曰從從則活木見水火土脈火見金土木脈王見金水火脈金見土木水脈水見金火木脈如是者皆可勝之脈故曰從從則無所剋殺傷敗故從則活也八風四時之勝終而復始以不越於五行故雖相勝猶循環終而復始也逆行一過不復可數過謂遍也然逆行一過遍於五氣者不復可數爲平和矣論要畢矣

○診要經終論篇第十六新校正云按全元起本在第二卷

黄帝問曰診要何如岐伯對曰正月二月天氣始方地氣始
發人氣在肝方正也言天地氣正發生其萬物也木治東方王七十二日猶當三月節後一十二日是木之
用事以月而取則正月二月人氣在肝三月四月天氣正方地氣定發人氣在
脾天氣正方以陽氣明盛地氣定發為萬物華而欲實也然季終土寄而王土又生於丙故人氣在脾五月六
月天氣盛地氣高人氣在頭天陽赫盛地焰高升故言天氣盛地氣高火性炎上故人氣在
頭七月八月陰氣始殺人氣在肺七月三陰爻生八月陰始肅殺故云陰氣始殺也然
陰氣肅殺類合於金肺氣象金故人氣在肺九月十月陰氣始冰地氣始閉人氣
在心陰氣始凝地氣始閉隨陽而入故人氣在心十一月十二月冰復地氣合人
氣在腎陽氣深伏故氣在腎也夫天氣之變也故發生於木長茂於土盛高而上肅殺於金避寒於火伏藏於水斷
皆隨順陰陽氣之升沈也五藏生成篇曰五藏之象可以類推此之謂氣類也故春刺散俞及與分
理血出而止散俞謂間穴分理謂肌肉分理○新校正云按四時刺逆從論云春氣在經脈此散俞即經脈
之俞也又水熱穴論云春取絡脈分肉甚者傳氣間者環也辨疾氣之間甚也傳謂相傳環謂循
環也相傳則傳所不勝循環則周迴於五氣也○新校正云按太素環也作環已夏刺絡俞見血而

上盡氣閉環，痛病必下。盡氣謂出血而盡鍼下取所病脉盛邪之氣也。邪氣盡已，穴俞閉密，則經脉循環而痛病之氣必下去矣。以陽氣入盛，故為是鍼刺之。○新校正云：按四時刺逆從論云：夏氣在孫絡。此絡俞即孫絡之俞也。又水熱穴論云：夏取盛經分腠。秋刺皮膚循理，上下同法，神變而止。循理謂循肌肉之分理也。上謂手脉，下謂足脉。神謂脉氣變易与未刺時異也。脉者神之用，故亦言之。○新校正云：按四時刺逆從論云：秋氣在皮膚，義与此合。又水熱穴論云：取俞以寫陰邪，取合以虛陽邪。皇甫士安云：是始秋之治變。冬刺俞竅於分理，甚者直下，閒者散下。直下謂直尔下之，散下謂散布下之。○新校正云：按四時刺逆從論云：冬氣在骨髓。此俞竅即骨髓之俞竅也。又水熱穴論云：冬取井滎。皇甫士安云：是末冬之治變也。

春夏秋冬，各有所刺，法其所在。春刺夏分，脉亂氣微，入淫骨髓，病不能愈，令人不嗜食，又且少氣。心主脉，故脉亂氣微。水受氣於夏，腎主骨，故入淫於骨髓也。心火微則胃土不足，故不嗜食而少氣也。○新校正云：按四時刺逆從論云：春刺絡脉，血氣外溢，令人少氣。春刺秋分，筋攣逆氣，環為欬嗽，病不愈，令人時驚，又且哭。木受氣於秋，肝主筋，故刺秋分則筋攣也。若氣逆環周，則為欬嗽。肝主驚，故時驚。肺主氣，故氣逆又且哭也。○新校正云：按四時刺逆從論云：春刺肌肉，血氣環逆，令人上氣也。春刺冬分，邪氣著藏，令人脹，病不愈，又且欲言語。冬主陽氣伏藏，故邪氣著藏，腎實則脹，故刺冬分則令人脹也。火受氣於冬，心主言，故欲言語也。○新校正云：按《四時刺逆從論》云：春刺筋骨，血氣內著，令人腹痛。夏刺春分，病不愈，令人解墮。肝養筋，肝氣不足，故筋力解墮。○新校正云：按《四時刺逆從論》云：夏刺經脈，血氣乃竭，令人解㑊。夏刺秋分，病不愈，令人心中欲無言，惕惕如人將捕之。肝木為語，傷秋分則肝木虛，故恐如人將捕之。肝不足，故欲无言而復恐也。○新校正云：按《四時刺逆從論》云：夏刺肌肉，血氣內卻，令人善恐。《甲乙經》作悶。夏刺冬分，病不愈，令人少氣，時欲怒。夏傷於腎，肝肺勃之，志內不足，故令人少氣，時欲怒也。○新校正云：按《四時刺逆從論》云：夏刺筋骨，血氣上逆，令人善怒。秋刺春分，病不已，令人惕然，欲有所為，起而忘之。肝虛故也，刺不當也。○新校正云：按《四時刺逆從論》云：秋刺經脈，血氣上逆，令人善忘。秋刺夏分，病不已，令人益嗜臥，又且善夢。心氣少則脾氣孤，故令嗜臥。心主夢，神為之，故令善夢。○新校正云：按《四時刺逆從論》云：秋刺絡脈，氣不外行，令人臥不欲動。秋刺冬分，病不已，令人洒洒時寒。陰氣上干，故時寒也。洒洒，寒貌。○新校正云：按《四時刺逆從論》云：秋刺筋骨，血氣內散，令人寒慄。冬刺春分，病不已，令人欲臥不能眠，眠而有見。肝氣少，故令欲臥不能眠。肝主目，故眠而如見有物之形狀也。○新校正云：按《四時刺逆從論》

云冬刺經脈血氣皆脫令人目不明冬刺夏分病不愈氣上發為諸痺泄脈氣故也。
新校正云按四時刺逆從論云冬刺絡脈血氣外泄留為大痺冬刺秋分病不已令人善渴
脈氣不足故發渴。新校正云按四時刺逆從論云冬刺肌肉陽氣竭絕令人善忘凡刺胸腹者必避
五藏心肺在鬲上腎肝在鬲下脾象土而居中故刺胸腹必避之五藏者所以藏精神魂魄意志損之則五神去神
去則死至故不可不慎也中心者環死氣行如環之一周則死也正謂周十二辰也。新校正云按刺禁論
云一日死其動為噫四時刺逆從論同此經闕刺中肝死日刺禁論云中肝五日死其動為語四時刺逆從論同中
脾者五日死土數五也。新校正云按刺禁論云中脾十日死其動為吞四時刺逆從論同中腎者
七日死水成數六水數畢當至七日而死一云十日死字之誤也。新校正云按刺禁論云中腎六日死其動為
嚏四時刺逆從論云中腎六日死其動為嚏欠中肺者五日死金生數四金數畢當至五日而死一云三
日死亦字誤也。新校正云按刺禁論云中肺三日死其動為欬四時刺逆從論同王注四時刺逆從論云此三論皆岐
伯之言而不同者傳之誤也中鬲者皆為傷中其病雖愈不過一歲必死
五藏之氣同主一年鬲傷則五藏之氣互相剋伐故不過一歲必死刺避五藏者知逆從也所
謂從者鬲與脾腎之處不知者反之腎著於脊脾藏居中鬲連於脇際知者為順不

知者一反陽其藏刺胸腹者必以布憿著之乃從單布上刺形定則不誤中於五藏也。新校正云：按別本憿一作撽。憿又作撽。○撽，古堯反，音叫[illegible]各反。刺之不愈復刺，要以氣至為故。經曰：刺之氣不至，無問其數；刺之氣至，法去之，勿復鍼。此之謂也。刺鍼必肅，肅謂靜肅，所以候氣之存亡。刺腫搖鍼，以出大膿血故。經刺勿搖，經氣不欲泄故。此刺之道也。帝曰：願聞十二經脈之終奈何？終謂盡也。岐伯曰：太陽之脈，其終也戴眼反折瘛瘲，其色白，絕汗乃出，出則死矣。戴眼謂睛不轉而仰視也。然足太陽脈起於目內眥，上額交巔上，從巔入絡腦，還出別下項，循肩髆內，俠脊抵腰中；其支別者，下循足至小指外側。手太陽脈起於手小指之端，循臂上肩，入缺盆；其支別者，上頰至目內眥，抵足太陽；又其支別者，從缺盆循頸上頰至目外眥。○新校正云：按甲乙經作斜絡於顴。○新校正云：按甲乙經外作兌。○故戴眼反折瘛瘲，色白，絕汗乃出也。絕汗謂汗暴出如珠而不流，旋復乾也。太陽極則汗出，故出則死。少陽終者，耳聾，百節皆縱，目睘絕系，絕系一日半死，其死也色先青白乃死矣。足少陽脈起於目銳眥，上抵頭角，下耳後；其支別者，從耳後入耳中，出走耳前。手少陽脈，其支別者，亦從耳後入耳中，出走耳前。故終則耳聾，目睘絕系也。少陽主骨，故氣終則百節縱。色青白者，金木相薄也。睘謂直視如驚貌。睘，音瓊。陽明終者，口目動作，善驚妄言，色黄，其上下經盛，不仁，則終矣。足陽明脉起於鼻，交頞中，下循鼻外，入上齒縫中，還出俠口環脣，下交承漿，却循頤後下廉，出大迎，循頰車，上耳前，過客主人，循髮際，至額顱。其支別者，從大迎前下人迎，循喉嚨，入缺盆，下鬲。手陽明脉起於手，循臂至肩上，出於柱骨之會上，下入缺盆，絡肺。其支別者，從缺盆上頸貫頰，下入齒中，還出俠口，交人中，左之右，右之左，上俠鼻鼽，抵足陽明。○新校正云：按《甲乙經》鼽作孔，无抵足陽明字。○故終則口目動作也。口目動作，謂目睒而鼓頷也。胃病則惡人與火，聞木音則惕然而驚，又罵詈而不避親踈，故善驚妄言也。黄者，土色。上謂手脉，下謂足脉也。經盛，謂面目頸頷、足跗腨脛皆躁盛而動也。不仁，謂不知善惡。如是者，皆氣竭之徵也，故終矣。睒音閃。少陰終者，面黑，齒長而垢，腹脹閉，上下不通而終矣。手少陰氣絶則血不流，足少陰氣絶則骨不耎，骨硬則齗上宣，故齒長而積垢汙；血壞則皮色死，故面色如漆而不赤也。足少陰脉從腎上貫肝鬲，入肺中；手少陰脉起於心中，出屬心系，下鬲絡少腹，故其終則腹脹閉，上下不通也。○新校正云：詳王注云骨不耎，骨硬。按《難經》及《甲乙經》云：骨不濡則肉弗能著者。當作骨不濡。手少陰脉絡少腹，《甲乙經》作絡小腸。大陰終者，腹脹閉不得息，善噫善嘔，足大陰脉行從股內前廉，入腹屬脾絡胃，上鬲；手大陰脉起於中焦，下絡大腸，還循胃口，上鬲屬肺，故終則如是也。《靈樞經》曰：足大陰之脉動則病食則嘔，腹脹善噫也。嘔則逆，逆則面赤。嘔則氣逆，逆故面赤。○新校正云：按《靈樞經》作善噫，噫則嘔，嘔則

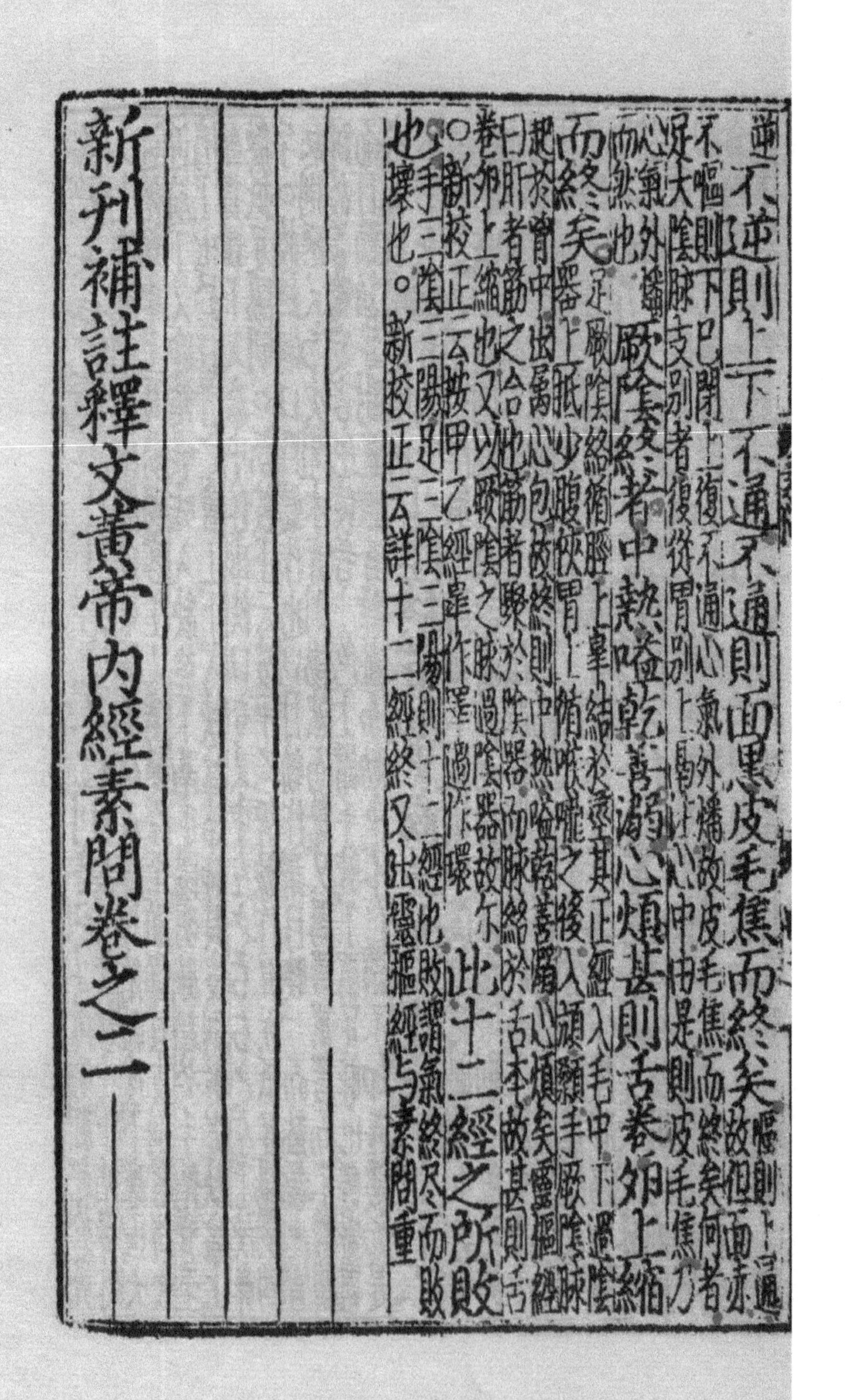
逆不逆則上下不通不通則面黑皮毛焦而終矣嘔則下已通故但面赤不嘔則下已閉上復不通心氣外燔故皮毛焦而終矣何者足太陰脉支別者復從胃別上鬲注心中由是則皮毛焦乃心氣外燔而然也厥陰終者中熱嗌乾善溺心煩甚則舌卷卵上縮而終矣足厥陰絡循脛上睾結於莖其正經入毛中下過陰器上抵少腹俠胃上循喉嚨之後入頏顙手厥陰脉起於胸中出屬心包故終則中熱嗌乾善溺心煩矣靈樞經曰肝者筋之合也筋者聚於陰器而脉絡於舌本故甚則舌卷卵上縮也又以厥陰之脉過陰器故尔○新校正云按甲乙經睾作睪過作環此十二經之所敗○手三陰三陽足三陰三陽則十二經也敗謂氣終盡而敗也壞也○新校正云詳十二經終又出靈樞經與素問重

新刊補註釋文黄帝内經素問卷之二

新刊補註釋文黄帝内經素問卷之三

○脉要精微論篇第十七 新校正云按全元起本在第六卷

黄帝問曰診法何如岐伯對曰診法常以平旦陰氣未動陽氣未散飲食未進經脉未盛絡脉調匀氣血未亂故乃可診有過之脉動謂動而降卑散謂散布而出也過謂異於常候也○新校正云按脉經及千金方有過之脉作過此脉也王注陰氣未動謂動而降卑按金匱真言論云平旦至日中天之陽陽中之陽也則平旦為一日之中純陽之時陰氣未動耳何有降卑之義切脉動靜而視精明察五色觀五藏有餘不足六府強弱形之盛衰以此參伍決死生之分切謂以指切近於脉也精明穴名也在明堂左右兩目内眥也以近於目故曰精明言以形氣盛衰脉之多少視精明之間氣色觀藏府不足有餘參其類伍以決死生之分夫脉者血之府也府聚也言血之多少皆聚見於經脉之中也故刺志論曰脉實血實脉虚血虚此其常也反此者病由是故也長則氣治短則氣病數則煩心大則病進夫脉長為氣和故治短為不足故病數急為熱故煩心大為邪盛故病進也長脉者往來長短脉者往來

短數脉者往來急速大脉者往來滿大也上盛則氣高新校正云按全元起本高作鬲下盛則氣脹代則氣衰細則氣少新校正云按大素細作滑濇則心痛上謂寸口下謂尺中盛謂盛滿代脉者動而中止不能自還細脉者動如莠蓬濇脉者往來時不利而蹇濇也渾渾革至如涌泉渾渾言脉氣濁乱也革至者謂脉來弦而大實而長病進而色弊綿綿其去如弦絕死也如涌泉者言脉汨汨但出而不反也綿綿言微微似有而不甚應手也如弦絕者言脉卒斷如弦之絕去也若病候日進而色弊惡如此之脉皆必死也。新校正云按甲乙經及脉經作渾渾革革至如涌泉病進而危弊弊綿綿其去如弦絕者死夫精明五色者氣之華也五氣之精華者上見為五色變化於精明之間也六節藏象論曰天食人以五氣五氣入鼻藏於心肺上使五色脩明此則明察五色也赤欲如白裹朱不欲如赭白欲如鵝羽不欲如鹽新校正云按甲乙經作白欲如白璧之澤不欲如堊太素兩出之青欲如蒼璧之澤不欲如藍黃欲如羅裹雄黃不欲如黃土黑欲如重漆色不欲如地蒼新校正云按甲乙經作炭色五色精微象見矣其壽不久也赭色鹽色藍色黃土色地蒼色見者皆精微之敗象故其壽不久夫精明者所以視萬物別白黑審短長以長為短以白為黑如是則精衰矣誠其誤也夫如是者皆精明衰乃誤也五藏者中之守也身形之中五神安守之所也此皆明觀五藏也○新校正云按甲乙經及大素守作府中盛藏滿氣勝傷恐者聲如從室中言是中氣之濕也中謂腹中盛謂氣盛藏謂肺藏氣勝謂勝於呼吸而喘息變易也夫腹中氣盛肺藏充滿氣勝息變善傷於恐言声不發如在室中者皆腹中有濕氣乃尔也言而微終日乃復言者此奪氣也若言音微細声斷不續甚奪其氣乃如是也衣被不斂言語善惡不避親疎者此神明之亂也倉廩不藏者是門戶不要也倉廩謂脾胃門戶謂魄門靈蘭秘典論曰脾胃者倉廩之官也五藏別論曰魄門亦為五藏使水穀不得久藏也魄門則肛門也要謂禁要水泉不止者是膀胱不藏也水泉謂前陰之流注也得守者生失守者死夫如是倉廩不藏氣勝傷恐衣被不斂水泉不止者皆神氣得其所守則生失其所守則死也夫何以知神氣之不守耶衣被不斂言語善惡不避親疎則乱之證也乱甚則不守於藏也夫五藏者身之強也藏安則神守神守則身強故曰身之強也頭者精明之府頭傾視深精神將奪矣背者胸中之府背曲肩隨府將壞矣腰者腎之府轉搖不能腎將憊矣膝者筋之府屈伸不能行則僂附新校正云按別

本附一作俯太素作跗筋將憊矣骨者髓之府不能久立行則振掉骨將憊矣皆以所居所出而為之府也得強則生失強則死強謂中氣強固以鎮守也岐伯曰新校正云詳此岐伯曰前無問反四時者有餘為精不足為消應太過不足為精應不足有餘為消陰陽不相應病名曰關格廣陳其脈應也夫反四時者諸不足皆為血氣消損諸有餘皆為邪氣勝精也陰陽之氣不相應合不得相營故曰關格帝曰脈其四時動奈何知病之所在奈何知病之所變奈何知病乍在內奈何知病乍在外奈何請問此五者可得聞乎言欲順四時及陰陽相應之狀候也岐伯曰新校正云詳此對与問不甚相應脈四時動病之所在病之所變按文頗對病在內在外之說後文殊不相當請言其與天運轉大也指可見陰陽之運轉以明陰陽之不可見也萬物之外六合之內天地之變陰陽之應彼春之暖為夏之暑彼秋之忿為冬之怒四變之動脈與之上下六合謂四方上下也春暖為夏暑者言陽生而至盛秋忿為冬怒言陰少而之壯也忿一為急言秋氣勁急也○新校正云按全元起本注急作緩以春應中規春脈耎弱輕虛而滑如規之夫象中外皆然故以春應中規夏應中矩夏脈洪大

兼之滑數如矩之象可正平之故以夏應中矩**秋應中衡**秋脈浮毛輕澀而散如秤衡之象高下必平故以秋應中衡**冬應中權**冬脈如石兼沉而滑如秤權之象下遠於衡故以冬應中權也以秋中衡冬中權者言脈之高下異處如此爾此則隨陰陽之氣故有斯四應不同也**是故冬至四十五日陽氣微上陰氣微下夏至四十五日陰氣微上陽氣微下陰陽有時與脈為期期而相失知脈所分分之有期故知死時**察陰陽升降之準則知經脈遞遷之象審氣候遞遷之失則知氣血分合之期分期不差故知人死之時節**微妙在脈不可不察察之有紀從陰陽始**推陰陽升降精微妙用皆在經脈之氣候是以不可不察故始以陰陽為察候之綱紀**始之有經從五行生生之有度四時為宜**言所以知始有經脈之察候司應者何哉盡從五行衰王而為準度也徵求太過不及之形診皆以應四時者為生氣所宜也○新校正云按太素宜作數**補瀉勿失與天地如一**有餘者瀉之不足者補之是則應天地之常道也然天地之道損有餘而補不足是法天地之道瀉補之宜工切審之其治氣亦然**得一之精以知死生**明天地之道補瀉不差既得一情亦可知生死之準的**是故聲合五音色合五行脈合陰陽**聲表宮商角徵羽故合五音色見青黃赤白黑故合五行脈彰寒暑之休王故合陰陽之氣也**是**

知陰盛則夢涉大水恐懼（陰為水故夢涉水而恐懼也陰陽應象大論曰水為陰）陽盛則夢大火燔灼（陽為火故夢大火而燔焫也陰陽應象大論曰火為陽）陰陽俱盛則夢相殺毀傷（亦類交爭之氣象也）上盛則夢飛下盛則夢墮（氣上則夢上故飛氣下則夢下故墮）甚飽則夢予（內有餘故）甚飢則夢取（內不足故）肝氣盛則夢怒（肝在志為怒）肺氣盛則夢哭（肺声哀故夢哭○新校正云詳是知陰盛則夢涉大水恐懼至此乃灵樞之文誤置於斯仍少心脾腎氣盛所夢今具甲乙經中）短蟲多則夢聚眾（身中短虫多則夢聚衆）長蟲多則夢相擊毀傷（長虫動則內不安內不安則神躁擾故夢是矣○新校正云詳此二句亦不當出此應他經脫簡文也）是故持脈有道虛靜為保（前明脈應此舉持脈所由也然持脈之道必虛其心靜其志乃保定盈虛而不失○新校正云按甲乙經保作宝）春日浮如魚之遊在波（雖出猶未全浮）夏日在膚泛泛乎萬物有餘（泛泛平貌陽氣大盛脈氣亦象万物之有餘易取而洪大也）秋日下膚蟄蟲將去（隨陽氣之漸降故曰下膚何以明陽氣之漸降蟄虫將欲藏去也）冬日在骨蟄蟲周密君子居室（在骨言脈深沉也蟄虫周密言陽氣伏藏君子居室此人事也）故曰知內者按而紀之（知內者謂知脈氣也故按而為之綱紀）知外者終

而始之知外者謂知色象以五色終而復始故此六者持脈之大法見是六者然後可以知脈之遷變也○新校正云詳此前對帝問脈其四時動奈何之事心脈搏堅而長當病舌卷不能言搏謂搏擊於手也諸脈搏堅而長者皆為勞心而藏脈氣虛極也心手少陰脈從心系上俠咽喉故令舌卷短而不能言也其耎而散者當消環自已諸脈耎散皆為氣實血虛也消謂消散環謂環周言其經氣如環之周當其火王自消散也○新校正云按甲乙經環作渴肺脈搏堅而長當病唾血肺虛極則絡逆絡逆則血泄故唾出也其耎而散者當病灌汗至令不復散發也汗泄玄府津液奔湊寒水灌洗皮密汗藏因灌汗藏故言灌汗至令不復散發也灌謂灌洗盛暑多為此也○新校正云詳下文諸藏各言色而心肺二藏不言色者疑闕文也肝脈搏堅而長色不青當病墜若搏因血在脅下令人喘逆諸脈見本經之氣而色不應者皆非病從內生是外病來勝也夫肝藏之脈端直以長故言曰色不青當病墜若搏也肝主兩脅故曰因血在脅下也肝厥陰脈布脅肋循喉嚨之後其支別者復從肝別貫鬲上注肺今血在脅下則血氣上熏於肺故令人喘逆也其耎而散色澤者當病溢飲溢飲者渴暴多飲而易入肌皮腸胃之外也面色浮澤是為中濕血虛中濕水液不消故言當病溢飲也以水飲滿溢故滲溢易而入肌皮腸胃之外也○新校正云

按甲乙經湯作溢
胃脉搏堅而長其色赤當病折髀胃虛色赤火氣救之心象於火
故色赤也胃陽明脉從氣衝下髀抵伏兔故病則髀如斷也其耎而散者當病食痺痺痛也胃
陽明脉其支別者從大迎前下人迎循喉嚨入缺盆下鬲屬胃絡脾故食則痛悶而氣不散也○新校正云詳謂痺為痛
其義則未通脾脉搏堅而長其色黃當病少氣脾虛則肺無所養肺主氣故少氣也
其耎而散色不澤者當病足䯒腫若水狀也色氣浮澤為水之候色不潤澤
故言若水狀也脾太陰脉自上內踝前廉上踹內循䯒骨後交出厥陰之前上循膝股內前廉入腹故病足䯒腫也腎
脉搏堅而長其色黃而赤者當病折腰色氣黃赤是心脾干腎腎受客陽故腰如
折也腰為腎府故病發於中其耎而散者當病少血至令不復也腎主水以生化
津液今腎氣不化故當病少血至令不復也帝曰新校正云詳帝曰至以其勝治之愈全元起本在湯液篇診
得心脉而急此為何病病形何如岐伯曰病名心疝少腹當
有形也心為牡藏其氣應陽今脉反寒故為疝也諸脉勁急者皆為寒形謂病形也帝曰何以言
之岐伯曰心為牡藏小腸為之使故曰少腹當有形也少腹小腸
也靈蘭秘典論曰小腸者受盛之官以其受盛故形居于內也帝曰診得胃脉病形何如岐

伯曰：胃脈實則脹，虛則泄。脈實者氣有餘故脹滿脈虛者氣不足故泄利○新校正云詳此前對帝問知病之所在

帝曰：病成而變何謂？岐伯曰：風成為寒熱，生氣通天論曰因於露風乃生寒熱故風成為寒熱也

癉成為消中，癉謂濕熱也熱積於內故變為消中也消中之證善食而瘦○新校正云詳王注以善食而瘦為消中按本經多食數溲為之消中善食而瘦乃是食亦之證當云善食而溲數

厥成為巔疾，厥謂氣逆也氣逆上而不已則變為上巔之疾也

久風為飧泄，久風不變但在胃中則食不化而泄利也以肝氣內合而乘胃故為是病焉陰陽應象大論曰風氣通於肝故內應於肝也

脈風成為癘，經風論曰風寒客於脈而不去名曰癘風又曰癘者有榮氣熱胕其氣不清故使其鼻柱壞而色敗皮膚瘍潰然此則癘也夫如是者皆脈風成結變而為也

病之變化，不可勝數。新校正云詳此前對帝問知病之所變奈何

帝曰：諸癰腫筋攣骨痛，此皆安生？安何也言何以生之

岐伯曰：此寒氣之腫，八風之變也。八風八方之風也然癰腫者傷東南西南風之變也筋攣骨痛者傷東風北風之變也靈樞經曰風從東方來名曰嬰兒風其傷人也外在筋紐風從東南來名曰弱風其傷人也外在於肌風從西南來名曰謀風其傷人也外在於肉風從北方來名曰大剛風其傷人也外在於骨也此四風之變而三病乃生故下問對是也

帝曰：治之奈何？岐伯曰：此四時之病，以其勝治

之愈也勝謂勝剋也如金勝木木勝土土勝水水勝火火勝金此則相勝也帝曰有故病五藏發動因傷脉色各何以知其久暴至之病乎重以色氣明前五藏堅長之脉有自病故病及因傷候也岐伯曰悉乎哉問也徵其脉小色不奪者新病也氣乏而神猶強也徵其脉不奪其色奪者此久病也神持而邪凌其氣也徵其脉與五色俱奪者此久病也神與氣俱衰也徵其脉與五色俱不奪者新病也神與氣俱強也肝與腎脉並至其色蒼赤當病毀傷不見血已見血濕若中水也肝色蒼心色赤赤色見當脉洪腎脉見當色黑今腎脉來反見心色故當因傷而血不見也若已見血則是濕氣及水在腹中也何者以心腎脉色中外之候不相應也尺內兩傍則季脇也尺內謂尺澤之內也兩傍各謂尺之外側也季脇近腎尺主之故尺內兩傍則季脇也尺外以候腎尺裏以候腹中尺外謂尺之外側尺裏謂尺之內側也次尺外下兩傍則季脇之分季脇之上腎之分季脇之內則腹之分也附上左外以候肝內以候鬲肝主賁賁鬲也右外以候胃內以候脾脾居中故以內候之胃為市故以外候之上附上右外以候肺內以候胷中肺葉垂外故以外候之胷中主氣管故以內候之左外以候心內以候

膻中心主鬲中也膻中則氣海也嗌也。新校正云詳王氏以膻中為嗌也疑誤前以候前後以候後上前謂左寸口下前謂胷之前膺及氣海也上後謂右寸口下後謂胷之後背及氣管也上竟上者胷喉中事也下竟下者少腹腰股膝脛足中事也上竟上至魚際也下竟下謂尺之脈動處也少腹胞氣海在膀胱腰股膝脛足中之氣動靜皆分其近遠及連接處所名曰以候之知其善惡也麤大者陰不足陽有餘為熱中也麤大謂脈洪大也脈來洪為熱故曰熱中來疾去徐上實下虛為厥巔疾來徐去疾上虛下實為惡風也以脈狀也故中惡風者陽氣受也以上虛故陽氣受也有脈俱沈細數者少陰厥也尺中之有脈沈細數者是腎少陰氣逆也何者足入脈不當見數有數故言厥也俱沈細數者言左右尺中也沈細數散者寒熱也陽干於陰陰氣不足故寒熱也正理論曰數為陽浮而散者為眴仆脈浮為虛散為不足氣虛而血不足故為頭眩而仆悶也眴音順諸浮不躁者皆在陽則為熱其有躁者在手言大法也但浮不躁則病在足陽脈之中躁者病在手陽脈之中也故又曰其有躁者在手也陽為火氣故為熱諸細而沈者皆在陰則為骨痛其有靜者在足細沈而躁則病生於手陰脈之中靜者病生於足陰脈之中也故又曰其有靜者在足也陰主骨故骨髓數動一代者病在陽之脈也洩及便膿血代止也數動一代是陽氣之生病故云病在陽之脈所以然者以洩利及膿血脈乃尔諸過者切之濇者陽氣有餘也滑者陰氣有餘也陽有餘則血少故脈濇陰有餘則氣多故脈滑也○新校正云詳氣多發當是血多也陽氣有餘為身熱無汗陰氣有餘為多汗身寒血少氣多斯可知也陰陽有餘則無汗而寒陽餘无汗陰餘身寒若陰陽有餘則當无汗而寒也推而外之內而不外有心腹積也脈附臂筋取之不審推筋令遠使脈外行內而不出外者心腹中有積乃下推而內之外而不內身有熱也脈遠臂筋推之令近遠而不近是陽氣有餘故身有熱也推而上之上而不下腰足清也推筋按之尋之而上脈上涌盛是陽氣有餘故腰足冷也○新校正云按甲乙經上而不下作下而不上推而下之下而不上頭項痛也推筋按之尋之而下脈沈下掣是陽氣有餘故頭項痛也○新校正云按甲乙經下而不上作上而不下按之至骨脈氣少者腰脊痛而身有痺也陰氣大過故尔

○平人氣象論篇第十八新校正云按全元起本在第一卷

黃帝問曰平人何如平人謂氣候平調之人也岐伯對曰人一呼脈再動

一吸脈亦再動呼吸定息脈五動閏以大息命曰平人平人者不病也經脈一周於身凡長十六丈二尺呼吸脈各再動定息脈又一動則五動也計二百七十定息氣可環周然盡五十營以一万三千五百定息則氣都行八百一十丈如是則應天常度脈氣无不及太過氣象平調故曰平人常以不病調病人醫不病故為病人平息以調之為法人一呼脈一動一吸脈一動曰少氣呼吸脈各一動準候減平人之半計二百七十定息氣行八丈一尺以一万三千五百定息都行四百五丈少氣之理從此可知人一呼脈三動一吸脈三動而躁尺熱曰病溫尺不熱脈滑曰病風脈濇曰痺呼吸脈各三動準過平人之半計二百七十息氣凡行二十四丈三尺病生之兆由斯著矣夫尺者陰分位也寸者陽分位也然陰陽俱熱是則為溫陽獨躁盛則風中陽也脈要精微論曰中惡風者陽氣受也滑為陽盛故病為風濇為无血故為痺也躁謂煩躁○新校正云按甲乙經无脈濇曰痺一句下文亦重人一呼脈四動以上曰死脈絕不至曰死乍踈乍數曰死呼吸脈各四動準候過平人之倍計二百七十息氣凡行三十二丈四尺況其以上耶脈法曰脈四至曰脫精五至曰死然四至以上亦近五至也故死矣然脈絕不至天真之氣已无乍數乍踈胃穀之精亦斃此皆死之候是以下文曰○新校正云按別本斃一作敗平人之常氣

稟於胃，胃者平人之常氣也。常平之氣胃海致之靈樞經曰胃為水穀之海也正理論曰穀入於胃脉道乃行人無胃氣曰逆，逆者死。逆謂反平人之候也。新校正云按甲乙經云人常稟氣於胃脉以胃氣為本无胃氣曰逆逆者死春胃微弦曰平，言微似弦不謂微而弦也鈎及耎弱毛石義並同弦多胃少曰肝病，但弦無胃曰死。謂急而益勁如新張弓弦也胃而有毛曰秋病，毛秋脉金氣也毛甚曰今病。木受金邪故今病藏真散於肝，肝藏筋膜之氣也。象陽氣之散發故藏真散也藏氣法時論曰肝欲散急食辛以散之取其順氣夏胃微鈎曰平，鈎多胃少曰心病，但鈎無胃曰死。謂前曲後居如操帶鈎也胃而有石曰冬病，石冬脉水氣也石甚曰今病。火被水侵故今病藏真通於心，心藏血脉之氣也。象陽氣之炎盛也藏氣法時論曰心欲耎急食鹹以耎之取其順氣長夏胃微耎弱曰平，弱多胃少曰脾病，但代無胃曰死。謂動而中止不能自還也耎弱有石曰冬病，石冬脉水氣也次其勝剋石當為弦長夏土絕故云石也弱甚曰今病。弱甚為土氣不足故今病。新校正云按甲乙經弱作石藏真濡於脾，脾藏肌肉之氣也。以含藏水穀故藏真濡也秋胃微毛曰平，毛多胃少曰肺病，但毛無胃曰死謂如物之浮如風吹毛也毛而有弦曰春病弦春脉木氣也次其乘剋弦當為鉤金氣逼肝則脉弦來見故不鉤而反弦也弦甚曰今病木氣逆來乘金則今病藏真高於肺以行榮衛陰陽也肺處上焦故藏真高也靈樞經曰榮氣之道內穀為實穀入於胃氣傳與肺流溢於中布散於外精專者行於經隧以其自肺宣布故云以行榮衛陰陽也○新校正云按別本實一作寶冬胃微石曰平石多胃少曰腎病但石無胃曰死謂如奪索辟辟如彈石也石而有鉤曰夏病鉤夏脉火兼土氣也次其乘剋鉤當云弱土王長夏不見正形故石而有鉤兼其土也鉤甚曰今病水受火土之邪故今病藏真下於腎腎藏骨髓之氣也腎居下焦故云藏真下也腎化骨髓故藏骨髓之氣也胃之大絡名曰虛里貫鬲絡肺出於左乳下其動應衣脉宗氣也宗尊也主也謂十二經脉之尊主也貫鬲絡肺出於左乳下者自鬲而出於乳下乃絡肺也盛喘數絕者則病在中絕謂暫斷絕也結而橫有積矣絕不至曰死皆左乳下脉動狀也中謂腹中也乳之下其動應衣宗氣泄也泄謂發泄○新校正云按全元起本无此十一字甲乙經亦无詳上下文義多此十一字當去欲知寸口大過與不及寸口之脉中手短者曰頭痛寸口脉中手長者曰足脛

痛短為陽氣不及故病於頭長為陰氣大過故病於足寸口脉中手促上擊者曰肩背痛陽盛於上故肩背痛寸口脉沉而堅者曰病在中寸口脉浮而盛者曰病在外沉堅為陰故病在中浮盛為陽故病在外也寸口脉沉而弱曰寒熱及疝瘕少腹痛沉為寒弱為熱故曰寒熱也又沉為陰盛弱為陽餘二盛相薄正當寒熱不當為疝瘕而少腹痛應古之錯簡尒○新校正云按甲乙經无此十五字況下文已有寸口脉沉而喘曰寒熱脉急者曰疝瘕少腹痛此文衍當去寸口脉沉而横曰脇下有積腹中有横積痛亦陰氣內結也寸口脉沉而喘曰寒熱喘為陽吸沉為陰爭爭吸相薄故寒熱也脉盛滑堅者曰病在外脉小實而堅者病在內盛滑為陽小實為陰陰病二在內陽病二在外脉小弱以濇謂之久病小為氣虛濇為无血二氣虛弱故云久遠之病也脉滑浮而疾者謂之新病滑浮為陽足脉疾為氣全陽足氣全故云新淺之病也脉急者曰疝瘕少腹痛此覆前弱曰疝瘕少腹痛之脉也言沉弱不必為疝瘕沉急乃与診相應脉滑曰風脉濇曰痺滑為陽二受病則為風濇為陰二受病則為痺緩而滑曰熱中盛而緊曰脹緩謂縱緩之狀非動之遲緩也陽盛於中故脉滑緩寒氣否滿故脉盛緊也盛緊盛滿也脉從陰陽病易已脉逆陰陽

病難已。脉病相應謂之從，脉病相反謂之逆。脉得四時之順，曰病無他；脉反四時及不間藏，曰難已。春得秋脉，夏得冬脉，秋得夏脉，冬得四季脉，皆謂反四時氣不相應，故難已也。臂多青脉，曰脫血。血少脉空，客寒因入，寒凝血汁，故脉色青也。尺脉緩濇，謂之解㑊。尺為陰部，腹腎主之。緩為熱中，濇為無血，熱而無血，故解㑊而不可名之。然寒不寒，熱不熱，弱不弱，壯不壯，儜不可名，謂之解㑊也。脉要精微論曰：尺外以候腎，尺裏以候腹中。則腹腎主尺之義也。儜音能，困弱也。安臥脉盛，謂之脫血。臥久傷氣，氣傷則脉診應微，今脉盛而不微，則血去而氣無所主，乃尔盛謂數急而大鼓也。尺濇脉滑，謂之多汗。謂尺膚濇而尺脉滑也。膚濇者，榮血內涸；脉滑為陽氣內餘。血涸而陽氣尚餘，多汗而脉乃如是也。尺寒脉細，謂之後泄。尺主下焦，診應腸腹，故膚寒脉細，泄利乃然。脉法曰：陰微即下，言尺氣虛也。脉尺麤常熱者，謂之熱中。謂下焦中也。肝見庚辛死，庚辛為金，伐肝木也。心見壬癸死，壬癸為水，滅心火也。脾見甲乙死，甲乙為木，剋脾土也。肺見丙丁死，丙丁為火，鑠肺金也。腎見戊己死，戊己為土，刑腎水也。是謂真藏見皆死。此亦通明三部九候論中真藏脉見者勝死也。尺膚而藏見亦熱。頸脉動喘疾欬，曰水。水氣上溢，則肺被熱熏，陽氣上逆，故頭脉盛鼓而欬喘也。頸脉，謂耳下及結喉傍人迎脉也。目裹微腫如臥蠶起

沉濇
病

之狀曰水評熱病論曰水者陰也目下亦陰也腹者至陰之所居也故水在腹中者必使目下腫也溺黃赤安臥者黃疸疸勞也腎勞胞熱故溺黃赤也正理論曰謂之勞癉以女勞得之也○新校正云詳王註以疸為勞義非若謂女勞得疸則可若以疸為勞則非也已食如飢者胃疸是則胃熱也熱則消穀故食已如飢也面腫曰風加之面腫則胃風之診也何者胃陽明脈起於鼻交頞中下循鼻外故爾足脛腫曰水是謂下焦有水也腎少陰脈出於足心上循脛過陰股從腎上貫肝鬲故下焦有水足脛腫也目黃者曰黃疸陽怫於上熱積胸中陽熱上燔故目黃也靈樞經曰目黃者病在胃婦人手少陰新校正云按全元起本作足少陰脈動甚者妊子也手少陰脈謂掌後陷者中當小指動而應手者也靈樞經曰少陰無輸心不病乎岐伯曰其外經病而藏不病故獨取其經於掌後銳骨之端此之謂也動謂動脈也動脈者大如豆厥厥動搖也正理論曰脈陰陽相薄名曰動也又經脈別論曰陰薄陽別謂之有子○新校正云按經脈別論中无此文脈有逆從四時未有藏形春夏而脈瘦新校正云按玉機真藏論瘦作沉濇秋冬而脈浮大命曰逆四時也春夏脈瘦謂沉細也秋冬浮大不應時也大法春夏當浮大而反沉細秋冬當沉細而反浮大故曰不應時也風新校正云按玉機真藏論風作病熱而脈靜泄而脫血脈實新校正云按玉機真藏論篇注作泄而脈大脫血而脈實病在中脈虛病

在外新校正云按玉機真藏論作脈實堅病在外脈濇堅者新校正云按玉機真藏論作脈不實堅者皆難治風熱當脈躁而反靜泄而脫血當脈虛而反實邪氣在內當脈實而反虛病氣在外當脈虛滑而反堅濇故皆難治也命曰反四時也皆反四時之氣乃所是矣。新校正云詳命曰反四時也此六字應古錯簡當去自前未有藏形春夏至此五十二字与後玉機真藏論文相重人以水穀為本故人絕水穀則死脈無胃氣亦死所謂無胃氣者但得真藏脈不得胃氣也所謂脈不得胃氣者肝不弦腎不石也不弦不石皆謂不微似也太陽脈至洪大以長氣盛故能尔。新校正云按扁鵲陰陽脈法云太陽之脈洪大以長其來浮於筋上動搖九分三月四月甲子王呂廣云大陽王五月六月其氣大盛故其脈洪大而長也少陽脈至乍數乍疏乍短乍長以氣有暢未暢者也。新校正云按扁鵲陰陽法云少陽之脈乍小乍大乍長乍短動搖六分王十一月甲子夜半正月二月甲子王呂廣云少陽王正月二月其氣尚微故其脈來進退无常陽明脈至浮大而短穀氣滿盛故也。新校正云詳无三陰脈應古文闕也按難經云大陰之至緊大而長少陰之至緊細而微厥陰之至沉短以敦呂廣云陽明王三月四月其氣始萌未盛故其脈來浮大而短扁鵲陰陽少陰之脈緊細動搖六分王五月甲子日中七月八月王太陰之脈緊細以長乘於筋上動搖九分九月十月甲子王厥

上

陰之脉沉短以緊動搖三分十一月十二月甲子王也夫平心脉來累累如連珠如循
琅玕曰心平言脉滿而盛微似珠形之中手琅玕珠之類也夏以胃氣爲本脉有胃氣則累
累而微似連珠也病心脉來喘喘連屬其中微曲曰心病曲謂中手而偃曲也
〇新校正云詳越人云啄啄連屬其中微曲曰腎病與素問異死心脉來前曲後居如操帶
鈎曰心死居不動也操執持也鈎謂革帶之鈎平肺脉來厭厭聶聶如落榆莢
曰肺平浮薄而虛者也〇新校正云詳越人云厭厭聶聶如循榆莢曰春平脉藹藹如車蓋按之益大曰秋平脉
與素問之說不同張仲景云秋脉藹藹如車蓋者名曰陽結春脉聶聶如吹榆莢者名曰數恐越人之說誤也秋以
胃氣爲本脉有胃氣則微似榆莢之輕虛也病肺脉來不上不下如循雞羽
曰肺病謂中央堅而兩傍虛死肺脉來如物之浮如風吹毛曰肺死如物
之浮瞥瞥然如風吹毛紛紛然也〇新校正云詳越人云按之消索如風吹毛曰死平肝脉來耎弱招
招如揭長竿末梢曰肝平如竿末梢言長耎也春以胃氣爲本脉有胃氣乃長
耎如竿之末梢矣病肝脉來盈實而滑如循長竿曰肝病長而不耎故若循竿
死肝脉來急益勁如新張弓弦曰肝死勁謂勁強急之甚也平脾脉來

和柔相離如雞踐地曰脾平言脈來動數相離緩急和而調長夏以胃氣為本胃少則脈實數病脾脈來實而盈數如雞舉足曰脾病胃少故脈實數矣舉足謂如雞走之舉足也○新校正云詳越人以為心病死脾脈來銳堅如烏之喙新校正云按千金方作如雞之啄也如鳥之距如屋之漏如水之流曰脾死烏喙鳥距言銳堅也水流屋漏言其至也水流謂平至不鼓屋漏謂時動復住平腎脈來喘喘累累如鉤按之而堅曰腎平謂如心脈而鈎按之小堅爾○新校正云按越人云其來上大下兌濡滑如雀之喙曰平呂廣云上大者足太陽下兌者是少陰陰陽得所為胃氣強故謂之平雀喙者本大而末兌也冬以胃氣為本胃少則不安亦堅也病腎脈來如引葛按之益堅曰腎病形如引葛言不按且堅明按之則尤甚也死腎脈來發如奪索辟辟如彈石曰腎死發如奪索猶蛇之走辟辟如彈石言促又堅也

○玉機真藏論篇第十九新校正云按全元起本在第六卷

黃帝問曰春脈如弦何如而弦岐伯對曰春脈者肝也東方木也萬物之所以始生也故其氣來耎弱輕虛而滑端直以

啄

長故曰弦言端直而長狀如弦也。新校正云按越人云春脉弦者東方木也萬物始生未有枝葉故其脉來
濡弱而長四時經輕作寬反此者病反謂反常平之候帝曰何如而反岐伯曰其
氣來實而強此謂大過病在外其氣來不實而微此謂不及
病在中氣餘則病形於外氣少則病在於中也。新校正云按呂廣云實大強者陽氣盛也少陽當微弱今更實強
謂之大過陽處表故令病在外厥陰之氣養於筋其脉弦今更虛微故曰不及陰處中故令病在內帝曰春脉
大過與不及其病皆何如岐伯曰大過則令人善忘忽忽眩
冒而巔疾其不及則令人胷痛引背下則兩脇胠滿忽忽不爽也眩
謂目眩視如轉也冒謂冒悶也胠謂腋下脅也忘當為怒字之誤也靈樞經曰肝氣實則怒肝厥陰脉自足而上入毛中
又上貫鬲布脅肋循喉嚨之後上入頏顙上出額與督脉會於巔故病如是。新校正云按氣交變大論云木大過甚則
忽忽善怒眩冒巔疾則忘當作怒帝曰善夏脉如鈎何如而鈎岐伯曰夏脉
者心也南方火也萬物之所以盛長也故其氣來盛去衰故
曰鈎言其脉來盛去衰如鈎之曲也。新校正云按越人云夏脉鈎者南方火也萬物之所盛垂枝布葉皆下曲如
鈎故其脉來疾去遲呂廣云陽盛故來疾陰虛故去遲脉從下上至寸口疾還尺中遲也反此者病帝曰

何如而反岐伯曰其氣來盛去亦盛此謂大過病在外心脈來盛去盛是陽之盛也心氣有餘是為大過其氣來不盛去反盛此謂不及病在中新校正云詳越人云肝心肺腎四藏脈俱以強實為大過虛微為不及與素問不同帝曰夏脈大過與不及其病皆何如岐伯曰大過則令人身熱而膚痛為浸淫其不及則令人煩心上見欬唾下為氣泄心少陰脈起於心中出屬心系下鬲絡小腸又從心系却上肺故心大過則身熱膚痛而浸淫流布於形分不及則心煩上見欬唾下為氣泄帝曰善秋脈如浮何如而浮岐伯曰秋脈者肺也西方金也萬物之所以收成也故其氣來輕虛以浮來急去散故曰浮脈來輕虛故名浮也來急以陽未沈下去散以陰氣上升也○新校正云按越人云秋脈毛毛者西方金也萬物之所終草木華葉皆秋而落其枝獨在若毫毛也故其脈來輕虛以浮故曰毛反此者病帝曰何如而反岐伯曰其氣來毛而中央堅兩傍虛此謂大過病在外其氣來毛而微此謂不及病在中帝曰秋脈大過與不及其病皆何如岐伯曰大過則令人逆氣而背痛慍慍然其不及則令人喘呼

吸少氣而欬上氣見血下聞病音肺太陰脈起於中焦下絡大腸還循胃口上鬲屬肺
從肺系橫出腋下復藏氣為欬主喘息故氣盛則有背痛氣逆不足則喘息變易呼吸少氣而欬上氣見血也下聞病音
謂喘息則肺中有聲也帝曰善冬脈如營何如而營脈沉而深如營動也○新校正云詳
深一作濡又作搏按本經下文云其氣來沉以搏則深〻當為搏又按甲乙經搏字為濡當從甲乙經為得何以言之脈
沉而濡〻古軟字乃冬〻脈之平調脈若沉而搏擊於手則冬〻脈之太過脈也故言當從甲乙經濡字岐伯曰冬〻
脈者腎也北方水也萬物之所以合藏也故其氣來沉以搏
故曰營言沉而搏擊於手也○新校正云按甲乙經搏當作濡義如前說又越人云冬〻脈石者北方之水也萬物
之所藏盛冬〻之時水凝如石故其脈來沉濡而滑故曰石也反此者病帝曰何如而反岐
伯曰其氣來如彈石者此謂太過病在外其去如數者此謂
不及病在中帝曰冬脈太過與不及其病皆何如岐伯曰太
過則令人解㑊新校正云按解㑊之義具第五卷注脊脈痛而少氣不欲言其
不及則令人心懸如病飢䏚中清脊中痛少腹滿小便變腎少
陰脈自股內後廉貫脊屬腎絡膀胱其直行者從腎上貫肝鬲入肺中循喉嚨俠舌本其支別者從肺出絡心注胸中故

病如是也眇者季脇之下俠脊兩傍空軟處也腎外當眇故眇中清冷也帝曰善帝曰四時之序逆從之變異也脈春弦夏鈎秋浮冬營為逆順之變見異狀也然脾脈獨何主主謂主時岐伯曰脾脈者土也孤藏以灌四傍者也納水穀化津液溉灌於肝心肺腎也以不正主四時故謂之孤藏溉古代反帝曰然則脾善惡可得見之乎岐伯曰善者不可得見惡者可見不正主時寄王於四季故善不可見惡可見也帝曰惡者何如可見岐伯曰其來如水之流者此謂太過病在外如鳥之喙者此謂不及病在中新校正云按平人氣象論云如鳥之喙又別本喙作啄帝曰夫子言脾為孤藏中央土以灌四傍其太過與不及其病皆何如岐伯曰太過則令人四支不舉以土主四支故病不舉其不及則令人九竅不通名曰重強脾之孤藏以灌四傍今病則五藏不和故九竅不通也八十一難經曰五藏不和則九竅不通重謂藏氣重疊強謂氣不和順帝瞿然而起再拜而稽首曰善吾得脈之大要天下至數五色脈變揆度奇恒道在於一瞿然忙貌也言以太過不及而一貫之揆度奇恒皆通也神轉不回回則不轉乃失其機五氣

循環不息時數是爲神氣流轉不迴若却行衰王反天之常氣是則却迴而不轉由是却迴不轉乃失生氣之機矣至
數之要迫近以微得至數之要道則應用切近以微妙也迫切也著之玉版藏之藏
府每旦讀之名曰玉機著之玉版故以爲名言是玉版生氣之機○新校正云詳至數至名曰玉機與前玉版論要文相重彼注頗詳五藏受氣於其所生傳之於其所勝氣舍
於其所生死於其所不勝病之且死必先傳行至其所不勝
病乃死受氣所生者謂受病氣於己之所生者也傳所勝者謂傳於己之所剋者也氣舍所生者謂舍於生己者也死所不勝者謂死於剋己者之分位也所傳不順故必死焉此言氣之逆行也故死所爲逆者次如下說肝受氣於心傳之於脾氣舍於腎至肺而死心受氣於
脾傳之於肺氣舍於肝至腎而死脾受氣於肺傳之於腎氣
舍於心至肝而死肺受氣於腎傳之於肝氣舍於脾至心而
死腎受氣於肝傳之於心氣舍於肺至脾而死此皆逆死也
一日一夜五分之此所以占死生之早暮也肝死於肺位秋庚辛餘四倣此然朝主甲乙晝主丙丁四季土主戊己晡主庚辛夜主壬癸由此則死生之早暮可知也○新校正云按甲乙經生作者

名曰蠱 當此之時可按可藥弗治腎傳之心病筋脉相引而急病名曰瘛（腎不足則水不生水不生則筋燥急故相引也陰氣內弱陽氣外燔筋脉受熱而自跳掣故名曰瘛）當此之時可灸可藥弗治滿十日法當死（至心而氣極則如是矣若復傳行當如下說）腎因傳之心心即復反傳而行之肺發寒熱法當三歲死（因腎傳心心不受病即而復反傳與肺金肺已再傷故寒熱也三歲者肺至腎一歲腎至肝一歲肝至心一歲火又乘肺故云三歲死）此病之次也（謂傳勝之次第）然其卒發者不必治於傳（必不依傳之次故不必以傳治之）或其傳化有不以次不以次入者憂恐悲喜怒令不得以其次故令人有大病矣（憂恐悲喜怒發無常分觸遇則發故令病氣亦不次而生）因而喜大虛則腎氣乘矣（喜則心氣移於肺心氣不守故腎氣乘矣宣明五氣篇曰精氣并於心則喜）怒則肝氣乘矣（怒則氣逆故肝氣乘脾）悲則肺氣乘矣（悲則肺氣移於肝肝氣受邪故肺氣乘矣宣明五氣篇曰精氣并於肺則悲）恐則脾氣乘矣（恐則腎氣移於心腎氣不守故脾氣乘矣宣明五氣篇曰精氣并於腎則恐）憂則心氣乘矣（憂則肝氣移於脾肝氣不守故心氣乘矣宣明五氣篇曰精氣并於肝則憂）此其道也（此其不次之常道也）故病有五五五

二十五變及其傳化五藏相并而各五之五而乘之則二十五變也然其變化以勝相傳傳而不次變化多端○新校正云按陰陽別論云凡陽有五五五二十五陽義與此通傳乘之名也言傳者何相乘之異名爾大骨枯槁大肉陷下胷中氣滿喘息不便其氣動形期六月死真藏脉見乃予之期日皮膚乾著骨間肉陷謂大骨枯槁大肉陷下也諸附骨際及死亡之處亦同其類也胷中氣滿喘息不便是肺無主也肺司治節氣息由之其氣動形為無氣相接故聳舉肩背以遠求報氣矣夫如是皆形藏已敗神藏亦傷見是證者期後一百八十日內死矣候見真藏之脉乃與死日之期爾真藏脉診下經備矣此脉之藏也㦝音愈大骨枯槁大肉陷下胷中氣滿喘息不便內痛引肩項期一月死真藏見乃予之期日火精外出陽氣上燔金受火災故內痛肩項如是者期後三十日內死此心之藏也大骨枯槁大肉陷下胷中氣滿喘息不便內痛引肩項身熱脫肉破䐃真藏見十月之內死大陰氣微弱陽氣內燔故身熱也䐃者肉之標脾主肉故肉如脫盡䐃如破敗也見斯證者期後三百日內死䐃謂肘膝後肉如塊者此脾之藏也䐃渠殞反大骨枯槁大肉陷下肩髓內消動作益衰真藏來見期一歲死見其真藏乃予之期日肩髓內消謂缺盆深也衰於動作謂

字云占死者之早暮詳此經文專主言氣之逆行也故死中不言生之早暮王氏改者亦生義甚不若甲乙經中素問本文

黃帝曰五藏相通移皆有次五藏有病則各傳其所勝以上文逆傳而死故言是逆傳所勝之次也。新校正云詳逆傳所勝之次逆當作順上文既言逆傳下文所言乃順傳之次也不治法三月若六月若三日若六日傳五藏而當死是順傳所勝之次三月者謂一藏氣之遷移六月者謂至其所勝之位三日者三陽之數以合日也六日者謂兼三陰以數之尒熱論曰傷寒一日巨陽受二日陽明受三日少陽受四日太陰受五日少陰受六日厥陰受則其義也。新校正云詳上文是順傳所勝之次七字乃是次前注誤在此經文之下不惟无義兼校之全元起本素問及甲乙經並无此七字直去之慮未達者致疑今存于注故曰別於陽者知病從來別於陰者知死生之期主辯三陰三陽之候則知中風邪氣之所不勝矣故下曰。新校正云詳舊此段註寫作經今改為註又按陰陽別論云別於陽者知病處也別於陰者知死生之期又云別於陽者知病忌時別於陰者知死生之期義同此言知至其所困而死困謂至所不勝也上文曰死於其所不勝是故風者百病之長也言先百病而有之。新校正云按生氣通天論云風者百病之始今風寒客於人使人毫毛畢直皮膚閉而為熱客謂客止於人形也風擊皮膚寒勝腠理故毫毛畢直玄府閉

密而熱斗十也當是之時可汗而發也邪在皮毛故可汗泄也陰陽應象大論曰善治者治皮毛此之謂也

或痺不仁腫痛痺斗工而變故如是也熱中血氣則瘴痺不仁寒氣傷形故為腫痛陰陽應象大論云寒傷形熱傷氣氣傷痛形傷腫當是之時可湯熨及火灸刺而去之皆謂釋散

寒邪宣揚正氣弗治病入舍於肺名曰肺痺發欬上氣邪入諸陰則病而為痺故入於肺名曰肺痺焉宣明五氣論曰邪入於陽則狂邪入於陰則痺肺在變動為欬故欬則氣上故上氣也

弗治肺即傳而行之肝病名曰肝痺一名曰厥脇痛出食肺金伐木氣下入肝故曰弗治行之肝也肝氣通膽膽善為怒怒者氣逆故一名厥也肝厥陰脉從少腹屬肝絡膽膽上貫鬲布脇肋循喉嚨之後上入頏顙故脇痛而食入腹則出故曰出食當是之時可按若刺耳

弗治肝傳之脾病名曰脾風發癉腹中熱煩心出黃肝氣應風木勝脾土土受風氣故曰脾風蓋為風氣通肝而為名也脾之為病善發黃癉故發癉也脾大陰脉入腹屬脾絡胃上鬲俠咽連舌本散舌下其支別者復從胃別上鬲注心中故腹中熱而煩心出黃色於便瀉之所也當此之時可按可藥可浴

弗治脾傳之腎病名曰疝瘕少腹冤熱而痛出白一名曰蠱腎少陰脉自股內後廉貫脊屬腎絡膀胱故少腹冤熱而痛溲出白液也冤熱內結消鑠脂肉如蟲之食日內損削故一

之文斷缺以診藏尚全故期後三百六十五日內死此腎之藏也。新校正云按全元起本及甲乙經真藏來見來字當作未字之誤也大骨枯槁大肉陷下胸中氣滿腹內痛心中不便肩項身熱破䐃脫肉目匡陷真藏見目不見人立死其見人者至其所不勝之時則死木生其火肝氣通心脈抵少腹上布脇肋循喉嚨之後上入頏顙故腹痛心中不便項肩身熱破䐃脫肉也肝主目故目匡陷及不見人立死也不勝之時謂於庚辛之月此肝之藏也急虛身中卒至五藏絕閉脈道不通氣不往來譬於墮溺不可為期言五藏相移傳其不勝則可待真藏脈見乃與死日之期卒急虛邪中於身內則五藏絕閉脈道不通氣不往來譬於墮墜沒溺不可與之為死日之期也其脈絕不來若人一息五六至其形肉不脫真藏雖不見猶死也是則急虛卒至之脈。新校正云按人一息脈五六至何得為死必息字誤息當作呼乃是真肝脈至中外急如循刀刃責責然如按琴瑟弦色青白不澤毛折乃死真心脈至堅而搏如循薏苡子累累然色赤黑不澤毛折乃死真肺脈至大而虛如以毛羽中人膚色白赤不澤毛折乃死真腎脈至搏而絕如指彈石辟辟然色黑黄不澤毛折乃死真脾脉至弱而乍數乍踈色黄青不澤毛折乃死諸真藏脉見者皆死不治也新校正云按楊上善云无餘物和雜故名真也五藏之氣皆胃氣和之不得獨用如至剛不得獨用獨用則折和柔用之即固也五藏之氣和於胃氣即得長生若真獨見必死欲知五藏真見爲死和胃爲生者於寸口診即可知見者如弦是肝脉也微弦於平和微弦謂二分胃氣一分弦氣俱動爲微弦三分並是弦而无胃氣爲見真藏餘四藏准此黄帝曰見真藏曰死何也岐伯曰五藏者皆禀氣於胃胃者五藏之本也胃爲水穀之海故五藏禀焉藏氣者不能自致於手太陰必因於胃氣乃至於手太陰也平人之常禀氣於胃胃氣者平人之常氣故藏氣因胃乃能至於手太陰也○新校正云詳平人之常至下平人之常氣本平人氣象論文王氏引註此經按甲乙經云人常禀氣於胃脉以胃氣爲本与此小異然甲乙之文爲得故五藏各以其時自爲而至於手太陰也自爲其狀至於手大陰也故邪氣勝者精氣衰也故病甚者胃氣不能與之俱至於手太陰故真藏之氣獨見獨見者病勝藏也故曰死是所謂脉无胃氣也平人氣象論曰人无胃氣曰逆逆者死帝曰善新校正云詳自黄帝問至此一段全元起本在第四卷太陰陽明表裏篇

由王冰移於此如必言此者欲明王氏之功於素問多矣黃帝曰凡治病察其形氣色澤脈之盛衰病之新故乃治之無後其時欲必先時而取之形氣相得謂之可治氣盛形盛氣虛形虛是相得也色澤以浮謂之易已氣色浮潤血氣相營故易已脈從四時謂之可治脈春弦夏鉤秋浮冬營謂順四時從順也脈弱以滑是有胃氣命曰易治取之以時候可取之時而取之則万舉万全當以四時血氣所在而為療爾○新校正云詳取之以時甲乙經作治之趣之无後其時与王氏之义兩通形氣相失謂之難治形盛氣虛氣盛形虛皆相失也色夭不澤謂之難已夭謂不明而惡不澤謂枯燥也脈實以堅謂之益甚脈实以堅是邪氣盛故益甚也脈逆四時為不可治以氣逆故疾上四句是謂四難所以下文曰必察四難而明告之此四粗之所易語工之所難為所謂逆四時者春得肺脈夏得腎脈秋得心脈冬得脾脈其至皆懸絕沉濇者命曰逆四時春得肺脈秋來見也夏得腎脈冬來見也秋得心脈夏來見也冬得脾脈春來見也懸絕謂如懸物之絕去也未有藏形於春夏而脈沉濇新校正云按平人氣象論云而脈瘦義与此同秋冬而脈浮大名曰逆四時也未有謂未有藏脈之形狀也病熱脈

靜泄而脉大脫血而脉實病在中脉實堅病在外脉不實堅者皆難治皆難治者以其与證不相應也。新校正云按平人氣象論云病在中脉虛病在外脉濇堅与此相反此經誤彼論爲得自未有藏形春夏至此与平人氣象論相重注義備於彼黃帝曰余聞虛實以決死生願聞其情岐伯曰五實死五虛死五實謂五藏之實五虛謂五藏之虛帝曰願聞五實五虛岐伯曰脉盛皮熱腹脹前後不通悶瞀此謂五實實謂邪氣盛實然脉盛心也皮熱肺也腹脹脾也前後不通腎也悶瞀肝也瞀莫侯反脉細皮寒氣少泄利前後飲食不入此謂五虛虛謂真氣不足也然脉細心也皮寒肺也氣少肝也泄利前後腎也飲食不入脾也帝曰其時有生者何也岐伯曰漿粥入胃泄注止則虛者活身汗得後利則實者活此其候也全注飲粥得入於胃胃氣和調其利漸止胃氣得實虛者得活言實者得汗外通後得便利自然調平

○三部九候論篇第二十新校正云按全元起本在第一卷篇名決死生

黃帝問曰余聞九鍼於夫子衆多博大不可勝數余願聞要道以屬子孫傳之後世著之骨髓藏之肝肺歃血而受不敢

妄泄歃血飲血也所甲反令合天道新校正云按全元起本云令合天地必有終始上
應天光星辰歷紀下副四時五行貴賤更立冬陰夏陽以人
應之柰何願聞其方天光謂日月星也歷紀謂日月行歷於天二十八宿三百六十五度之分紀也
言以人形血氣榮衛周流合時候之遷移應日月之行道然斗極旋運黃赤道差冬時日依黃道近南故陰多夏時月依
黃道近北故陽盛也夫四時五行之氣以王者為貴相者為賤也岐伯對曰妙乎哉問也此
天地之至數道貫精微故云妙問至數謂至極之數也帝曰願聞天地之至數合
於人形血氣通決死生為之柰何岐伯曰天地之至數始於
一終於九焉九奇數也故天地之數斷為極矣一者天二者地三者人因而
三之三三者九以應九野尔雅曰邑外為郊〻外為甸〻外里為牧〻外為林〻外為坰坰外為
野言其遠也○新校正云詳王引尔雅為證与今尔雅或不同已具前六節藏象論註中坰古螢反故人有三
部部有三候以決死生以處百病以調虛實而除邪疾所謂三部
者言身之上中下部非謂寸關尺也三部之內經隧由之故察候存亡悉因於是鍼之補瀉邪疾可除也帝曰何
謂三部岐伯曰有下部有中部有上部部各有三候三候者

有天有地有人也必指而導之乃以為真言必當諸受於師也徵四失論曰受
師不卒妄作雜術謬言為道更名自功妄用砭石後遺身咎此其誡也禮曰疑事无質質成也上部天兩額
之動脈在額兩傍動應於手足少陽脈氣所行也上部地兩頰之動脈在鼻孔下兩傍近於
巨髎之分動應於手足陽明脈氣之所行上部人耳前之動脈在耳前陷者中動應於手手少陽脈
氣之所行也中部天手太陰也謂肺脈也在掌後寸口中是謂經渠動應於手中部地手
陽明也謂大腸脈也在手大指次指歧骨間合谷之分動應於手也中部人手少陰也謂心
脈也在掌後銳骨之端神門之分動應於手也灵樞經持鍼縱捨論問曰少陰无輸心不病乎對曰其外經病而藏不病
故獨取其經於掌後銳骨之端正謂此也下部天足厥陰也謂肝脈也在毛際外羊矢下一寸半陷中
五里之分卧而取之動應於手也女子取大衝在足大指本節後二寸陷中是下部地足少陰也謂腎
脈也在足內踝後跟骨上陷中大谿之分動應手下部人足太陰也謂脾脈也在魚腹上越筋間直
五里下箕門之分寬鞏足單衣沉取乃得之而動應於手也候胃氣者當取足跗之上衝陽之分穴中脈動乃應手也○
新校正云詳自上部天至此一段旧在當篇之末義不相接此正謂三部九候宜如於斷簡今依皇甫謐甲乙經編次例自
篇末移置此故下部之天以候肝足厥陰脈行其中也地以候腎足少陰脈行其中也

人以候脾胃之氣足大陰脈行其中也脾藏与胃以膜相連故以候脾兼候胃也帝曰中部之候奈何岐伯曰亦有天亦有地亦有人天以候肺手大陰脈當其處也地以候胷中之氣手陽明脈當其處也經云腸胃同候故以候胷中也人以候心手少陰脈當其處也帝曰上部以何候之岐伯曰亦有天亦有地亦有人天以候頭角之氣位在頭角之分故以候頭角之氣也地以候口齒之氣位近口齒故以候之人以候耳目之氣以位當耳前脈抵於目外眥故以候之三部者各有天各有地各有人三而成天新校正云詳三而成天至合則為九與六節藏象論文重注義具彼篇三而成地三而成人三而三之合則為九九分為九野九野為九藏以是故應天地之至數故神藏五形藏四合為九藏所謂神藏者肝藏魂心藏神脾藏意肺藏魄腎藏志也以其皆神氣居之故云神藏五也所謂形藏者皆如器外張虛而不屈合藏於物故云形藏也所謂形藏四者一頭角二耳目三口齒四胷中也○新校正云詳註說神藏宣明五氣篇文又與生氣通天論註六節藏象論註重五藏已敗其色必夭夭必死矣夭謂死色異常之候也色者神之旗藏者神之舍故神去則藏敗藏敗則色見異常之候死也帝曰以候奈何岐伯曰必先

度其形之肥瘦以調其氣之虛實實則寫之虛則補之度謂量也實寫虛補此所謂順天之道也老子曰天之道損有餘補不足也必先去其血脈而後調之無問其病以平為期血脈滿堅謂邪留止故先刺去血而後乃調之不當詢問病者盈虛要以脈氣平調為之期準爾帝曰決死生奈何度形肥瘦調氣盈虛不問病人以平為準死生之證以決之也岐伯曰形盛脈細少氣不足以息者危形氣相反故生氣至危玉機真藏論曰形氣相得謂之可治今脈氣不足形盛有餘證不相扶故當危也危者言其近死由有生者也刺志論曰氣實形實氣虛形虛此其常也反此者病今脈細少氣是為氣弱体壯盛是為形盛形盛氣弱故生氣傾危○新校正按全元起注及甲乙經脈經危並作死字形瘦脈大胸中多氣者死是則形氣不足脈氣有餘故死形瘦脈大胸中氣多形藏已傷故云死也凡如是類皆形氣不相得也形氣相得者生參五不調者病參謂參校伍謂類伍參校類伍而有不調謂不率其常則病也三部九候皆相失者死失謂氣候不相類也相失之候診凡有七七診之狀如下文云上下左右之脈相應如參舂者病甚上下左右相失不可數者死三部九候上下左右凡十八診也如參舂者謂大數而鼓如參舂杵之上下也脈要精微論曰大則病進故病甚也不可數者謂一息十至已上也脈法曰人一呼脈再至一吸脈

亦再至曰平三至曰離經四至曰脫精五至曰死六至曰命盡今相失而不可數者是過十至之外也至五尚死況至十者乎中部之候雖獨調與衆藏相失者死中部之候相減者死中部左右凡六診也上部下部已不相應中部獨調固非其久減於上下是亦氣衰故皆死也減謂偏少也○新校正云詳旧云中部之候相減者死八字按全元起注本及甲乙經脉之且注有解人之說而經闕其文此脫在王注之後也目內陷者死言大陽也大陽之脉起於目內眥目內陷者大陽絕也故死所以言大陽者大陽主諸陽之氣故獨言之帝曰何以知病之所在岐伯曰察九候獨小者病獨大者病獨疾者病獨遲者病獨熱者病獨寒者病獨陷下者病相失之候診凡有七者此之謂也然脉見七診謂參伍不調隨其獨異以言其病尔以左手足上上去踝五寸按之庶右手足當踝而彈之手足皆取之然手踝之上手大陰脉足踝之上足大陰脉足大陰脉主肉應於下部手大陰脉主氣應於中部是以下文云脫肉身不去者死中部乍踈乍數者死○新校正按甲乙經及全元起注本並云以左手足當云踝五寸而按之右手當踝而彈之全元起注云內踝之上陰交之出通於膀胱係於腎腎為命門是以取之以明吉凶今文少之字而多一庶字及足字王注以手足皆取為解殊為穿鑿當從全元起注旧本及甲乙經為正其應過五寸以上蠕蠕然者不病氣和以故也其

應疾中手渾渾然者病中手徐徐然者病渾渾亂也徐徐緩也其應上
不能至五寸彈之不應者死氣絕故不應也是以脫肉身不去者死
穀氣外衰則肉如脫尽天真內竭故身不能行真穀並衰故死之至矣去猶行去也中部乍踈乍數者
死乍踈乍數氣之喪亂也故死其脈代而鉤者病在絡脈鉤謂夏脈又夏氣在絡故病在
絡脈也絡脈受邪則經脈滯否故代止也九候之相應也上下若一不得相失上下
若一言遲速小大等也一候後則病二候後則病甚三候後則病危所
謂後者應不俱也俱猶同也一也察其府藏以知死生之期夫病入府則愈
入藏則死故死生期准察以知之必先知經脈然後知病脈經脈四時五藏之脈真藏
脈見者勝死所謂真藏脈者真肝脈至中外急如循刀刃責責然如按琴瑟絃真心脈至堅而搏如循薏苡
子累累然真脾脈至弱而乍數乍踈真肺脈至大而虛如以毛羽中人膚真腎脈至搏而絕如指彈石辟辟然凡此五者皆
謂得真藏脈而无胃氣也平人氣象論曰胃者平人之常氣也人无胃氣曰逆逆者死此之謂也勝死者謂勝剋於己之
时則死也平人氣象論曰肝見庚辛死心見壬癸死脾見甲乙死肺見丙丁死腎見戊己死是謂勝死也足太陽
氣絕者其足不可屈伸死必戴眼足太陽脈起於目內眥上額交巔上從巔入絡腦還

出別下項循肩髆內俠脊抵腰中其支者復從肩髆別下貫臀過髀樞下合膕中貫踹循踵至足外側太陽氣絕死如是矣。新校正云按診要經終論載三陽三陰脈終之證此獨紀足太陽氣絕一證餘應闕文也又註貫臀甲乙經作貫胂王氏註厥論刺瘧論各作貫胂又註刺腰論作貫臀詳甲乙流注臀當作胂

帝曰：冬陰夏陽奈何？言死時也

岐伯曰：九候之脈皆沈細懸絕者為陰，主冬，故以夜半死；盛躁喘數者為陽，主夏，故以日中死。位无常居物極則反也乾坤之義陰極則龍戰于野陽極則亢龍有悔是以陰陽極脈死於夜半日中也

是故寒熱病者以平旦死。亦物極則變也平曉木王木氣為風故木王之時寒熱病死生氣通天論曰因於露風乃生寒熱由此則寒熱之病風薄所為也

熱中及熱病者以日中死。陽之極也

病風者以日夕死。卯酉衝也

病水者以夜半死。水王故也

其脈乍踈乍數乍遲乍疾者日乘四季死。辰戌丑未土寄王之脾氣內絕故日乘四季而死也

形肉已脫九候雖調猶死。亦謂形氣不相得也訂前脫肉身不去者九候雖平調亦死也

七診雖見九候皆從者不死。但九候順四時之令雖七診互見亦生矣從謂順從也

所言不死者風氣之病及經月之病似七診之病而非也，故言不死。風病之脈診大而數月經之病脈小以微雖候與七診之

狀畧同而死生之証乃異故不死也若有七診之病其脉候亦敗者死矣言雖七診
見九候從者不死若病同七診之狀而脉應敗亂縱九候皆順猶不得生也必發噦噫胃精內竭神不守心
故死之時發斯噦噫宣明五氣篇曰心為噫胃為噦也必審問其所始病與今之所方
病方正也言必當原其始而要終也而後各切循其脉視其經絡浮沉以上
下逆從循之其脉疾者不病氣強盛故其脉遲者病氣不足故脉不往
來者死精神去也皮膚著者死骨乾枯也帝曰其可治者奈何岐伯曰
經病者治其經求有過者孫絡病者治其孫絡血有血留止刺而去之○新校正
云按甲乙經云絡病者治其絡血无二孫字血病身有痛者治其經絡靈樞經曰經脉為裏
支而橫者為絡絡之別者為孫絡由是孫絡則經之別支而橫也○新校正云按甲乙經无血病二字其病者在
奇邪奇邪之脉則繆刺之奇謂奇繆不偶之氣而与經脉繆処也由是故繆刺之繆刺者刺絡
脉左取右〻取左也留瘦不移節而刺之病氣淹留形容減瘦証不移易則消息節級養而刺之也
又重明前經无問其病以平為期者也上實下虛切而從之索其結絡脉刺出
其血以見通之結謂血結於絡中也血去則經隧通矣前經云先去血脉而後調復明其結絡乃先去也

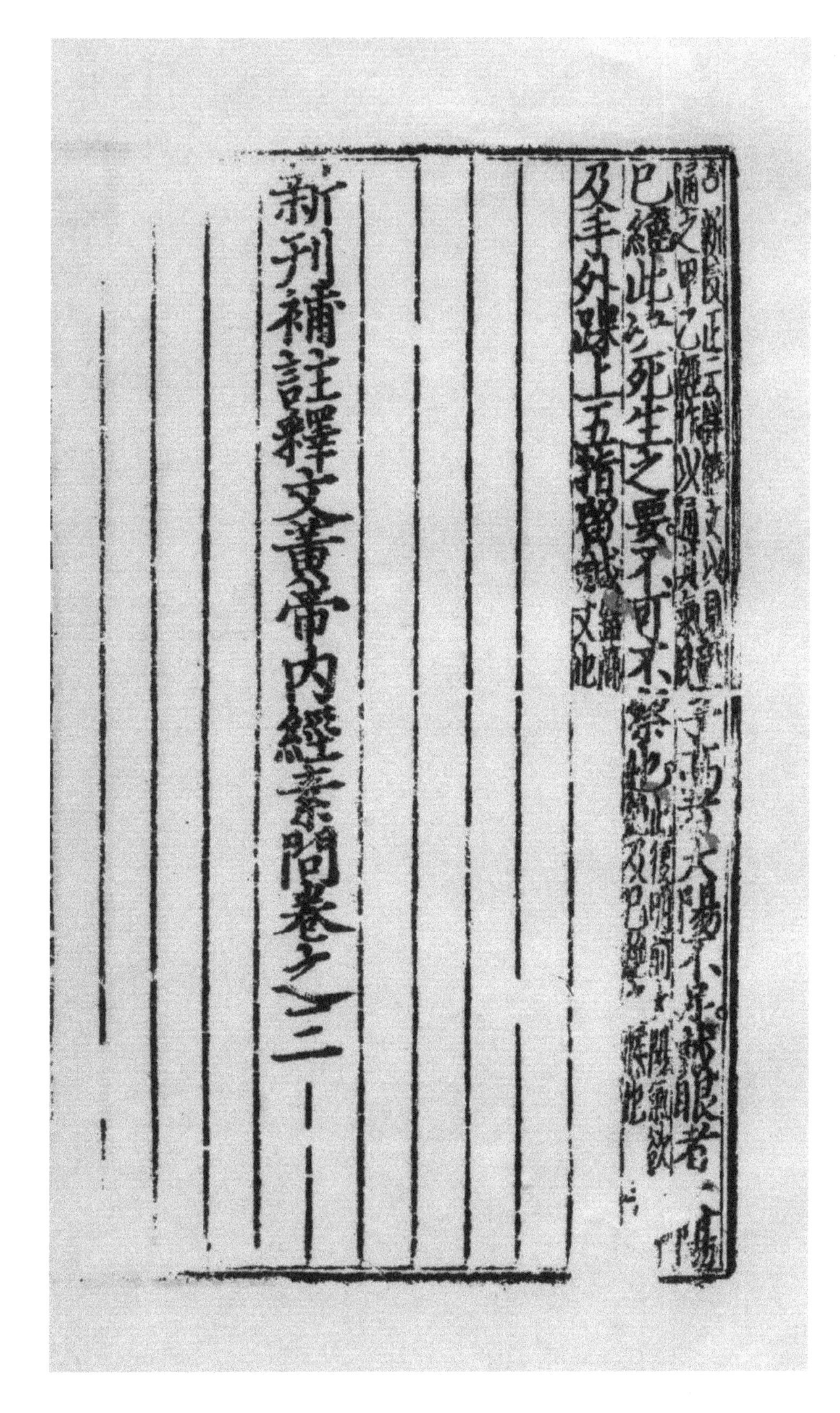

新校正云[illegible]文以見[illegible]通之甲乙經作以通其氣[illegible]

已經此五[illegible]死生之要，不可不察也。[illegible]

及手外踝上五指留鍼[illegible]文也

新刊補註釋文黃帝內經素問卷之三

附補註素問下

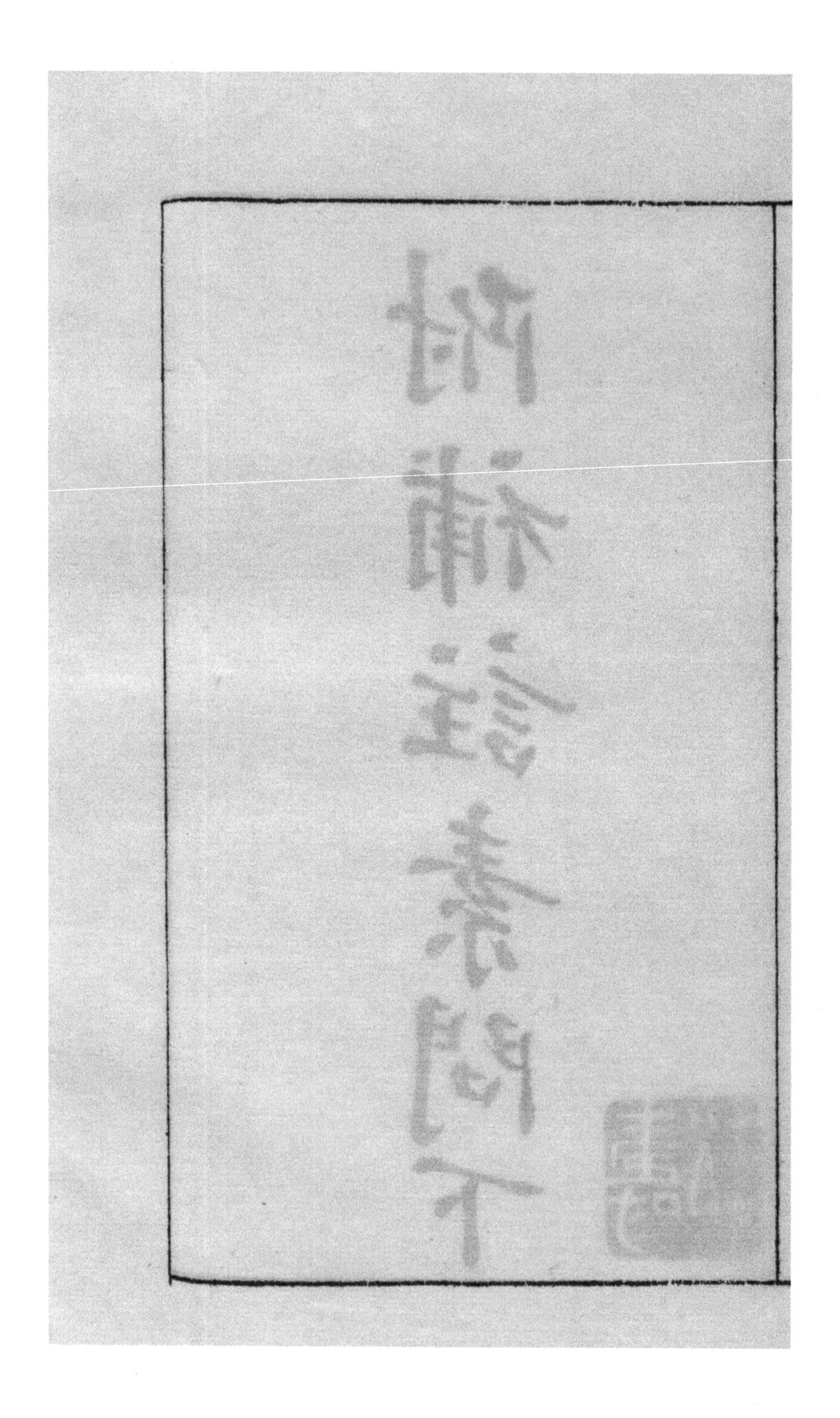
附補註素問
下

新刊補註釋文黄帝内經素問卷之四

○經脉别論篇第二十一 新校正云：按全元起本在第四卷

黄帝問曰：人之居處動靜勇怯，脉亦爲之變乎？岐伯對曰：凡人之驚恐恚勞動靜，皆爲變也。變謂變易常候。是以夜行則喘出於腎，腎主於夜，夜氣合幽冥，故夜行則喘息內從腎出也。淫氣病肺。夜行腎勞，因而喘息，氣淫不次，則病肺也。有所墮恐，喘出於肝，恐生於肝，墮損筋血，因而奔喘，故出於肝也。淫氣害脾。肝木妄淫，害脾土也。有所驚恐，喘出於肺，驚則心无所依，神无所歸，氣亂胷中，故喘出於肺也。淫氣傷心。驚則神越，故氣淫反傷心矣。度水跌仆，喘出於腎與骨。濕氣通腎，骨腎主之，故度水跌仆，喘出腎骨矣。跌謂足跌，仆謂身倒也。跌音迭，仆音付。當是之時，勇者氣行則已，怯者則著而爲病也。氣有強弱，神有壯懦，故殊狀也。故曰：診病之道，觀人勇怯骨肉皮膚，能知其情，以爲診法也。通達性懷，得其情狀，乃爲深識，診契物宜也。故飲食飽甚，汗出於胃。飽甚胃滿，故汗出於胃也。驚而奪精，汗出於心。驚奪心精，神氣浮越陽內薄之故汗出於心也持重遠行汗出於腎骨勞氣越腎復過疲故持重遠行汗出於腎也疾走恐懼汗出於肝暴役於筋肝氣罷極故疾走恐懼汗出於肝也搖體勞苦汗出於脾搖体勞苦謂動作施力非疾走遠行也然動作用力則谷精四布脾化水谷故汗出於脾也故春秋冬夏四時陰陽生病起於過用此為常也不適其性而強云為過即病生此其常理五藏受氣蓋有常分用而過耗是以病生故下文曰食氣入胃散精於肝淫氣於筋肝養筋故胃散谷精之氣入於肝則浸淫滋養於筋絡矣食氣入胃濁氣歸心淫精於脈濁氣穀氣也心居胃上故谷氣歸心淫溢精微入於脈也何者心主脈故脈氣流經經氣歸於肺肺朝百脈輸精於皮毛言脈氣流運乃為大經經氣歸宗上朝於肺肺為華蓋位復居高治節由之故受百脈之朝會也平人氣象論曰藏真高於肺以行榮衛陰陽由此故肺朝百脈然乃布化精氣輸於皮毛矣毛脈合精行氣於府府謂氣之所聚處也是謂氣海在兩乳間名曰膻中也府精神明留於四藏氣歸於權衡膻中之布氣者分為三隧其下者走於氣街上者走於息道宗氣留於海積於胷中命曰氣海也如是分化乃四藏安定三焦平均中外上下各得其所也權衡以平氣口成寸以決死生三世脈法皆以三寸為寸關尺之分故中外高下氣緒均平則氣口之脈而成寸也夫氣口者脈之

大要會也百脈盡朝故以其分決死生也飲入於胃遊溢精氣上輸於脾水飲流下至於
中焦水化精微上為雲霧雲霧散變乃注於脾靈樞經曰上焦如霧中焦如漚此之謂也脾氣散精上歸
於肺通調水道下輸膀胱水土合化上滋肺金金氣通腎故調水道轉注下焦膀胱稟化乃為
溲矣靈樞經曰下焦如瀆此之謂也水精四布五經並行合於四時五藏陰陽
揆度以為常也從是水精布經氣行筋骨成血氣順配合四時寒暑證符五藏陰陽揆度盈虛用為常道
度量也以用也○新校正云按一本云陰陽動靜太陽藏獨至厥喘虛氣逆是陰不
足陽有餘也陰謂腎陽謂膀胱也故下文曰表裏當俱寫取之下俞陽獨至謂陽氣
盛至也陽獨至為陽有餘陰不足則陽邪入故表裏俱寫取足六俞也下俞足俞也○新校正云詳六當為穴字之誤也
按府有六俞藏止五俞今藏府俱寫不當言六俞六俞則不能兼藏言穴俞則藏府兼舉陽明藏獨至是
陽氣重并也當寫陽補陰取之下俞陽氣重并故寫陽補陰少陽藏獨
至是厥氣也蹻前卒大取之下俞蹻謂陽蹻脈在足外踝下足少陽脈行抵絕骨之端
下出外踝之前循足跗然蹻前卒大則少陽之脈盛也故取足俞少陽也少陽獨至者一陽之過
也一陽少陽也過謂大過也以其大過故蹻前卒大焉太陰藏搏者用心省真見大陰之脈伏

鼓則當用心省察之若是真藏之脈不當治也五脈氣少胃氣不平三陰也三陰太陰脾之
脈也五藏脈少胃氣不調是亦太陰之過也宜治其下俞補陽寫陰以陰氣太過故一陽
獨嘯少陽厥也嘯謂耳中鳴如嘯声也膽及三焦脈皆入耳故氣逆上則耳中鳴○新校正云詳此上明
三陽此言三陰今此再言少陽而不及少陰者疑此一陽乃二陰之誤也又按全元起本此為少陰厥顯知此即二陰也
陽并於上四脈爭張氣歸於腎心脾肝肺四脈爭張陽并於上者是腎氣不足故氣歸於
腎也宜治其經絡寫陽補陰陰氣足則陽氣不復并於上矣一陰至厥陰之治
也真虛痟心厥氣留薄發為白汗調食和藥治在下俞一或作二
誤也厥陰一陰也上言二陰至則當少陰治下言厥陰治則當一陰至也然三墳之經俗久淪墜人少披習字多傳寫誤
痟亏玄反骨節疼也帝曰大陽藏何象岐伯曰象三陽而浮也帝曰少
陽藏何象岐伯曰象一陽也一陽藏者滑而不實也帝曰陽
明藏何象岐伯曰象大浮也新校正云按太素及全元起本云象心之大浮也大陰
藏搏言伏鼓也二陰搏至腎沉不浮也明前獨至之脈狀也○新校正云詳前脫
一陰此无一陰闕文可知

○藏氣法時論篇第二十二 新校正云按全元起本在第一卷又於第六卷脈要篇末重出

黃帝問曰合人形以法四時五行而治何如而從何如而逆
得失之意願聞其事岐伯對曰五行者金木水火土也更貴
更賤以知死生以決成敗而定五藏之氣間甚之時死生之
期也帝曰願卒聞之岐伯曰肝主春以應足厥陰少陽主治
足厥陰肝脈少陽膽脈肝與膽合故治同 其日甲乙 甲乙為木東方干也 肝苦急急食甘以
緩之 甘性和緩○新校正云按全元起本云肝苦急是其氣有餘 心主夏以應手少陰太
陽主治 少陰心脈太陽小腸脈心與小腸合故治同 其日丙丁 丙丁為火南方干也 心苦緩
急食酸以收之 酸性收斂○新校正云按全元起本云心苦緩是心氣虛 脾主長夏 長夏謂六
月也夏為土母土長於中以長而治故云長夏○新校正云按全元起云脾王四季六月是火王之處蓋以脾主中央六月是十二月之中一年
之半故脾王六月也 足太陰陽明主治 太陰脾脈陽明胃脈脾與胃合故治
同 其日戊己 戊己為土中央干也 脾苦濕急食苦以燥之 苦性乾燥 肺主秋
以應金也 手太陰陽明主治 太陰肺脈陽明大腸脈肺與大腸合故治同 其日庚辛 庚辛

為金西方干也肺苦氣上逆急食苦以泄之苦性宣泄故肺用之新校正云按全元起云
肺氣上逆是其氣有餘腎主冬以應水也足少陰太陽主治少陰腎脉太陽膀胱脉腎与膀
胱合故治同其日壬癸壬癸為水北方干也腎苦燥急食辛以潤之開腠理
致津液通氣也辛性津潤也然腠理開津液達則肺氣下流腎与肺通故云通氣也病在肝愈
於夏子制其鬼也餘愈同夏不愈甚於秋子休鬼復王也餘甚同秋不死持於冬
鬼休而母養故氣執持於父母之鄉也餘持同起於春自得其位故復起餘起同禁當風以風氣通於肝
故禁而勿犯肝病者愈在丙丁丙丁應夏丙丁不愈加於庚辛庚辛應秋庚
辛不死持於壬癸壬癸應冬起於甲乙應春木也肝病者平旦慧下晡
甚夜半靜木王之時故爽慧也金王之時故加甚也水王之時故靜退也餘慧甚同其靜小異肝欲散
急食辛以散之以藏氣當散故以辛發散也陰陽應象大論曰辛甘發散為陽也平人氣象論同藏真散
於肝言其常發散也用辛補之酸寫之辛味散故補酸味收故寫○新校正云按全元起本云用酸補
之辛寫之自為一義病在心愈在長夏長夏不愈甚於冬冬不死持於
春起於夏如肝例也禁溫食熱衣熱則心躁故禁止之心病者愈在戊己戊己

（應長夏也）戊己不愈，加於壬癸，（壬癸應冬）壬癸不死，持於甲乙，（甲乙應春）起於丙丁。（應夏火也）心病者，日中慧，夜半甚，平旦靜。（亦休王之義也）心欲耎，急食鹹以耎之，（以藏氣好耎，故以鹹柔耎也。平人氣象論曰：藏真通於心，言其常欲柔耎也）用鹹補之，甘寫之。（鹹補取其柔耎，甘寫取其舒緩）病在脾，愈在秋，秋不愈，甚於春，春不死，持於夏，起於長夏，禁溫食飽食濕地濡衣。（溫濕及飽並傷脾氣，故禁止之）脾病者，愈在庚辛，（應秋氣也）庚辛不愈，加於甲乙，（應春氣也）甲乙不死，持於丙丁，（應夏氣也）起於戊己。（應長夏也）脾病者，日昳慧，日出甚，（新校正云：按甲乙經日出作平旦，雖日出与平旦時等，按前文言木王之時，皆云平旦而不云日出，蓋日出於冬夏之期有早晚，不若平旦之為得也）下晡靜。（土王則爽慧，木剋則增甚，金扶則靜退，亦休王之義也。一本或云日中持者謬也。凡是五藏之病，皆以勝相加，至其所生而愈，至其所不勝而甚，至於所生而持，自得其位而起，由是故皆有間甚之時，死生之期也）脾欲緩，急食甘以緩之，（甘性和緩，順其靜也）用苦寫之，甘補之。（苦寫取其堅燥，甘補取其安緩）病在肺，愈在冬，冬不愈，甚於夏，夏不死，持於長夏，起於秋，（例如肝也）禁寒飲食寒衣。（肺惡寒氣，故衣食禁之。靈樞經曰：形寒寒飲則傷肺）

脉

飲尚傷肺其食甚焉肺不獨惡寒亦畏熱也 肺病者愈在壬癸 應冬水也 壬癸不愈加
於丙丁 應夏火也 丙丁不死持於戊己 長夏土也 起於庚辛 應秋金也 肺病
者下晡慧日中甚夜半靜 金王則慧水王則靜火王則甚 肺欲收急食酸以
收之 以酸性收斂故也 用酸補之辛寫之 酸收斂故補辛發散故寫 病在腎愈在
春春不愈甚於長夏長夏不死持於秋起於冬 例如肝也 禁犯焠
㶼熱食溫炙衣 腎性惡燥故此禁之○新校正云按別本㶼作焠青對反㶼烏來反煩熱也 腎病
者愈在甲乙 應春木也 甲乙不愈甚於戊己 長夏土也 戊己不死持於
庚辛 應秋金也 起於壬癸 應冬水也 腎病者夜半慧四季甚下晡靜 水王
則慧土王則甚金王則靜 腎欲堅急食苦以堅之 以苦性堅燥也 用苦補之鹹寫
之 苦補取其堅也鹹寫取其耎也耎虛土制也故用寫之 夫邪氣之客於身也以勝相
加 邪者不正之目風寒暑濕飢飽勞逸皆是邪也非唯鬼毒疫癘也 至其所生而愈 謂至己所生也
至其所不勝而甚 謂至剋己之氣也 至於所生而持 謂至生己之氣也 自得
其位而起 居所王處謂自得其位也 必先定五藏之脉乃可言間甚之時

死生之期也五藏之脉者謂肝弦心鈎肺浮腎營脾代知是則何言死生間甚矣三部九候論曰必先知經
脉然後知病脉此之謂也肝病者兩脇下痛引少腹令人善怒肝厥陰脉自足而上
環陰器抵少腹又上貫肝鬲布脇肋故兩脇下痛引少腹也其氣實則善怒靈樞經曰肝氣實則怒虛則目䀮
䀮無所見耳無所聞善恐如人將捕之肝厥陰脉自脇肋循喉嚨入頏顙連目系
膽少陽脉其支者從耳後入耳中出走耳前至目銳眥後故病如是也恐謂恐懼魂不安也取其經厥陰
與少陽經謂經脉也非其絡病故取其經也取厥陰以治肝氣取少陽以調氣逆也故下文曰氣逆則
頭痛耳聾不聰頰腫肝厥陰脉自目系上出額與督脉會於巔故頭痛膽少陽脉支別者從耳中出
走耳前又支別者加頰車入厥陰之脉支別者從目系下頰裏故耳聾不聰頰腫也是以上文兼取少陽也取血
者脇中血滿獨異於常乃氣逆之診隨其左右有則刺之心病者胷中痛脇支滿脇下
痛膺背肩甲間痛兩臂內痛心少陰脉支別者循胷出脇又手心主厥陰之脉起於胷中其
支別者亦循胷出脇下腋三寸上抵腋下下循臑內行太陰少陰之間入肘中下循臂行兩筋之間又心少陰之脉直行
者復從心系却上肺上出腋下下循臑內後廉行太陰心主之後下肘內循臂內後廉抵掌後兌骨之端又小腸太陽之
脉自臂臑上繞肩甲交肩上故病如是〔臑〕人朱切虛則胷腹大脇下與腰相引而痛

手心主厥陰之脉從胷中出屬心包下鬲歴絡三焦其支別者循胷出脇心少陰之脉自心系下鬲絡小腸故病如是也取其經少陰太陽舌下血者少陰之脉從心系上俠咽喉故取舌本下及經脉血也其變病刺郄中血者其或嘔變則刺少陰之郄血滿者也手少陰之郄在掌後脉中去腕半寸當小指之後脾病者身重善肌肉痿足不收行善瘈脚下痛脾象土而主肉故身重肉痿也痿謂痿無力也脾太陰之脉起於足大指之端循指內側上內踝前廉上踹內腎少陰之脉起於足小指之下斜趨足心上踹內出膕內廉故病則足不收行善瘈脚下痛也故下取少陰○新校正云按甲乙經作善肌肌肉萎千金方云善飢足痿不收氣交變大論云肌肉萎足痿不收行善瘈痿於危反濕病也足不能行也瘈音係小悅病又尺制反虛則腹滿腸鳴飧泄食不化脾太陰之脉從股內前廉入腹屬脾絡胃故病如是靈樞經冂中氣不足則腹為之善滿腸為之善鳴也取其經太陰陽明少陰血者少陰腎脉也以前病行善瘈脚下痛故取之而出血血痛者出之肺病者喘欬逆氣肩背痛新校正云按千金方作肩息背痛汗出尻陰股膝新校正云按甲乙經脉經作膝攣髀腨胻足皆痛肺藏氣而主喘息在變動為欬故病則喘欬逆氣也背為胷中之府肩接近之故肩背痛也肺養皮毛邪盛則心液外泄故汗出也腎少陰之脉從足下上循腨內出膕內廉上股內後廉貫脊屬腎絡膀胱今肺病則腎脉受邪故尻陰股膝髀腨胻

[illegible]皆痛故下取少陰也尻苦刀反腨時轉反跟也胻胡郎反脛也虛則少氣不能報息耳聾
嗌乾氣虛少故不足以報入息也肺太陰之絡會於耳中故聾腎少陰之脈從腎上貫肝鬲入肺中循喉嚨俠舌
本今肺虛則腎氣不足以上潤於嗌故嗌乾也是以下文兼取少陰也取其經太陰足太陽之
外厥陰內血者足太陽之外厥陰內者正謂腨內側內踝後之直上則少陰脈也視左右足脈少陰部分
有血滿異於常者即而取之腎病者腹大脛腫新校正云按甲乙經云脛腫痛喘欬身重
寢汗出憎風腎少陰脈起於足而上循腨復從橫骨中俠齊循腹裏上行而入肺故腹大脛腫而喘欬也腎
病則骨不能用故身重也腎邪攻肺心氣內微心液為汗故寢汗出也脛既腫矣汗復津泄陰凝玄府陽爍上焦內熱外
寒故憎風也憎風謂深惡之也虛則胸中痛大腹小腹痛清厥意不樂腎少陰脈
從肺出絡心注胸中然腎氣既虛心无所制心氣熏肺故痛聚胸中也足太陽脈從項下行而至足腎虛則太陽之氣不
能盛行於足故足冷而氣逆也清謂氣清冷厥謂氣逆也以清冷氣逆故大腹小腹痛志不足則神躁擾故不樂也○新
校正云按甲乙經大腹小腹作大腸小腸取其經少陰太陽血者凡刺之道虛則補之實則寫之
不盛不虛以經取之是謂得道經絡有血刺而去之是謂守法猶當揣形定氣先去血脈而後乃平有餘不足焉三部九
候論曰必先度其形之肥瘦以調其氣之虛實實則寫之虛則補之必先去其血脈而後調之此之謂也肝色青

宜食甘粳米牛肉棗葵皆甘肝性喜急故食甘物而取其寬緩也○新校正云詳肝色青至篇末全元起本在第六卷王氏移於此心色赤宜食酸小豆新校正云按甲乙經太素小豆作麻犬肉李韭皆酸心性喜緩故食酸物而取其收斂也肺色白宜食苦麥羊肉杏薤皆苦肺喜氣逆故食苦物而取其宣泄也脾色黄宜食鹹大豆豕肉栗藿皆鹹究斯宜食乃調利關機之義也腎為胃關脾與胃合故假鹹柔耎以利其關關利而胃氣乃行胃行而脾氣方化故應脾宜味與衆不同也○新校正云按上文曰肝苦急急食甘以緩之心苦緩急食酸以收之脾苦濕急食苦以燥之肺苦氣上逆急食苦以泄之腎苦燥急食辛以潤之此肝心肺腎食宜皆與前文合獨脾食鹹不用苦故王氏特註其義腎色黑宜食辛黄黍雞肉桃葱皆辛腎性喜燥故食辛物而取其津潤也辛散發酸收甘緩苦堅鹹耎皆自然之氣也然辛味苦味匪唯堅散而已辛亦能潤能散苦亦能燥能泄故上文曰脾苦濕急食苦以燥之肺苦氣上逆急食苦以泄之則其謂苦之燥泄也又曰腎苦燥急食辛以潤之則其謂辛之濡潤也○耎音軟毒藥攻邪藥謂金玉土石草木菜果虫魚鳥獸之類皆可以祛邪養正者也然辟邪安正惟毒乃能以其能然故通謂之毒藥也○新校正云按本草云下藥為佐使主治病以應地多毒不可久服欲除寒熱邪氣破積聚愈疾者本下經故云毒藥攻邪五穀為養謂粳米小豆麥大豆黄黍也五果為助謂桃

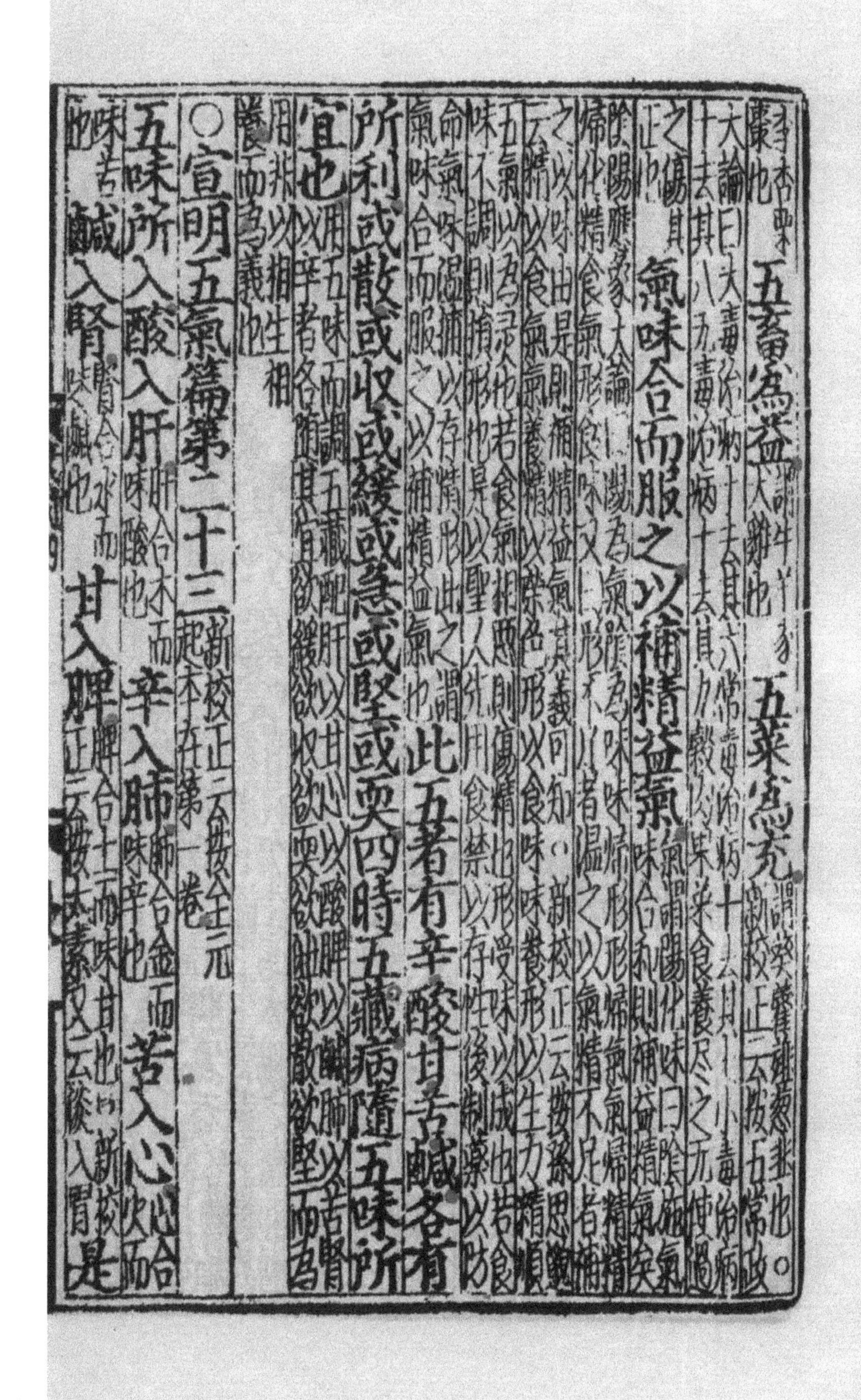

李杏栗棗也五畜為益謂牛羊豕犬雞也五菜為充謂葵藿薤葱韭也○新校正云按五常政大論曰大毒治病十去其六常毒治病十去其七小毒治病十去其八無毒治病十去其九穀肉果菜食養盡之無使過之傷其正也氣味合而服之以補精益氣氣謂陽化味曰陰施氣味合和則補益精氣矣陰陽應象大論曰陽為氣陰為味味歸形形歸氣氣歸精精歸化精食氣形食味又曰形不足者溫之以氣精不足者補之以味由是則補精益氣其義可知○新校正云按孫思邈云精以食氣氣養精以榮色形以食味味養形以生力精順五氣以為靈也若食氣相惡則傷精也形受味以成也若食味不調則損形也是以聖人先用食禁以存性後制藥以防命氣味溫補以存精形此之謂氣味合而服之以補精益氣也此五者有辛酸甘苦鹹各有所利或散或收或緩或急或堅或耎四時五藏病隨五味所宜也用五味而調五藏配肝以甘心以酸脾以鹹肺以苦腎以辛者各隨其宜欲緩欲收欲耎欲泄欲散欲堅而為用非以相生相養而為義也

○宣明五氣篇第二十三新校正云按全元起本在第一卷

五味所入酸入肝肝合木而味酸也辛入肺肺合金而味辛也苦入心心合火而味苦也鹹入腎腎合水而味鹹也甘入脾脾合土而味甘也○新校正云按太素又云淡入胃是

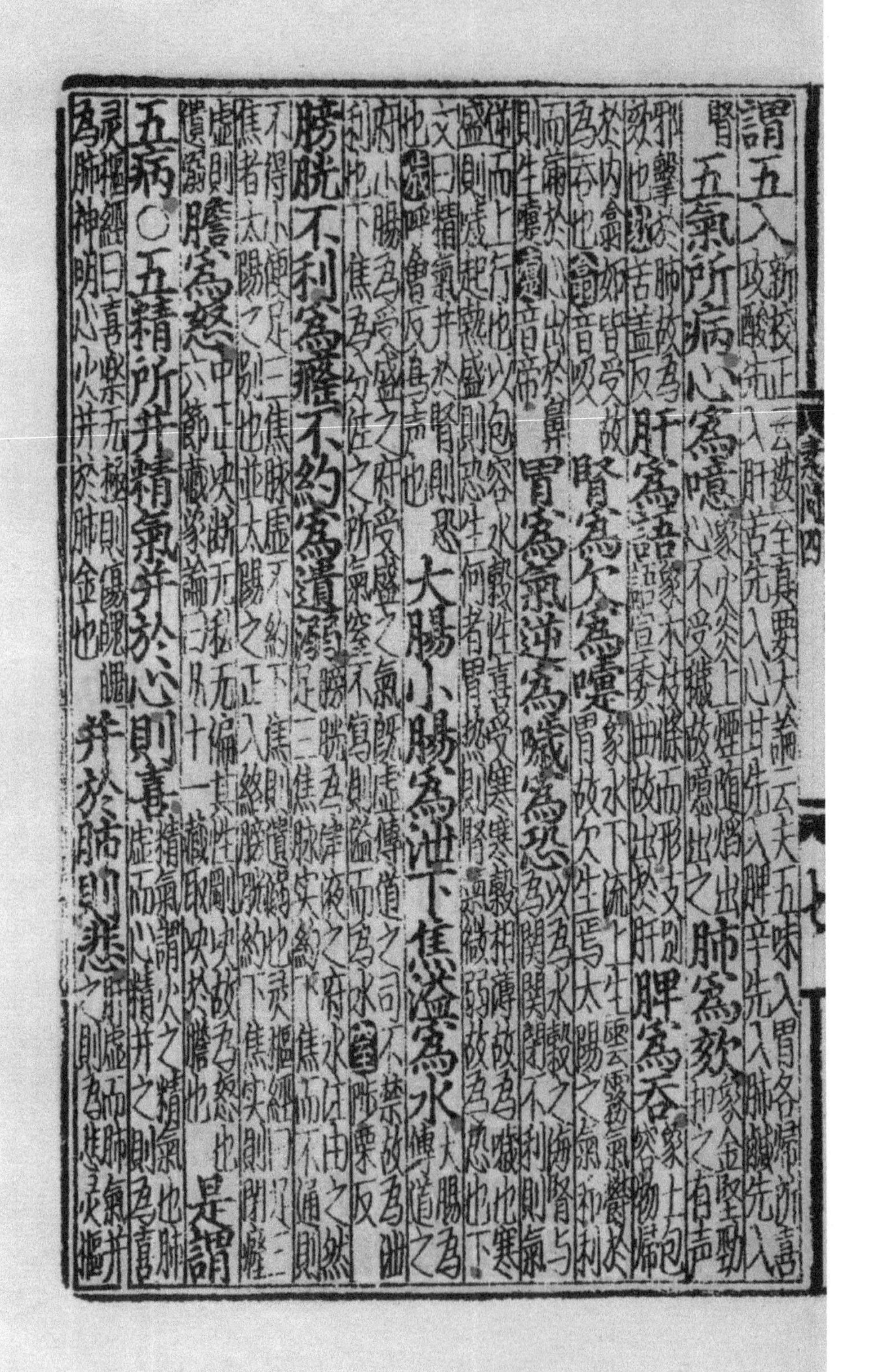

謂五入新校正云按至真要大論云夫五味入胃各歸所喜攻酸先入肝苦先入心甘先入脾辛先入肺鹹先入腎

五氣所病心為噫象火炎上煙隨焰出心不受穢故噫出之肺為欬象金堅勁扣之有声邪擊於肺故為欬也欬苦蓋反肝為語象木枝條而形支別語宣委曲故出於肝脾為吞象土包容物歸於內翕如皆受故為吞也翕音吸腎為欠為嚏象水下流上生雲霧氣鬱於胃故欠生焉太陽之氣和利而滿於心出於鼻則生嚏嚏音帝胃為氣逆為噦為恐以胃為水穀之海腎與為關關閉不利則氣逆而上行也以包容水穀性喜受寒寒穀相薄故為噦也寒盛則噦起熱盛則恐生何者胃熱則腎氣微弱故為恐也下文曰精氣并於腎則恐也噦呼會反鳥声也大腸小腸為泄下焦溢為水大腸為傳道之府小腸為受盛之府受盛之氣既虛傳道之司不禁故為泄利也下焦為分注之所氣窒不寫則溢而為水窒陟栗反膀胱不利為癃不約為遺溺溺奴弔反膀胱為津液之府水注由之然足三焦脈實約下焦而不通則不得小便足三焦脈虛不約下焦則遺溺也靈樞經曰足三焦者太陽之別也并太陽之正入絡膀胱約下焦實則閉癃虛則遺溺膽為怒中正決斷无私无偏其性剛決故為怒也六節藏象論曰凡十一藏取決於膽也是謂

五病○五精所并精氣并於心則喜精氣謂火之精氣也肺虛而心精并之則為喜靈樞經曰喜樂无極則傷魄魄為肺神明心火并於肺金也并於肺則悲之肝虛而肺氣并則為悲靈樞

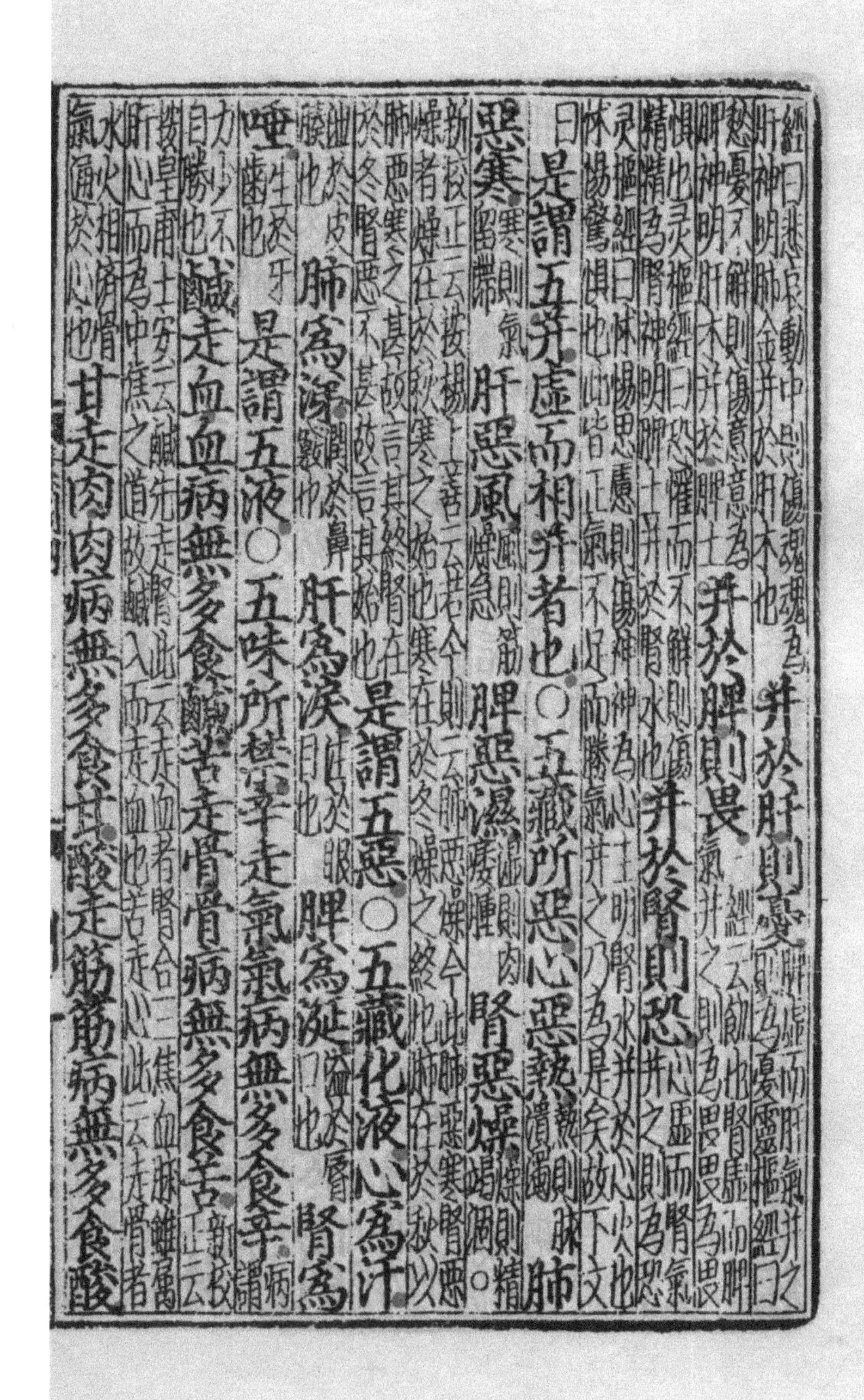
經曰悲哀動中則傷魂魂為肝神明肺金并於肝木也并於肝則憂肝虛而肺氣并之則為憂靈樞經曰愁憂不解則傷意意為脾神明肝木并於脾土并於脾則畏一經一云飢也腎虛而脾氣并之則為畏畏為畏懼也靈樞經曰恐懼而不解則傷精精為腎神明脾土并於腎水也并於腎則恐心虛而腎氣并之則為恐靈樞經曰怵惕思慮則傷神神為心主明腎水并於心火也怵惕驚懼也此皆正氣不足而勝氣并之乃為是矣故下文曰是謂五并虛而相并者也○五藏所惡心惡熱熱則脈潰濁肺惡寒寒則氣留滯肝惡風風則筋燥急脾惡濕濕則肉痿腫腎惡燥燥則精竭涸○新校正云按楊上善云若今則云肺惡燥今此肺惡寒腎惡燥者燥在於秋寒之始也寒在於冬燥之終也肺在於秋以肺惡寒之甚故言其終腎在於冬腎惡不甚故言其始也是謂五惡○五藏化液心為汗泄於皮腠也肺為涕潤於鼻竅也肝為淚注於眼目也脾為涎溢於脣口也腎為唾生於牙齒也是謂五液○五味所禁辛走氣氣病無多食辛病謂力少不自勝也鹹走血血病無多食鹹苦走骨骨病無多食苦新校正云按皇甫士安云鹹先走腎此云走血者腎合三焦血脈雖屬肝心而為中焦之道故鹹入而走血也苦走心此云走骨者水火相濟骨氣通於心也甘走肉肉病無多食甘酸走筋筋病無多食酸

是皆五行其氣速故不欲多食多食則病甚故病者无多食也是謂五禁無令多食新校正云按太
素五禁云肝病禁辛心病禁鹹脾病禁酸肺病禁苦腎病禁甘名此為五裁楊上善云口嗜而欲食之不可多也必自裁
之命曰五裁○五病所發陰病發於骨陽病發於血陰病發於肉
骨肉陰靜故陽氣從之血脈陽動故陰氣乘之陽病發於冬陰病發於夏夏陽氣盛故陰病發於夏冬陰氣盛故陽病發於冬各隨其少也
是謂五發○五邪所亂邪入於陽則
狂邪入於陰則痺邪居於陽脈之中則四支熱盛故為狂邪入於陰脈之內則六經凝泣而不通故為
痺[illegible]音嗌搏陽則為巔疾邪內搏於陽則脈流薄疾故為上巔之疾搏陰則為瘖邪內搏於
陰則脈不流故令瘖不能言○新校正云按難經云重陽者狂重陰者癲巢元方云邪入於陰則為癲脈經云陰附陽則
狂陽附陰則癲孫思邈云邪入於陽則為狂邪入於陰則為血痺邪入於陽傳則為癲痙邪入於陰傳則為痛瘖全元起
云邪已入陰復傳於陽邪氣盛府藏受邪使其氣不朝榮氣不復周身邪與正氣相擊發動為癲疾邪已入陽陽今復傳
於陰藏府受邪故不能言是勝正也論家之論不同今具載之陽入之陰則靜陰出之陽則
怒隨所之而為疾也之往也○新校正云按全元起云陽入陰則為靜出則為恐千金方云陽入於陰病靜陰出於陽
病怒是謂五亂○五邪所見春得秋脈夏得冬脈長夏得春脈

秋得夏脈，冬得長夏脈，名曰陰出之陽，病善怒不治，是謂五邪，皆同命，死不治。新校正云：按陰出之陽病善怒已見前條，此再言之，文義不倫，必古文錯簡也。○五藏所藏：心藏神，精氣之化成也。靈樞經曰：兩精相薄謂之神。肺藏魄，精氣之匡佐也。靈樞經曰：並精而出入者謂之魄。肝藏魂，神氣之輔弼也。靈樞經曰：隨神而往來者謂之魂。脾藏意，記而不忘者也。靈樞經曰：心有所憶謂之意。腎藏志，專意而不移者也。靈樞經曰：意之所存謂之志。腎受五藏六府之精，元氣之本，生成之根，為胃之關，是以志能則命通。新校正云：按楊上善云：腎有二枚，左為腎藏志，右為命門藏精也。是謂五藏所藏。○五藏所主：心主脈，壅遏營氣，應息而動也。肺主皮，包裹筋肉，閉拒諸邪也。肝主筋，束絡機關，隨神而運也。脾主肉，覆藏筋骨，通行衛氣也。腎主骨，張筋化髓，幹以立身也。是謂五主。○五勞所傷：久視傷血，勞於心也。久臥傷氣，勞於肺也。久坐傷肉，勞於脾也。久立傷骨，勞於腎也。久行傷筋，勞於肝也。是謂五勞所傷。○五脈應象：肝脈弦，耎虛而滑，端直以長也。心脈鉤，如鉤之偃，來盛去衰也。脾脈代，耎而弱也。肺脈毛，輕浮而虛，如毛羽也。腎脈石，沉堅而搏，如石之投也。是謂五藏之脈。

◎血氣形志篇第二十四〔新校正云按全元起本此篇并在前篇王氏分出爲別篇〕

夫人之常數太陽常多血少氣少陽常少血多氣陽明常多氣多血少陰常少血多氣厥陰常多血少氣太陰常多氣少血此天之常數〔血氣多少此天之常數故用鍼之道常寫其多也○新校正云按甲乙經十二經水篇云陽明多血多氣刺深四分留十呼太陽多血多氣刺深五分留七呼少陽少血多氣刺深四分留五呼太陰多血少氣刺深三分留四呼少陰少血多氣刺深二分留三呼厥陰多血少氣刺深一分留二呼太陽太陰血氣多少与素問不同又陰陽二十五人形性血氣不同篇与素問同蓋皇甫用疑而兩存之也〕足太陽與少陰爲表裏少陽與厥陰爲表裏陽明與太陰爲表裏是爲足陰陽也手太陽與少陰爲表裏少陽與心主爲表裏陽明與太陰爲表裏是爲手之陰陽也今知手足陰陽所苦凡治病必先去其血乃去其所苦伺之所欲然後寫有餘補不足〔先去其血謂見血脉盛滿獨異於常者乃去之不謂常刺則先去其血也〕欲知背俞先度其兩乳間中折之更以他草度去半已即以兩隅相拄也乃舉以度其背令其一隅

居上齊脊大椎兩隅在下當其下隅者肺之俞也度謂度量也言以草量其乳間四分去一使斜与橫等折為三隅以上隅齊脊大椎則兩隅下當肺俞也〇知俞反復下一度心之俞也謂以上隅齊脊三椎也復下一度左角肝之俞也右角脾之俞也復下一度腎之俞也是謂五藏之俞灸刺之度也靈樞經及中誥咸云肺俞在三椎之傍心俞在五椎之傍肝俞在九椎之傍脾俞在十一椎之傍腎俞在十四椎之傍尋此經草量之法則合度之人其初度兩隅之下約當肺俞再度兩隅之下約當心俞三度兩隅之下約當七椎七椎之傍乃膈俞之位此經云左角肝之俞右角脾之俞殊與中誥等經不同又四度則兩隅之下約當九椎九椎之傍乃肝俞也經云腎俞未究其源

形樂志苦病生於脈治之以灸刺形謂身形志謂心志細而言之則七神殊守通而論之則約形志以為中外爾然形樂謂不甚勞役志苦謂結慮深思不甚勞役則筋骨平調結慮深思則榮衛乘否氣血不順故病生於脈焉夫盛瀉虛補是灸刺之道猶當去其血絡而後調之故上文曰凡治病必先去其血乃去其所苦伺之所欲然後寫有餘補不足則其義也

形樂志樂病生於肉治之以鍼石志樂謂悅懌忘憂也然筋骨不勞心神悅懌則肉理相比氣道滿填衛氣滯結故病生於肉也夫衛氣留滿以鍼寫之結聚膿血石而破之石謂石鍼則砭石也今亦以鈹針代之鈹音鈹

形苦志樂病生於筋治之以熨

引形苦謂修業就役也然修業以為就役而作一過其用則致勞傷勞用以傷故病生於筋熨謂藥熨引謂導引形苦志苦病生於咽嗌治之以百藥修業就役結慮深思憂則肝氣并於脾肝與膽合嗌為之使故病生於嗌也宣明五氣篇曰精氣并於肝則憂奇病論曰肝者中之將也取決於膽咽為之使也○新校正云按甲乙經咽嗌作困竭百藥作甘藥形數驚恐經絡不通病生於不仁治之以按摩醪藥驚則脈氣并恐則神不收脈并神遊故經絡不通而為不仁之病矣夫按摩者所以開通閉塞導引陰陽醪藥者所以養正祛邪調中理氣故方之為用宜以此焉醪藥謂酒藥也不仁謂不應其用則瘰痺矣是謂五形志也刺陽明出血氣刺太陽出血惡氣刺少陽出氣惡血刺太陰出氣惡血刺少陰出氣惡血刺厥陰出血惡氣也明前三陽三陰血氣多少之刺約也○新校正云按太素云刺陽明出血氣刺太陰出血氣楊上善註云陽明太陰雖為表裏其血氣俱盛故並寫血氣如是則太陰與陽明等俱為多血多氣前文太陰一云多血少氣一云多氣少血莫可的知詳太素血氣並寫之旨則二說俱未為得自與陽明同行又此刺陽明一節宜續前寫有餘補不足下不當隔在草變法五形志後

寶命全形論篇第二十五新校正云按全元起本在第六卷名刺禁

黃帝問曰天覆地載萬物悉備莫貴於人人以天地之氣生四時之法成天以德流地以氣化德氣相合而乃生焉易曰天地絪緼萬物化醇此之謂也則假以溫涼寒暑生長收藏四時運行而方成立君王眾庶盡欲全形貴賤雖殊然其寶命一矣故好生惡死者貴賤之常情也形之疾病莫知其情留淫日深著於骨髓心私慮之新校正云按太素慮作患余欲鍼除其疾病為之奈何虛邪之中人微先見于色不知于身有形无形故莫知其情狀也留而不去淫衍日深邪氣襲虛故著於骨髓帝矜不度故請行其鍼○新校正云按別本不度作不庶岐伯對曰夫鹽之味鹹者其氣令器津泄鹹謂鹽之味苦浸淫而潤物者也夫鹹為苦而生鹹從水而有水也潤下而苦泄故能令器中水津液潤滲泄焉凡虛中而受物者皆謂之器其於體外則謂陰囊其於身中所同則謂膀胱矣然以病配於五藏則心氣伏於腎中而不去乃為是矣何者腎象水而味鹹心合火而味苦二流汗液鹹走胞囊火為水持故陰囊之外津潤如汗而滲泄不止也凡鹹之為氣天陰則潤在土則浮在人則囊濕而皮膚剝起絃絕者其音嘶敗陰囊津泄而脈絃絕者診當言音嘶嗄敗易舊声尒何者肝氣傷也肝氣傷則金本缺金本缺則肺氣不全肺主音声故言音嘶嗄音所嫁反木敷者其葉發敷布也言木氣散布外榮於所部者其病當發於肺葉之中也何者以木氣發散故也平人氣象論曰藏真散於肝肝又合木

也。病深者其聲噦，噦謂声濁惡也。肺藏惡血，故如是。人有此三者，是謂壞府。府謂胷也，以肺處胷中故也。壞謂損壞其府而取病也。抱朴子云：仲景開胷以納赤餅，由此則胷可啓之而取病矣。三者謂脈弦絕、肺葉發、声濁噦也。毒藥無治，短鍼無取，此皆絕皮傷肉，血氣爭黑。病內潰於肺中，故毒藥无治；外不在於經絡，故短鍼无取。是以絕皮傷肉，乃可攻之。以惡血久与肺氣交爭，故當血見而色黑也。○新校正云：詳歧伯之對与黃帝所問不相當。別按太素云：夫鹽之味鹹者，其氣令器津泄；弦絕者，其音嘶敗；木陳者，其葉落；病深者，其声噦。人有此三者，是謂壞府，毒藥无治，短鍼无取，此皆絕皮傷肉，血氣爭異。三字与此經不同，而注意大異。楊上善注云：言欲知病微者，須知其候。盐之在於器中，津液泄於外，見津而知盐之有鹹也；声嘶知琴瑟之絃將絕；葉落者知陳木之已尽。舉此三物衰壞之微，以比声噦識病深之候。人有声噦同三譬者，是為府壞之候。中府壞者，病之深也。其病既深，故針藥不能取，以其皮肉血氣各不相得故也。再詳上善作此等注義，方与黃帝上下問答義相貫穿。王氏解盐鹹器津，義雖淵微，至於註絃絕音嘶、木敷葉發，殊不与帝問相協，考之不若楊義之得多也。帝曰：余念其痛，心為之亂惑，反甚其病，不可更代，百姓聞之，以為殘賊，為之奈何？殘謂殘害，賊謂損劫。言恐涉於不仁，致慊於黎庶也。歧伯曰：夫人生於地，懸命於天，天地合氣，命之曰人。形假物成，故生於地；命惟天賦，故懸於天。德氣同歸

故謂之人也靈樞經曰天之在我者德也地之在我者氣德流氣薄而生者也然德者道之用氣者生之母也人能
應四時者天地為之父母人能應四時和氣而養生者天地恒畜養之故為父母四氣調神大
論曰夫四時陰陽者萬物之根本也所以聖人春夏養陽秋冬養陰以從其根故與萬物沉浮於生長之門也知萬
物者謂之天子知萬物之根本者天地常育養之故謂曰天之子天有陰陽人有十
二節節謂節氣外所以應十二月內所以主十二經脈也天有寒暑人有虛實寒暑有盛衰之
紀虛實表多少之殊故人以虛實應天寒暑也能經天地陰陽之化者不失四時知
十二節之理者聖智不能欺也經常也言能常應順天地陰陽之道而修養者則合四時
生長之宜能知十二節氣之所遷至者雖聖智亦不欺侮而奉行之也能存八動之變五勝更
立能達虛實之數者獨出獨入呿吟至微秋毫在目存謂心存達謂
明達呿謂欠呿吟謂吟嘆秋毫在目言細必察也八動謂八節之風變動五勝謂五行之氣相勝立謂當其王時變謂氣
至而變易知是三者則應效明著速猶影響此自神之獨出獨入亦非鬼靈能召遣也○新校正云按楊上善云呿祛遮
反謂露齒出氣帝曰人生有形不離陰陽天地合氣別為九野分為
四時月有小大日有短長萬物並至不可勝量虛實呿吟敢

問其方請說用鍼之意岐伯曰木得金而伐火得水而滅土得木而達金得火而缺水得土而絕萬物盡然不可勝竭達通也言物類雖不可竭盡而數要之皆如五行之氣而有勝負之性分爾故鍼有懸布天下者五黔首共餘食莫知之也言鍼之道有若高懸示人彰布於天下者五矣而百姓共知餘食咸棄蔑之不務於本而崇乎末莫知真要深在其中所謂五者次如下句○新校正云按全元起本餘食作飽食注云人愚不解陰陽不知鍼之妙飽食終日莫能知其妙益又太素作飲食楊上善注云黔首共服用此道然不能得其意黔音鈐一曰治神專精其心不妄動亂也所以云手如握虎神无營於衆物蓋欲調治精神專其心也○新校正云按楊上善云存生之道知此五者以為攝養可得長生也魂神意魄志以為神主故皆名神欲為鍼者先須治神故人无悲哀動中則魂不傷肝得无病秋无難也无怵惕思慮則神不傷心得无病冬无難也无愁憂不解則意不傷脾得无病春无難也无喜樂不極則魄不傷肺得无病夏无難也无盛怒者則志不傷腎得无病季夏无難也是以五過不起於心則神清性明五神各安其藏則壽延遐筭也二曰知養身知養己身之法亦如養人之道矣陰陽應象大論曰用鍼者以我知彼用之不殆此之謂也○新校正云按太素身作形楊上善云飲食男女節之以限風寒暑濕攝之以時有異單豹外凋之害即內養形也實慈恕以愛人和塵勞而不迹有殊張毅高門之傷即外養形也內外之養周備則不求生而久生无期壽

而長壽此則針布養形之極也玄元皇帝曰太上養神其次養形詳王氏之註專治神養身於用針之際其說甚狹不若上善之說為優若必以此五者并為用針之際則下文知毒藥為真王氏亦不專用針為解也三曰知毒藥為真毒藥攻邪順宜而用正真之道其在茲乎四曰制砭石小大古者以砭石為針故不舉九針但言砭石爾當制其大小者隨病所宜而用之○新校正云按全元起云砭石者是古外治之法有三名一針二石三砭三鑱石其實一也古來未能鑄鐵故用石為針故名之針石言工必砥礪鋒利制其小大之形與病相當黃帝造九針以代鑱石上古之治者各隨方所宜東方之人多癰腫聚結故砭石生於東方五曰知府藏血氣之診諸陽為府諸陰為藏故血氣形志篇曰太陽多血少氣少陽少血多氣陽明多氣多血少陰少血多氣厥陰多血少氣太陰多氣少血是以刺陽明出血氣刺太陽出血惡氣刺少陽出氣惡血刺太陰出氣惡血刺少陰出氣惡血刺厥陰出血惡氣也精知多少則補寫万全五法俱立各有所先事宜則應者先用今末世之刺也虛者實之滿者泄之此皆眾工所共知也若夫法天則地隨應而動和之者若響隨之者若影道無鬼神獨來獨往隨應而動言其效也若影若響言其近也夫如影之隨形響之應聲豈復有鬼神之召遣耶蓋由隨應而動之自得爾帝曰願聞其道岐伯曰凡刺之真必先治神專其精神寂無動亂刺之真要

其在斯焉。五藏已定，九候已備，後乃存鍼。先定五藏之脈，備循九候之診，而有太過不及者，然後乃存意於用鍼之法。眾脈不見，眾凶弗聞，外內相得，無以形先，眾脈，謂七診之脈。眾凶，謂五藏相乘。外內相得，言形氣相得也。無以形先，言不以已形之衰盛寒溫，料病人之形氣使同於已也。故下文曰。可玩往來，乃施於人。玩，謂玩弄，言精熟也。標本病傳論曰：謹熟陰陽，無與眾謀。此其類也。○新校正云：按此文出陰陽別論，此云標本病傳論者，誤也。人有虛實，五虛勿近，五實勿遠，至其當發，間不容瞚。人之虛實，非其遠近而有之，蓋由血氣一時之盈縮爾。然其未發，則如雲垂而視之可久；至其發也，則如電滅而指所不及。遲速之殊，有如此矣。○新校正云：按甲乙經瞚作眴，全元起本及太素作眴。瞚音舜。手動若務，鍼耀而勻，手動用鍼，心如專務於一事也。鍼經曰：一其形，聽其動靜，而知邪正。此之謂也。鍼耀而勻，謂鍼形光淨，上下勻平也。靜意視義，觀適之變，是謂冥冥，莫知其形，冥冥，言血氣變化之不可見也。故靜意視息，以義斟酌，觀所調適經脈之變易爾。雖且鍼下用意精微而測量之，猶不知變易形容誰為其象也。○新校正云：按八正神明論云：觀其冥冥者，言形氣榮衛之不形於外，而工獨知之，以日之寒溫，月之虛盛，四時氣之浮沉，參伍相合而調之，工常先見之，然而不形於外，故曰觀於冥冥焉。見其烏烏，見其稷稷，從見其飛，不知其誰，烏烏，嘆其氣至；稷稷，嗟其已應。言所鍼得矣如從空中見飛鳥之往來豈復知其所使之元主耶是但見經脈盈虛而為信亦不知其誰之所召遣爾伏如橫弩起如發機血氣之未應鍼則伏如橫弩之安靜其應鍼也則起如機發之迅疾帝曰何如而虛何如而實言血氣既伏如橫弩起如發機然其虛實豈留呼而可為準定耶虛實之形何如而約之岐伯曰刺虛者須其實刺實者須其虛言要以氣至有效而為約不必守息數而為定法也經氣已至慎守勿失无變法而失經氣也深淺在志遠近若一如臨深淵手如握虎神無營於眾物言精心專一也所鍼經脈雖深淺不同然其補寫皆如一鍼之專意故手如握虎神不外營焉。新校正云按鍼解論云刺實須其虛者留鍼陰氣隆至乃去鍼也刺虛須其實者陽氣隆至鍼下熱乃去鍼也經氣已至慎守勿失者勿變更也深淺在志者知病之內外也遠近如一者深淺其候等也如臨深淵者不敢墯也手如握虎者欲其壯也神無營於眾物者靜志觀病人无左右視也

○八正神明論篇第二十六新校正云按全元起本在第二卷又與太素知官能篇大意同文勢小異

黃帝問曰用鍼之服必有法則焉今何法何則服事也法象也則準也約也岐伯對曰法天則地合以天光謂合以日月星辰之行度帝曰願卒聞

之岐伯曰凡刺之法必候日月星辰四時八正之氣氣定乃
刺之候日月者謂候日之寒溫月之空滿也星辰者謂先知二十八宿之分應水漏刻者也略而言之常以日加之
於宿上則知人氣在太陽否日行一舍人氣在三陽與陰分矣細而言之從房至畢十四宿水下五十刻半日之度也從
昴至心亦十四宿水下五十刻終日之度也是故從房至畢者為陽從昴至心者為陰陽主晝陰主夜也凡日行一舍故
水下三刻與七分刻之四也靈樞經曰水下一刻人氣在太陽水下二刻人氣在少陽水下三刻人氣在陽明水下四刻
人氣在陰分水下不止氣行亦尔又曰日行一舍人氣行於身一周與十分身之八日行二舍人氣行於身三周與十分
身之六日行三舍人氣行於身五周與十分身之四日行四舍人氣行於身七周與十分身之二日行五舍人氣行於身
九周然日行二十八舍人氣亦行於身五十周與十分身之四由是故必候日月星辰也四時八正之氣者謂四時正氣
八節之風來朝於太一者也謹候其氣之所在而刺之氣定乃刺之者謂八節之風氣靜定乃可以刺經脈調虛實也故
曆忌云八節前後各五日不可刺灸凶是則謂氣未定故不可刺灸也○新校正云按八正風朝太一具天元玉冊中
是故天溫日明則人血淖液而衛氣浮故血易寫氣易行天
寒日陰則人血凝泣而衛氣沈泣謂如水中居雪也淖奴教反多也月始生則
血氣始精衛氣始行月郭滿則血氣實肌肉堅月郭空則肌

肉減經絡虛衛氣去形獨居是以因天時而調血氣也是以
天寒無刺血凝泣而衛氣沉也天溫無疑血淖液而氣易行也月生無寫月滿無
補月郭空無治是謂得時而調之謂得天時也因天之序盛虛之
時移光定位正立而待之候日遷移定氣所在南面正立待氣至而調之也故日月
生而寫是謂藏虛血氣弱也○新校正云按全元起本藏作減藏當作臧月滿而補血
氣揚溢絡有留血命曰重實絡不為經誤血氣盛也留一為流非也月郭空而
治是謂亂經陰陽相錯真邪不別沉以留止外虛內亂淫邪
乃起氣失紀故淫邪起帝曰星辰八正何候岐伯曰星辰者所以制
日月之行也制謂制度星辰則可知日月行之制度矣略而言之周天二十八宿宿三十六分人氣行一周天
凡一千八分周身十六丈二尺以應二十八宿合漏水百刻都行八百一十丈以分晝夜也故人十息氣行六尺日行二
分二百七十息氣行十六丈二尺一周於身水下二刻日行二十分五百四十息氣行再周於身水下四刻日行四十分
二千七百息氣行十周於身水下二十刻日行五宿二十分一萬三千五百息氣行五十周於身水下百刻日行二十八
宿也細而言之則常以一十周加之一分又十分分之六乃奇分盡矣是故星辰所以制日月之行度也○新校正云詳

周天一十八宿至日行二十八宿也本靈樞文今具甲乙經中八正者所以候八風之虛邪以時至者也八正謂八節之正氣也八風者東方嬰兒風南方大弱風西方剛風北方大剛風東北方凶風東南方弱風西南方謀風西北方折風也虛邪謂乘人之虛而為病者也以時至謂天應太一移居以八節之前後風朝中宮而至者也○新校正云詳太一移居風朝中宮義具天元玉冊四時者所以分春秋冬夏之氣所在以時調之也八正之虛邪而避之勿犯也四時之氣所在者謂春氣在經脈夏氣在孫絡秋氣在皮膚冬氣在骨髓也然觸冒虛邪動傷真氣避而勿犯乃不病焉靈樞經曰聖人避邪如避矢石蓋以其能傷真氣也以身之虛而逢天之虛兩虛相感其氣至骨入則傷五藏以虛感虛同氣而相應也工候救之弗能傷也候知而止故弗能傷之救止也故曰天忌不可不知也人忌於天故云天忌犯之則病故不可不知也帝曰善其法星辰者余聞之矣願聞法往古者岐伯曰法往古者先知鍼經也驗於來今者先知日之寒溫月之虛盛以候氣之浮沈而調之於身觀其立有驗也候氣不差故立有驗觀其冥冥者言形氣榮衛之不形於外而工獨知之明前篇靜意視義觀適之變是謂冥冥莫知其

形也。雖形氣榮衛不形見於外，而工以心神明悟獨得知其衰盛焉。善惡悉可明之。○新校正云：按前篇乃寶命全形論。以日之寒溫，月之虛盛，四時氣之浮沉，參伍相合而調之，工常先見之，然而不形於外，故曰觀於冥冥焉。工所以常先見者，何哉？以守法而神通明也。通於無窮者，可以傳於後世也，是故工之所以異也。法著故可傳後世，後世不繼則應用通於無窮矣。以獨見知，故工所以異於人也。然而不形見於外，故俱不能見也。工異於粗者，以粗俱不能見也。視之無形，嘗之無味，故謂冥冥，若神髣髴。言形氣榮衛不形於外，以不可見，故視無形，嘗無味。伏如橫弩，起如發機，窈窈冥冥，莫知元主。謂如神運髣髴焉。若彷彿也。髣音倣，髴音弗。虛邪者，八正之虛邪氣也。八正之虛邪，謂八節之虛邪也。以從虛之鄉來，襲虛而入為病，故謂之八正虛邪。正邪者，身形若用力汗出，腠理開，逢虛風，其中人也微，故莫知其情，莫見其形。正邪者，不從虛之鄉來也。以中人微，故莫知其情意，莫見其形狀。上工救其萌牙，必先見三部九候之氣盡調不敗而救之，故曰上工。下工救其已成，救其已敗。救其已成者，言不知三部九候之相失，因病而敗之也。義備離合真邪論中。

知其所在者，知診三部九候之病脈處而治之，故曰守其門戶焉，莫知其情而見邪形也。三部九候為候邪之門戶也，守門戶故見邪形，以中人微，故莫知其情狀也。帝曰：余聞補寫，未得其意。岐伯曰：寫必用方，方者，以氣方盛也，以月方滿也，以日方溫也，以身方定也，以息方吸而內鍼，乃復候其方吸而轉鍼，乃復候其方呼而徐引鍼，故曰寫必用方，其氣而行焉。方猶正也，寫邪氣出則真氣流行矣。補必用員，員者行也，行者移也。行謂宣不行之氣，令必宣行；移謂移未復之脈，俾其平復。刺必中其榮，復以吸排鍼也。針入至血謂之中榮。故員與方，非鍼也。所言方員者，非謂針形，正謂行移之義也。故養神者，必知形之肥瘦，榮衛血氣之盛衰。血氣者，人之神，不可不謹養。神安則壽延，神去則形弊，故不可不謹養也。帝曰：妙乎哉論也！合人形於陰陽四時，虛實之應，冥冥之期，其非夫子，孰能通之？然夫子數言形與神，何謂形？何謂神？願卒聞之。神謂神智通悟，形謂形骸形診可觀。岐伯曰：請言形，形乎形，目冥冥，問其所病，新校正云：按甲乙經作捫

其所痛義亦通索之於經慧然在前按之不得不知其情故曰形外隱
其无形故目冥冥而不見內藏其有象故以診而可索於經也慧然在前按之不得言三部九候之中卒然逢之不可爲
之期準也離合眞邪論曰在陰与陽不可爲度從而察之三部九候卒然逢之早遏其路此其義也帝曰何謂
神岐伯曰請言神神乎神耳不聞目明心開而志先慧然獨
悟口弗能言俱視獨見適若昏昭然獨明若風吹雲故曰神
耳不聞言神用之微密也目明心開而志先者言心之通如昏昧開卷目之見如氣翳闢明神雖內融志已先往矣慧然
謂清爽也悟猶了達也慧然独悟口弗能言者謂心中清爽而了達口不能宣吐以寫心也俱視独見適若昏者歎見之
異速也言与衆俱視我忽独見適猶若昏昧尔既独見了心眼昭然独能明察若雲隨風卷日麗天明至哉神乎妙用如
是不可得而言也三部九候爲之原九鍼之論不必存也以三部九候經脉爲
之本原則可通神悟之妙用若以九針之論僉議則其旨惟傳其知弥遠矣故曰三部九候爲之原九針之論不必存也

○離合眞邪論篇第二十七新校正云按全元起本在第一卷名經合第二卷重出名眞邪

黄帝問曰余聞九鍼九篇夫子乃因而九之九九八十一篇
余盡通其意矣經言氣之盛衰左右傾移以上調下以左調

右有餘不足補寫於榮輸余知之矣此皆榮衛之傾移虛實之所生非邪氣從外入於經也余願聞邪氣之在經也其病人何如取之奈何岐伯對曰夫聖人之起度數必應於天地故天有宿度地有經水人有經脈宿謂二十八宿度謂天之三百六十五度也經水者謂海水瀆水渭水湖水沔水汝水江水淮水漯水河水漳水濟水也以其內合經脈故名之經水焉經脈者謂手足三陰三陽之脈所以言者以內外參合人氣應通故言之也。新校正云按甲乙經云足陽明外合於海水內屬於胃足太陽外合於清水內屬膀胱足少陽外合於渭水內屬於膽足太陰外合於湖水內屬於脾足厥陰外合於沔水內屬於肝足少陰外合於汝水內屬於腎手陽明外合於江水內屬於大腸手太陽外合於淮水內屬於小腸手少陽外合於漯水內屬於三焦手太陰外合於河水內屬於肺手心主外合於漳水內屬於心包手少陰外合於濟水內屬於心天地溫和則經水安靜天寒地凍則經水凝泣天暑地熱則經水沸溢卒風暴起則經水波涌而隴起大經脈亦應之夫邪之入於脈也寒則血凝泣暑則氣淖澤虛邪因而入客亦如經水之得風也經之動脈其至也亦時隴起其行於脈中循循然循循然順動貌言循循經脈之動息因循呼吸之往來但形狀或異耳循循一為輴輴輴戚倫反其至寸口中手也時大時小大則邪至小則平其行無常處大謂大常平之形診小者非細小之謂也以其比大則謂之小若无大以比則自是平常之經氣耳然邪氣者因其陰氣則入陰經因其陽氣則入陽脈故其行无常處也在陰與陽不可為度以隨經脈之流運也從而察之三部九候卒然逢之早遏其路逢謂逢遇遏謂遏絕三部之中九候之位卒然逢遇當按而止之即而寫之徑路既絕則大邪之氣无能為也所謂寫者如下文云吸則內鍼無令氣忤靜以久留無令邪布吸則轉鍼以得氣為故候呼引鍼呼盡乃去大氣皆出故命曰寫按經之旨先補真氣乃寫其邪也何以言之下文補法呼盡內針靜以久留此段寫法吸則內針又靜以久留然呼盡則次其吸吸至則不兼呼內針之候既同久留之理復一則先補之義昭然可知經云寫曰迎之迎之意必持而內之放而出之排陽出鍼疾氣得出補曰隨之隨之意若忘之若行若悔如蚊虻止如留而還則補之必久留也所以先補者真氣不足針乃寫之則經脈不滿邪氣无所排遣故先補真氣令足後乃寫出其邪矣引謂引出去謂離穴候呼而引至其門呼盡乃離穴戶則經氣審以平定邪氣无所拘留故大邪之氣隨針而出也呼謂氣出吸謂氣入轉謂轉動也大氣謂大邪之氣錯亂陰陽者也帝曰不足者補之奈何岐伯曰

必先捫而循之切而散之推而按之彈而怒之抓而下之通而取之外引其門以閉其神捫循謂手摸切謂指按也捫而循之欲氣舒緩切而散之使經脈宣散推而按之排蹙其皮也彈而怒之使脈氣䐜滿也抓而下之置針準也通而取之以常法也外引其門以閉其神則推而按之者也謂蹙按穴外之皮令當應針之處針已放去則不破之皮蓋其所刺之門門不開則神氣內守故云以閉其神也調經論曰外引其皮令當其門戶又曰推闔其門令神氣存此之謂也○新校正云按王引調經論文今詳非本論之文傍見甲乙經針道篇又曰已下乃當篇之文也捫音門抓側交反呼盡內鍼靜以久留以氣至為故呼盡內針亦同吸也言必以氣至而為去針之故不以息之多數而便去鍼也針經曰刺之而氣不至无問其數刺之氣至去之勿復針此之謂也于問息數以為遲速之約要當以氣至而針去不當以針下氣未至而鍼出乃更為也如待所貴不知日暮論人事於候氣也暮晚也其氣以至適而自護適謂調適也護謂慎守也言氣已平調則當慎守勿令改變使疾更生也針經曰經氣已至慎守勿失此其義也所謂慎守當如下說○新校正云詳王引針經之言乃素問寶命全形論篇文兼見于針解論耳候吸引鍼氣不得出各在其處推闔其門令神氣存大氣留止故命曰補正言也外門已閉神氣復存候吸引針大氣不泄補之為義斷可知焉然此大氣謂大經之氣流行榮衛者帝曰

候氣奈何（謂候可取之氣也）岐伯曰：夫邪去絡入於經也，舍於血脉之中（繆刺論曰：邪之客於形也，必先舍於皮毛，留而不去，入舍於孫脉，留而不去，入舍於絡脉，留而不去，入舍於經脉。故云去絡入於經也），其寒溫未相得，如涌波之起也，時來時去，故不常在（以周遊於十六丈二尺經脉之分，故不常在於所候之処也）。故曰方其來也，必按而止之，止而取之，無逢其衝而寫之（衝謂應水刻數之平氣也。靈樞經曰：水下一刻，人氣在太陽；水下二刻，人氣在少陽；水下三刻，人氣在陽明；水下四刻，人氣在陰分。然氣在太陽則太陽獨盛，氣在少陽則少陽獨盛。夫見獨盛者，便謂邪來，以鍼寫之，則反傷真氣，故下文曰）。真氣者，經氣也，經氣太虛，故曰其來不可逢，此之謂也（經氣應刻，乃謂為邪，工若寫之，則深誤也，故曰其來不可逢）。故曰候邪不審，大氣已過，寫之則真氣脫，脫則不復，邪氣復至，而病益蓄（不悟其邪，反誅無罪，則真氣泄脫，邪氣復侵，經氣大虛，故病弥蓄積）。故曰其往不可追，此之謂也（已隨經脉之流去，不可復追召使還）。不可挂以髮者，待邪之至時而發鍼寫矣（言輕微而有，尚且知之，況若涌波，不知其至也）。若先若後者，血氣已盡，其病不可下（言不可取而取，失時也。新校正云：按全元起本作血氣已虛，盡字當作虛字之誤也）。

故曰知其可取如發機不知其取如扣椎故曰知機道者不
可掛以髮不知機者扣之不發此之謂也機者動之微言貴知其微也帝
曰補寫奈何岐伯曰此攻邪也疾出以去盛血而復其真氣
視有血者乃取之此邪新客溶溶未有定處也推之則前引之則止
逆而刺之溫血也言邪之新客未有定居推針補之則隨補而前引針致之則隨引而留止也若不出盛血而反溫之則邪氣內勝反增其害故下文曰刺出其血其病立已帝曰善然
真邪以合波隴不起候之奈何岐伯曰審捫循三部九候之
盛虛而調之盛者寫之虛者補之不盛不虛以經取之則其法也察其左右上下相失
及相減者審其病藏以期之氣之在陰則候其氣之在於陰分而刺之氣之在陽則候其氣之在於陽分而刺之是謂逢時靈樞經曰水下一刻人氣在太陽水下四刻人氣在陰分也積刻不已氣亦隨在周而復始故審其病藏以期其氣而刺之不知三部者陰陽不別天地不分地以候
地天以候天人以候人調之中府以定三部故曰刺不知三
部九候病脉之處雖有大過且至工不能禁也禁謂禁止也然候邪之處

（尚未能知病，復不能禁止其候氣耶？）誅罰無過，命曰大惑，反亂大經，真不可復，用實為虛，以邪為真，用鍼無義，反為氣賊，奪人正氣，以從為逆，榮衛散亂，真氣已失，邪獨內著，絕人長命，予人夭殃，不知三部九候，故不能久長。（識非精辨，孚未該明，且亂大經，又為氣賊，動為殘害，安可久乎？）因不知合之四時五行，因加相勝，釋邪攻正，絕人長命。（非惟昧三部九候之為弊，若不知四時五行之氣序，亦足以殞絕其生靈也。）邪之新客來也，未有定處，推之則前，引之則止，逢而寫之，其病立已。（冊言之者，其法必然。）

○通評虛實論篇第二十八（新校正云：按全元起本在第四卷。）

黃帝問曰：何謂虛實？岐伯對曰：邪氣盛則實，精氣奪則虛。（奪謂精氣減少，如奪去也。）帝曰：虛實何如？（言五藏虛實之大体也。）岐伯曰：氣虛者肺虛也，氣逆者足寒也，非其時則生，當其時則死。（非時，謂年直之前後也。當時，謂正直之年也。）餘藏皆如此。（五藏同。）帝曰：何謂重實？岐伯曰：所謂重實者，言大熱病，氣熱脉滿，是謂重實。帝曰：經絡俱實何如？何以治之岐伯曰經絡皆實是寸脉急而尺緩也皆當治之故曰滑則從濇則逆也（脉急謂脉口也）夫虛實者皆從其物類始故五藏骨肉滑利可以長久也（物之生則滑利物之死則枯濇故濇為逆滑為從）帝曰絡氣不足經氣有餘何如岐伯曰絡氣不足經氣有餘者脉口熱而尺寒也秋冬為逆春夏為從治主病者（春夏陽氣高故脉口熱尺中寒為順也十一經十五絡各隨左右而有大過不足工當尋其至中應以鍼刺之故云治主病者也）帝曰經虛絡滿何如岐伯曰經虛絡滿者尺熱滿脉口寒濇也此春夏死秋冬生也（秋冬陽氣下故尺中熱脉口寒為順也）帝曰治此者奈何岐伯曰絡滿經虛灸陰刺陽經滿絡虛刺陰灸陽（以陰分主絡陽分主經故爾）

帝曰何謂重虛（此反問前重實也）岐伯曰脉氣上虛尺虛是謂重虛（言尺寸脉俱虛○新校正云按甲乙經作脉虛氣虛尺虛是謂重虛此少一虛字多一上字王注言尺寸脉俱虛則不兼氣虛也詳前熱病氣熱脉滿為重實此脉虛氣虛尺虛為重虛是脉與氣俱實為重實俱虛為重虛不但尺寸俱虛為重虛也）帝曰何以治之岐伯曰所謂氣虛者言無常也尺虛者行

步恇然寸虛則脈動无常尺虛則行步恇然不足○新校正云按楊上善云氣虛者膻中氣不定也王謂寸虛則
脈動无常非也脈虛者不象陰也以不象太陰之候也何以言之氣口者脈之要會手太陰之動也如
此者滑則生濇則死也帝曰寒氣暴上脈滿而實何如言氣熱脈
滿已謂重實滑則從濇則逆今氣寒脈滿亦可謂重實乎其於滑濇生死逆從何如岐伯曰實而滑則
生實而逆則死逆謂濇也○新校正云詳王氏以逆爲濇大非古文簡略辭多互文上言滑而下言逆舉
滑則從可知言逆則濇可見非謂逆爲濇也帝曰脈實滿手足寒頭熱何如岐伯
曰春秋則生冬夏則死大略言之夏手足寒非病也是夏行冬令夏得則冬死冬脈實滿頭熱亦
非病也是冬行夏令冬得則夏亡反冬夏以言之則皆不死春秋得之是病故生死皆在時之孟月也脈浮而
濇濇而身有熱者死新校正云按甲乙經移續於此舊在後帝曰形度骨度脈度筋度何以知其度
也下對問義不相類王氏頗知其錯簡而不知皇甫士安嘗移附於此今去後條移從於此帝曰其形盡
滿何如岐伯曰其形盡滿者脈急大堅尺濇而不應也形盡滿謂
四形藏尺滿也○新校正云按甲乙經太素濇作滿如是者從則生逆則死帝曰何謂
從則生逆則死岐伯曰所謂從者手足溫也所謂逆者手足

寒也帝曰乳子而病熱脈懸小者何如懸謂如懸物之動也岐伯曰手
足溫則生寒則死新校正云按太素無手字楊上善云足溫氣下故生足寒氣不下者逆而致死帝
曰乳子中風熱喘鳴肩息者脈何如岐伯曰喘鳴肩息者脈
實大也緩則生急則死緩謂如縱緩急謂如弦張之急非往來之緩急也正理傷寒論曰緩則中風故乳子中風脈緩則生急則死
帝曰腸澼便血何如岐伯曰身熱則死寒
則生熱為血敗故死寒為榮氣在故生帝曰腸澼下白沫何如岐伯曰脈沉
則生脈浮則死陰病而見陽脈與證相反故死帝曰腸澼下膿血何如岐伯
曰脈懸絕則死滑大則生帝曰腸澼之屬身不熱脈不懸絕
何如岐伯曰滑大者曰生懸澀者曰死以藏期之肝見庚辛死心見壬
癸死肺見丙丁死腎見戊己死脾見甲乙死是謂以藏期之帝曰癲疾何如岐伯曰脈搏
大滑久自已脈小堅急死不治脈小堅急為陰陽病而見陰脈故死不治○新校正云按
巢元方云脈沉小急實死不治小牢急亦不可治帝曰癲疾之脈虛實何如岐伯曰
虛則可治實則死以反證故帝曰消癉虛實何如岐伯曰脈實大

病久可治脈懸小堅病久不可治久病血氣衰脈不當實大故不可治○新校正云詳經言實大病久可治注意以為不可治按甲乙經太素全元起本並云可治又按巢元方云脈數大者生細小浮者死又云沉小者生實大者死過得其反勞病也帝曰形度骨度脈度筋度何以知其度也形度具三備經筋度脈度骨度並具在靈樞經中此問亦合在彼經篇首錯簡也一經以此問為逆從論首非也帝曰春亟治經絡夏亟治經俞秋亟治六府冬則閉塞閉塞者用藥而少鍼石也亟猶急也閉塞謂氣之門戶閉塞也所謂少鍼石者非癰疽之謂也冬月雖氣門閉塞然癰疽氣烈内作大膿不急寫之則爛筋腐骨故雖冬月亦宜鍼石以開除之癰疽不得頃時回所以癰疽之病冬月猶得用鍼石者何此病頃時回轉之間過而不寫則内爛筋骨穿通藏府癰不知所按之不應手乍來乍已刺手太陰傍三痏與纓脈各二但覺似有癰疽之候不的知發在何處故按之不應手也乍來乍已言不定痛於一處也手太陰傍足陽明脈謂胃部氣戶等六穴之分也纓脈亦足陽明脈也近纓之脈故曰纓脈纓謂冠帶也以有左右故云各二掖癰大熱刺足少陽五刺而熱不止刺手心主三刺手太陰經絡者大骨之會各三大骨會肩也謂肩貞穴在肩髃後骨解間陷者中暴癰筋緛

隨分而痛䐟汗不盡胞氣不足治在經俞[illegible]若是發隨脉所過筋怒緩急肉分中痛㾓瘀疹曲如不尽兼胞氣不足者悉可以本經脉穴俞補寫之。新校正云按此一條舊散在篇中今移使相從

腹暴滿按之不下取太陽經絡者胃之募也太陽爲手太陽也手太陽經絡之所生故取中脘穴即胃之募也中誥曰中脘胃募也居蔽骨与齊之中手太陽少陽足陽明脉所生故云經絡者胃募也。新校正云按甲乙經云取太陽經絡血者則已无胃之募也等字又楊上善註云足太陽[illegible][illegible]各不同未知孰是

少陰俞去脊椎三寸傍五用員利鍼謂取足少陰俞外去脊椎三寸兩傍穴各五痏也少陰俞謂第十四椎下兩傍腎之俞也。新校正云按甲乙經云用員利鍼刺已如食頃久立已必視其經之過於陽者數刺之

霍亂刺俞傍五霍乱者取少陰俞傍志室穴。新校正云按楊上善云刺主霍乱俞傍五取之

足陽明及上傍三足陽明言胃俞也取胃俞兼取少陰俞外兩傍向上第三穴則胃倉穴也

刺癎驚脉五謂陽陵泉在膝上外陷者中也鍼手太陰各五刺經太陽五刺手少陰經絡傍者一足陽明一上踝五寸刺三鍼經太陽謂足太陽也手太陰五謂魚際穴在手大指本節後內側散脉經太陽五謂承山穴在足腨腸下分肉間陷者中也手少陰經絡傍者謂支正穴在腕後同身寸之五寸骨上廉肉分間手太陽絡別走少陰者足陽明一者謂解谿絡穴在足腕上陷者中也上踝五寸謂

足少陽絡光明穴按内經明堂中誥圖經悉主霍乱各具明文。新校正云按别本註云悉不主霍乱未詳所謂又按甲乙經太素刺癇驚脉五至手此為刺驚癇王註為刺霍乱者王註非也凡治消癉仆擊偏枯痿厥氣滿發逆肥貴人則高梁之疾也隔則閉絶上下不通則暴憂之病也暴厥而聾偏塞閉不通内氣暴薄也不從内外中風之病故瘦留著也蹠跛寒風濕之病也消謂内消癉謂伏熱厥謂氣逆高謂膏也梁梁也蹠謂足也夫肥者令人熱中甘者令人中滿故熱氣内薄發為消渴偏枯氣滿逆也逆者謂違背常候与平人異也然愁憂者氣閉塞而不行故隔塞否閉氣脉斷絶而上下不通也氣固於内則大小便道偏不得通泄也何者藏府氣不化禁固而不宣散故尔外風中人伏藏不去則陽氣内受為熱外燔肌肉消爍故留薄肉分消瘦而皮膚著於筋骨也濕勝於足則筋不利寒勝於足則攣急風濕寒勝則衛氣結聚衛氣結聚則肉痛故足跛而不可履也。蹠之石反

黄帝曰黄疸暴痛癲疾厥狂久逆之所生也五藏不平六府閉塞之所生也頭痛耳鳴九竅不利腸胃之所生也足之三陽從頭走足然久厥逆而不下行則氣怫積於上焦故為黄疸暴痛癲狂氣逆矣食飲失宜吐利過節故六府閉塞而令五藏之氣不和平也腸胃否塞則氣不順序氣不順序則上下中外互相勝負故頭痛耳鳴九竅不利也

太陰陽明論篇第二十九 新校正云按全元起本在第四卷

黃帝問曰太陰陽明為表裏脾胃脈也生病而異者何也脾胃藏府皆合於土病生而異故問不同岐伯對曰陰陽異位更虛更實更逆更從或從內或從外所從不同故病異名也脾藏為陰胃府為陽陽脈下行陰脈上行陽脈從外陰脈從內故言所從不同病異名也○新校正云按楊上善云春夏陽明為實太陰為虛秋冬太陰為實陽明為虛即更實更虛也春夏太陰為逆陽明為從秋冬陽明為逆太陰為從即更逆更從也帝曰願聞其異狀也岐伯曰陽者天氣也主外陰者地氣也主內是所謂陰陽異位也故陽道實陰道虛是所謂更實更虛也故犯賊風虛邪者陽受之食飲不節起居不時者陰受之是所謂或從內或從外也陽受之則入六府陰受之則入五藏入六府則身熱不時臥上為喘呼入五藏則䐜滿閉塞下為飧泄久為腸澼是所謂所從不同病異名也故喉主天氣咽主地氣故陽受風氣陰受濕氣同氣相求爾故陰氣從足上行至頭而下行循臂至指端陽氣從手上行至頭而下行至足

是所謂更逆更從也靈樞經曰手之三陰從藏走手手之三陽從手走頭足之三陽從頭走足足之三陰從足走腹所行而異故更逆更從也故曰陽病者上行極而下陰病者下行極而上此言其大凡爾然足少陰脉下行則不同諸陰之氣也故傷於風者上先受之傷於濕者下先受之陽氣炎上故受風陰氣潤下故受濕蓋同氣相合故爾帝曰脾病而四支不用何也岐伯曰四支皆稟氣於胃而不得至經新校正云按太素至經作徑至楊上善云胃以水穀資四支不能徑至四支要因於脾得水穀津液營衛於四支必因於脾乃得稟也脾氣布化水穀精液四支乃可以稟受也今脾病不能為胃行其精液四支不得稟水穀氣日以衰脉道不利筋骨肌肉皆無氣以生故不用焉帝曰脾不主時何也肝主春心主夏肺主秋腎主冬四藏皆有正應而脾無正主也岐伯曰脾者土也治中央常以四時長四藏各十八日寄治不得獨主於時也脾藏者常著胃土之精也土者生萬物而法天地故上下至頭足不得主時也治主也著謂常約著於胃也土氣於四時之中各於季終寄王十八日則五行之氣各王七十二日以終一歲之日矣外主四季則在人內應於手足也帝曰脾

與胃以膜相連耳新校正云按太素作以募相逆楊上善云脾陰胃陽脾內胃外其位各異故相逆也而能為之行其津液何也岐伯曰足太陰者三陰也其脈貫胃屬脾絡嗌故太陰為之行氣於三陰陽明者表也胃是脾之表也五藏六府之海也亦為之行氣於三陽藏府各因其經而受氣於陽明故為胃行其津液四支不得稟水穀氣日以益衰陰道不利筋骨肌肉無氣以生故不用焉又釋明脾主四支之義也

○陽明脈解篇第三十新校正云按全元起本在第三卷

黃帝問曰足陽明之脈病惡人與火聞木音則惕然而驚鐘鼓不為動聞木音而驚何也願聞其故前篇言入六府則身熱不時臥上為喘呼然陽明者胃脈也今病不如前篇之旨而反聞木音而驚故問其異也岐伯對曰陽明者胃脈也胃者土也故聞木音而驚者土惡木也陰陽書曰木尅土故土惡木也帝曰善其惡火何也岐伯曰陽明主肉其脈新校正云按甲乙經脈作肌血氣盛邪客之則熱熱甚則惡火帝曰其惡人何也岐伯曰陽

明厥則喘而惋，惋則惡人。惋熱內鬱，故惡人煩。○新校正云：按《脈解》云：「欲獨閉戶牖而處，何也？陰陽相薄，陽盡陰盛，故欲獨閉戶牖而處。」惋，烏貫反。帝曰：或喘而死者，或喘而生者，何也？岐伯曰：厥逆連藏則死，連經則生。經謂經脈，藏謂五神藏。所以連藏則死者，神去故也。帝曰：善。病甚則棄衣而走，登高而歌，或至不食數日，踰垣上屋，所上之處，皆非其素所能也，病反能者何也？素，本也。踰，越也。垣，牆也。屋謂屋之層也。非其素所能，則異於常，踰音俞。岐伯曰：新校正云：按《脈解》云：「陰陽爭而外并於陽。」四支者，諸陽之本也，陽盛則四支實，實則能登高也。陽受氣於四支，故四支為諸陽之本也。帝曰：其棄衣而走者何也？棄，不用也。岐伯曰：熱盛於身，故棄衣欲走也。帝曰：其妄言罵詈，不避親疏而歌者何也？岐伯曰：陽盛則使人妄言罵詈，不避親疏而不欲食，不欲食故妄走也。足陽明胃脈下鬲屬胃絡脾，足太陰脾脈入腹屬脾絡胃，上鬲挾咽，連舌本，散舌下，故病如是。

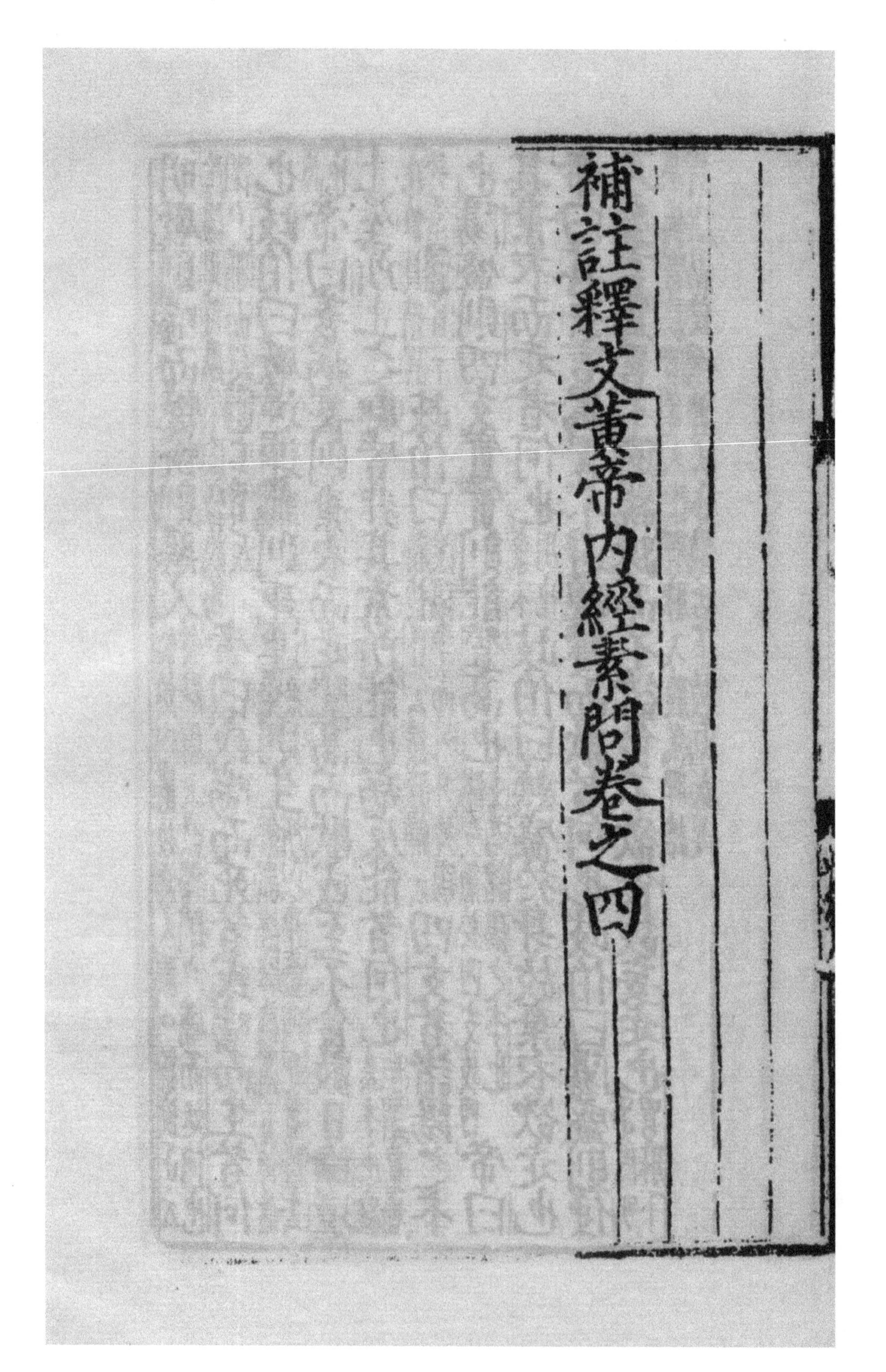
補註釋文黄帝内經素問卷之四

補註釋文黃帝內經素問卷之五

熱論篇第三十一（新校正云按全元起本在第五卷）

黃帝問曰今夫熱病者皆傷寒之類也或愈或死其死皆以六七日之間其愈皆以十日已上者何也不知其解願聞其故（寒者冬氣也冬時嚴寒万類深藏君子固密不傷於寒觸冒之者乃名傷寒其傷於四時之氣皆能為病以傷寒為毒者最乘殺厉之氣中而即病名曰傷寒不即病者寒毒藏於肌膚至夏至前變為溫病夏至後變為熱病然其發起皆為傷寒致之故曰熱病者皆傷寒之類也。新校正云按傷寒論云至春變為溫病至夏變為暑病與王注異王注本素問為義說傷寒論本陰陽大論之為說故此不同）岐伯對曰巨陽者諸陽之屬也（巨大也大陽之氣經絡氣血榮衛於身故諸陽氣皆所宗屬）其脈連於風府（風府穴名也在項上入髮際同身寸之一寸宛宛中是）故為諸陽主氣也（足大陽脈浮氣之在頭中者凡五行故統主諸陽之氣）人之傷於寒也則為病熱熱雖甚不死（寒毒薄於肌膚陽氣不得散發而內怫結故傷寒者反為病熱）其兩感於寒而病者必不免於死（藏府相應而俱受寒謂之兩感）帝

曰願聞其狀謂非兩感者之形証岐伯曰傷寒一日巨陽受之三陽之氣大陽
脉浮脉浮者外在於皮毛故傷寒一日大陽先受之故頭項痛腰脊強上文云其脉連於風府畧言也
細而言之者足大陽脉從巔入絡腦迋出別下項循肩髆內俠脊抵腰中故頭項痛腰脊強○新校正云按甲乙經及大
素作頭項腰脊皆強二日陽明受之以陽感熱同氣相求故自大陽入陽明也陽明主肉其
脉俠鼻絡於目故身熱目疼而鼻乾不得臥也身熱者以肉受邪胃中熱
煩故不得臥餘隨脉絡之所生也三日少陽受之少陽主膽新校正云按全元起本膽作骨
元起注云少陽者肝之表肝候筋筋會於骨是少陽之氣所榮故言主於骨甲乙經大素等並作骨其脉循脇
絡於耳故胷脇痛而耳聾三陽經絡皆受其病而未入於藏
者故可汗而已以病在表故可汗也○新校正云按全元起本藏作府元起注云傷寒之病始入皮膚之
腠理漸勝於諸陽而未入府故須汗發其寒熱而散之大素亦作府四日太陰受之陽極而陰受也太
陰脉布胃中絡於嗌故腹滿而嗌乾五日少陰受之少陰脉
貫腎絡於肺繫舌本故口燥舌乾而渴六日厥陰受之厥陰
脉循陰器而絡於肝故煩滿而囊縮三陰三陽五藏六府皆

受病榮衛不行五藏不通則死矣死猶澌也言精氣皆澌也是以其死皆病六七日間者以此也（澌）息吹反其不兩感於寒者七日巨陽病衰頭痛少愈邪氣漸退經氣漸和故少愈八日陽明病衰身熱少愈九日少陽病衰耳聾微聞十日太陰病衰腹減如故則思飲食十一日少陰病衰渴止不滿舌乾已而嚏十二日厥陰病衰囊縱少腹微下大氣皆去病日已矣大氣謂大邪之氣也是故其愈皆日病十日已上者以此也帝曰治之柰何岐伯曰治之各通其藏脉病日衰已矣其未滿三日者可汗而已其滿三日者可泄而已此言表裏之大体也正理傷寒論曰脉大浮數病為在表可發其汗脉細沉數病為在裏可下之由此則雖日過多但有表證而脉大浮數猶宜發汗日數雖少即有裏證而脉細沉數猶宜下之正應隨脉證以汗下之帝曰熱病已愈時有所遺者何也邪氣衰去不盡如遺之在人也岐伯曰諸遺者熱甚而強食之故有所遺也若此者皆病已衰而熱有所藏因其穀氣相薄兩熱相合故有所遺也帝曰善治遺柰何岐伯曰視其虛實調其逆從可使必已

矣審其虛實而補寫之則必已帝曰病熱當何禁之岐伯曰病熱少愈食肉則復多食則遺此其禁也是所謂戒食勞也熱雖少愈猶未尽除脾胃氣虛故未能消化肉堅食駐故熱復生復謂研復旧病也帝曰其病兩感於寒者其脉應與其病形何如岐伯曰兩感於寒者病一日則巨陽與少陰俱病則頭痛口乾而煩滿新校正云按傷寒論云煩滿而渴二日則陽明與太陰俱病則腹滿身熱不欲食譫言譫言謂妄謬而不次也○新校正云按楊上善云多言也譫之閻切三日則少陽與厥陰俱病則耳聾囊縮而厥水漿不入不知人六日死巨陽与少陰為表裏陽明与太陰為表裏少陽与厥陰為表裏故兩感寒氣同受其邪帝曰五藏已傷六府不通榮衛不行如是之後三日乃死何也岐伯曰陽明者十二經脉之長也其血氣盛故不知人三日其氣乃盡故死矣以上承氣海故三日氣尽乃死凡病傷寒而成溫者先夏至日者為病溫後夏至日者為病暑暑當與汗皆出勿止此以熱多少盛衰而為義也陽熱未盛為寒所制故為病曰溫陽熱大盛寒不能制故為病曰暑然暑病者當与汗之令愈勿反止

之令其甚也○新校正云按凡病傷寒已下全元起本在奇病論中王氏移於此楊上善云冬傷於寒輕者夏至以前發為溫病冬傷於寒甚者夏至以後發為暑病

○刺熱篇第三十二 新校正云按全元起本在第五卷

肝熱病者，小便先黃，腹痛多臥，身熱。肝之脈環陰器抵少腹而上，故小便不通先黃，腹痛多臥也。寒薄生熱，身故熱焉。熱爭則狂言及驚，脇滿痛，手足躁，不得安臥。經絡既已受熱，而神藏猶未納邪，邪正相薄，故云爭也。餘爭同之。又肝之脈從少腹上俠胃貫鬲布脇肋循喉嚨之後絡舌本，故狂言脇滿痛也。肝性靜而主驚駭，故病則驚，手足躁擾，臥不得安。庚辛甚，甲乙大汗，氣逆則庚辛死。肝主木，庚辛為金，金剋木，故甚死於庚辛也。甲乙為木，故大汗於甲乙。刺足厥陰少陽。厥陰肝脈，少陽膽脈。其逆則頭痛員員，脈引衝頭也。肝之脈自舌本循喉嚨之後上出額與督脈會於巔，故頭痛員員然脈引衝於頭中也。員員，謂似急也。

心熱病者，先不樂，數日乃熱。夫以任治於物者謂心，病氣入於經絡則神不安治，故先不樂數日乃熱也。熱爭則卒心痛，煩悶善嘔，頭痛面赤，無汗。心手少陰脈起於心中，其支別者從心系上俠咽；小腸之脈直行者循咽下鬲抵胃，其支別者從缺盆循頸上頰至目外眥，故卒心痛煩悶善嘔頭痛面赤也。心在液為汗，今病熱故無

汗以出。新校正云按甲乙經外背作衍背王注厥論亦作衍背外當作衍壬癸甚丙丁大汗氣
逆則壬癸死心主火壬癸為水水滅火故甚死於壬癸也丙丁為火故大汗於丙丁氣逆之証經闕其文
也刺手少陰大陽少陰心脉大陽小腸脉脾熱病者先頭重頰痛煩心
顏青欲嘔身熱胃之脉起於鼻交頞中下循鼻外入上齒中還出俠口環脣下交承漿却循頤後下廉出
大迎循頰車上耳前過客主人循髮際至額顱故先頭重頰痛顏青也脾之脉支別者復從胃別上鬲注心中其直行者
上鬲俠咽故煩心欲嘔而身熱也。新校正云按甲乙經大素云脾熱病先頭重頰痛无顏青二字熱爭則腰
痛不可用俛仰腹滿泄兩頷痛胃之脉支別者起胃下口循腹裏下至氣街中而合以下
髀關氣街者腰之前故腰痛也脾之脉入腹屬脾絡胃又胃之脉自交承漿却循頤後下廉出大迎循頰車故腹滿泄而兩
頷痛頷胡感反甲乙甚戊己大汗氣逆則甲乙死脾主土甲乙為木木伐土故甚死於
甲乙也戊己為土故大汗於戊己氣逆之証經所未論刺足大陰陽明大陰脾脉陽明胃脉。新校正
云按甲乙經熱病下篇云病先頭重頰痛煩心身熱熱爭則腰痛不可用俛仰腹滿兩頷痛甚暴泄善飢而不欲食善噫
熱中足清腹脹食不化善嘔泄有膿血苦嘔无所出先取三里後取大白章門肺熱病者先淅然厥
起毫毛惡風寒舌上黃身熱肺主皮膚外養於毛故熱中之則先淅然惡風寒起毫毛也肺

之脉起於中焦下絡大腸還循胃口今肺熱入胃胃熱上升故舌上黃而身熱熱爭則喘欬痛走胸
膺背不得大息頭痛不堪汗出而寒肺居鬲上氣主胸膺復在變動爲欬又藏氣而
主呼吸背復爲胸中之府故喘欬痛走胸膺背不得息也肺之絡脉上會耳中今熱氣上熏故頭痛不堪汗出而寒丙
丁甚庚辛大汗氣逆則丙丁死肺主金丙丁爲火火爍金故甚死於丙丁也庚辛爲金故
大汗於庚辛也氣則逆之証經闕本書刺手大陰陽明出血如大豆立已大陰肺脉陽明
大腸脉皆視其絡脉盛者乃刺而出之腎熱病者先腰痛胻痠苦渴數飲身熱
膀胱之脉從肩髆內俠脊抵腰中又腰爲腎之府故先腰痛也入腎之脉自循內踝之後上腨內出膕內廉又直行者從
腎上貫肝鬲入肺中循喉嚨俠舌本故胻痠苦渴數飲身熱痠音酸胻户當反熱爭則項痛而強胻
寒且痠足下熱不欲言膀胱之脉從腦出別下項又腎之脉起於小指之下斜趨足心出於然骨
之下循內踝之後別入跟中以上腨內又其直行者從腎上貫肝鬲入肺中循喉嚨俠舌本故項痛而強胻寒且痠足下
熱不欲言也○新校正云按甲乙經然骨作然谷跟音根其逆則項痛員員澹澹然腎之筋循
脊內俠膂上至項結於枕骨與膀胱之筋合膀胱之脉又並下于項故項痛員員然也澹澹爲似欲不定也戊己
甚壬癸大汗氣逆則戊己死腎主水戊己爲土土刑水故甚死於戊己也壬癸爲水故大汗

於壬癸

刺足少陰太陽。少陰腎脈，大陽膀胱脈。

諸汗者，至其所勝日汗出也。氣王日為所勝，王則勝邪，故各當其王日汗。

肝熱病者左頰先赤，肝氣合木，木氣應春，南面正理之，則其左也。

心熱病者顏先赤，心氣合火，火氣炎上，指象明候，故候於顏。顏，額也。

脾熱病者鼻先赤，脾氣合土，土王於中，鼻處面中，故占鼻也。

肺熱病者右頰先赤，肺氣合金，金氣應秋，南面正理之，則其右頰也。

腎熱病者頤先赤，腎氣合水，水惟潤下，指象明候，故候於頤也。

病雖未發，見赤色者刺之，名曰治未病。聖人不治已病治未病，不治已亂治未亂，此之謂也。

熱病從部所起者，至期而已；期為大汗之日也。如肝甲乙，心丙丁，脾戊己，肺庚辛，腎壬癸，是為期日也。

其刺之反者，三周而已；反謂反取其氣也。如肝病刺脾，脾病刺腎，腎病刺心，心病刺肺，肺病刺肝者，皆是反刺五藏之氣也。三周謂三周於三陰三陽之脈狀也。又大陽病而刺寫陽明，陽明病而刺寫少陽，少陽病而刺寫大陰，大陰病而刺寫少陰，少陰病而刺寫厥陰，如此是為反取三陰三陽之脈氣也。

重逆則死。先刺已反，病氣流傳，又反刺之，是為重逆。一逆刺之，尚至三周乃已，況其重逆而得生邪。

諸當汗者，至其所勝日，汗大出也。王則勝邪，故各當其王日汗。○新校正云：詳此條文注二十四字与前文重復，當刪去。甲乙經、大素亦不重出。

諸治熱病，以飲之寒水，乃刺之；必寒衣之

居止寒處，身寒而止也。寒水在胃陽氣外盛故飲寒水刺熱退則涼生故身寒而止也

熱病先胷脇痛，手足躁，刺足少陽，補足太陰。此則木土乘之然足少陽木病而瀉足少陽之木氣補足太陰之土氣者恐木傳於土也胷脇痛丘墟主之丘墟在足外踝下如前陷者中足少陽脈之所過也刺可入同身寸之五分留七呼若灸者可灸三壯熱病手足躁經无所主治之自然補足太陰之脈當於井滎取之也()新校正云詳足太陰全元起本及太素作手太陰楊上善云手太陰上屬肺從肺出腋下故胷脇痛又按靈樞經云熱病而胷脇痛手足躁取之筋間以第四鍼索筋於肝不得索之金金肺也以此决之作手太陰者為是

病甚者，為五十九刺。五十九刺者謂頭上五行行五者以越諸陽之熱逆也大杼膺俞缺盆背俞此八者以瀉胷中之熱也氣街三里巨虛上下廉此八者以瀉胃中之熱也云門髃骨委中髓空此八者以瀉四支之熱也五藏俞傍五此十者以瀉五藏之熱也凡此五十九穴者皆熱之左右也故病甚則尓刺之然頭上五行行者當中行謂上星顖會前頂百會後頂次兩傍謂五處承光通天絡却玉枕又刺兩傍謂臨泣目窗正營承靈腦空也上星在顖上直鼻中央入髮際同身寸之一寸陷者中容豆刺可入同身寸之四分()新校正云按甲乙經四分作三分水熱穴論注亦作三分詳此注下文云刺如上星法又云刺如顖會法既有二法則當依甲乙經及水熱穴論注上星刺入三分顖會刺入四分顖會在上星後同身寸之一寸陷者中刺如上星法前頂在顖會後同身寸之一寸五分骨間陷者中刺如顖會法百會在前頂後同

身寸之一寸二分項中央旋毛中陷容指督脈足太陽脈之
交會刺如上星法後頂在百會後同身寸之一寸五分枕
骨上刺如顖會法然是五者皆督脈氣之所發也上星留六
呼若灸者並灸五壯次兩傍穴五處在上星兩傍同身寸之
一寸五分承光在五處後同身寸之一寸通天在承光後同
身寸之一寸五分絡卻在通天後同身寸之一寸五分玉枕
在絡卻後同身寸之七分然是五者並足太陽脈氣所發刺
可入同身寸之三分五處通天各留七呼絡卻留五呼玉枕
留三呼若灸者可灸三壯○新校正云按甲乙經承光不可
灸玉枕刺入二分又次兩傍臨泣在頭直目上入髮際同身
寸之五分足太陽少陽陽維三脈之會目窗正營遞相去同
身寸之一寸承靈腦空遞相去同身寸之一寸五分然是五
者並足少陽陽維二脈之會腦空一穴刺可入同身寸之四
分餘並可刺入同身寸之三分臨泣留七呼若灸者可灸五
壯大杼在項第一椎下兩傍相去各同身寸之一寸半陷者
中督脈別絡足太陽手太陽三脈氣之會刺可入同身寸之
三分留七呼若灸者可灸五壯○新校正云按甲乙經作七
壯氣穴注作七壯刺瘧注熱穴注作五壯膺俞者膺中俞也
正名中府在胸中行兩傍相去同身寸之六寸云門下一寸
乳上三肋間動脈應手陷者中仰而取之手足太陰脈之會
刺可入同身寸之三分留五呼若灸者可灸五壯缺盆在肩
上橫骨陷者中手陽明脈氣所發刺可入同身寸之二分留
七呼若灸者可灸三壯背俞當是風門熱府在第二椎下兩
傍各同身寸之一寸半督脈足太陽之會刺可入同身寸
之五分留七呼若灸者可灸五壯驗今明堂中誥圖經不言
背俞未詳果何處也○新校正云按王氏注水熱穴論以風門

熱府為背俞又注氣穴論以大杼為背俞此注云未詳蓋疑之也○氣衝在臍下橫骨兩端鼠鼷上同身寸之一寸動應手足陽明脈氣所發刺可入同身寸之三分留七呼若灸者可灸五壯三里在膝下同身寸之三寸䯒外廉兩筋肉分間足陽明脈之所入也刺可入同身寸之一寸留七呼若灸者可灸三壯巨虛上廉足陽明與太陽合在三里下同身寸之三寸足陽明脈氣所發刺可入同身寸之八分若灸者可灸三壯巨虛下廉足陽明與少陽合在上廉下同身寸之三寸足陽明脈氣所發刺可入同身寸之三分若灸者可灸三壯雲門在巨骨下胷中行兩傍○新校正云按氣穴論注胷中行兩傍作俠任脈傍橫去任脈文雖異穴之處所則同相去同身寸之六寸動脈應手中府當其下同身寸之一寸雲門手太陰脈氣所發舉臂取之刺可入同身寸之七分若灸者可灸五壯驗今明堂中誥圖經不載髃骨穴尋其穴以寫四支之熱恐是肩髃穴二在肩端兩骨間手陽明蹻脈之會刺可入同身寸之六分留六呼若灸者可灸三壯委中在足膝後屈處膕中央約文中動脈○新校正云詳委中穴與氣穴注骨空注刺瘧論注并此王氏四處注之彼此注無足膝後屈處五字與此注異者非實有異蓋注有詳略爾○足太陽脈之所入也刺可入同身寸之五分留七呼若灸者可灸三壯腰髁空者正名腰俞在脊中第二十一椎節下間督脈氣所發刺可入同身寸之一分○新校正云按甲乙經作二寸水熱穴論注亦作二寸氣府論注骨空論注作一分○留七呼若灸者可灸三壯五藏俞傍五者謂魄戶神堂魂門意舍志室五穴也在俠脊兩傍各相去同身寸之三寸並足太陽脈氣所發也魄戶在第三椎下兩傍正坐取之刺可入同

身寸之五分若灸者可灸五壯神堂在第五椎下兩傍刺可入同身寸之三分若灸者可灸五壯魂門在第九椎下兩傍
正坐取之刺可入同身寸之五分若灸者可灸三壯意舍在十一椎下兩傍正坐取之刺可入同身寸之五分若灸者可
灸三壯志室在十四椎下兩傍正坐取之刺可入同身寸之五分若灸者可灸三壯是所謂此經之五十九刺法也若然
經所指五十九刺則與此經不同雖俱治熱病之要然合用之理全而皆備當以病候形證所應經法即隨所證而
刺之熱病始手臂痛者刺手陽明太陰而汗出止手臂痛列缺主之列缺者
手太陰之絡去腕上同身寸之一寸半別走陽明者也刺可入同身寸之三分留三呼若灸者可灸五壯欲出汗商陽主
之商陽者手陽明脈之井在手大指次指內側去爪甲角如韭葉手陽明脈之所出也刺可入同身寸之一分若灸者可
灸一壯熱病始於頭首者刺項太陽而汗出止天柱主之天柱在俠項後髮際
大筋外廉陷者中足太陽脈氣所發刺可入同身寸之二分留六呼若灸者可灸三壯熱病始於足脛
者刺足陽明而汗出止新校正云按此條素問本无太素亦无今按甲乙經添入熱病先
身重骨痛耳聾好瞑刺足少陰據經无正主穴當補寫井榮亦○新校正云按灸經云如
熱病而身重骨痛耳聾而好瞑取之骨以第四鍼索骨於腎不得索之土土脾也病甚為五十九刺古
由熱病先眩冒而熱胷脇滿刺足少陰少陽亦井榮也太陽之脉

夭

色榮顴骨熱病也榮飾也謂赤色見於顴骨如榮飾也顴骨謂目下當外眥也太陽合火故見色赤〇新校正云按楊上善云赤色榮顴者骨熱病也與王氏注不同榮未交新校正云按甲乙經太素作榮未夭下文榮未交亦作夭曰今且得汗待時而已榮爲營字之誤也曰者引古經法之端由也言色雖明盛但陰陽之氣不交錯者故法云今且得汗之而已待時者謂肝病待甲乙心病待丙丁脾病待戊己肺病待庚辛腎病待壬癸是謂待時而已所謂交者次如下句與厥陰脈爭見者死期不過三日外見太陽之赤色內應厥陰之弦脈然太陽受病當傳入陽明今反厥陰之脈來見者是土敗而木賊之也故死然土氣已敗木復狂行木主數三故期不過三日其熱病內連腎少陽之脈色也病或爲氣恐字誤也若赤色氣內連鼻兩傍者是少陽之脈色非厥陰色何者腎部近於鼻也〇新校正云詳或者欲改腎作鼻按甲乙經太素並作腎楊上善云太陽水也厥陰木也水以生木木盛水衰故太陽水色見時有木爭見者水死以其熱病內連於腎腎爲熱傷故死本舊無少陽之脈色也六字乃王氏所添王注非當從上善之義少陽之脈色榮頰前熱病也顴前即顴骨下近鼻兩傍也〇新校正云按甲乙經太素前字作筋楊上善云足少陽部在頰赤色榮之即知筋熱病也榮未交曰今且得汗待時而已與少陰脈爭見者死期不過三日少陽受病當傳入於太陰今反少陰少陰脈來見亦土敗而木賊之也故死不過三日亦

本刊瘈瘲然〇新校正云詳或者欲改少陰作厥陰厥陰甲乙經太素作少陰楊上善云少陽為木少陰為水少陽色見之時有少陰爭見者是毋勝子故未死王作此注亦迷舊本及甲乙經太素並无死期不過三日八字此是王氏足成此文也

熱病氣穴三椎下間主胷中熱四椎下間主鬲中熱五椎下間主肝熱六椎下間主脾熱七椎下間主腎熱榮在骶也脊節之謂椎脊窮之謂骶言腎熱之氣外通尾骶也尋此文椎間所主神藏之熱又不正當其藏俞而云主療在理未詳項上三椎陷者中也此舉數脊之大法也言三椎下間主胷中熱者何以數之言皆當以陷者中為氣發之所也頰下逆顴為大瘕下牙車為腹滿顴後為脇痛頰上者鬲上也此所以候面部之色發明腹中之病診

〇評熱病論篇第三十三新校正云按全元起本在第五卷

黃帝問曰有病溫者汗出輒復熱而脉躁疾不為汗衰狂言不能食病名為何岐伯對曰病名陰陽交交者死也交謂交合陰陽之氣不分別也帝曰願聞其說岐伯曰人所以汗出者皆生於穀穀生於精言穀氣化為精精氣勝乃為汗今邪氣交爭於骨肉而得汗者是邪

卻而精勝也。言初汗也。精勝則當能食而不復熱。復熱者，邪氣也。汗者，精氣也。今汗出而輒復熱者，是邪勝也。不能食者，精無俾也。无俾，言无可使為汗也。穀不化則精不生，精不化流，故无可使。病而留者，其壽可立而傾也。如是者，若汗出疾速，留著而不去，則其人壽命立致傾危也。○新校正云：詳病而留者，按王注，病當作疾。又按《甲乙經》作而熱留者。且夫熱論曰：汗出而脈尚躁盛者死。熱論，謂上古熱論也。凡汗後脈當遲靜，而反躁急以盛滿者，是真氣竭而邪盛，故知必死也。今脈不與汗相應，此不勝其病也，其死明矣。脈不靜而躁盛，是不相應。狂言者是失志，失志者死。志舍於精，今精无可使，是志无所居，志不留居則失志也。今見三死，不見一生，雖愈必死也。汗出脈躁盛，一死；不勝其病，二死；狂言失志者，三死也。帝曰：有病身熱，汗出煩滿，煩滿不為汗解，此為何病？岐伯曰：汗出而身熱者，風也；汗出而煩滿不解者，厥也，病名曰風厥。帝曰：願卒聞之。岐伯曰：巨陽主氣，故先受邪，少陰與其為表裏也，得熱則上從之，從之則厥也。上從之，謂少陰隨從於太陽而上也。帝曰：治之奈何？岐伯曰：表裏刺之，飲之服湯謂寫太陽補少陰也飲之湯者謂止逆上之腎氣也帝曰勞風為病何如岐伯曰勞風法在肺下從勞風生故曰勞風勞謂腎勞也腎脉者從腎上貫肝鬲入肺中故腎勞風生上居肺下也其為病也使人強上冥視新校正云按楊上善云強上好仰也冥視謂合眼視不明也又千金方冥視作目眩唾出若涕惡風而振寒此為勞風之病膀胱脉起於目內眥上額交巔上入絡腦還出別下項循肩髆內俠脊抵腰中入循膂絡腎今腎精不足外吸膀胱膀胱氣不能上營故使人頭項強而視不明也肺被風薄勞氣上熏故令唾出若鼻涕狀腎氣不足陽氣內攻勞熱相合故惡風而振寒帝曰治之奈何岐伯曰以救俛仰救猶止也俛仰謂屈伸也言止屈伸於動作不使勞氣滋蔓巨陽引精者三日中年者五日不精者七日新校正云按甲乙經作三日中若五日千金方作候之三日及五日中不精明者是也与此不同欬出青黃涕其狀如膿大如彈丸從口中若鼻中出不出則傷肺傷肺則死也巨陽者膀胱之脉也膀胱与腎為表裏故巨陽引精也巨大也然太陽之脉吸引精氣上攻於肺者三日中年者五日素不以精氣用事也七日當欬出稠涕其色青黃如膿狀平調欬者從咽而上出於口暴卒欬者氣衝突於蓄門而出於鼻夫如是者皆腎氣勞竭肺氣內虛陽氣奔迫之所為故不出則傷肺也肺傷則榮衛散解魄不內治故死○新校正云按王氏云平暴欬

者氣衝突於賁門而出於鼻故難經云無賁門之名疑是賁門楊操云賁者鬲也胃氣之所出胃出穀氣以傳於肺肺在鬲上故胃為賁門帝曰有病腎風者面胕痝然壅害於言可刺不痝然腫起貌壅謂目下壅如臥蠶形也腎之脈從腎上貫肝鬲入肺中循喉嚨俠舌本故妨害於言語痝莫江反岐伯曰虛不當刺不當刺而刺後五日其氣必至至謂病氣來至也然謂藏配一日而五日至腎夫腎已不足風內薄之謂腫為實以針大泄以傷藏氣真氣不足不可復故刺後五日其氣必至也

帝曰其至何如岐伯曰至必少氣時熱時熱從胸背上至頭汗出手熱口乾苦渴小便黃目下腫腹中鳴身重難以行月事不來煩而不能食不能正偃正偃則欬病名曰風水論在刺法中刺法篇名今經亡帝曰願聞其說岐伯曰邪之所湊其氣必虛陰虛者陽必湊之故少氣時熱而汗出也小便黃者少腹中有熱也不能正偃者胃中不和也正偃則欬甚上迫肺也諸有水氣者微腫先見於目下也帝曰何以言岐伯曰水者陰也目下亦陰也腹者至陰之所居故水在腹者必使目下

腫也真氣上逆故口苦舌乾臥不得正偃正偃則欬出清水也諸水病者故不得臥臥則驚驚則欬甚也腹中鳴者病本於胃也薄脾則煩不能食食不能下者胃脘隔也身重難以行者胃脈在足也月事不來者胞脈閉也胞脈者屬心而絡於胞中今氣上迫肺心氣不得下通故月事不來也考上文所釋之義未解熱從胷背上至頭汗出手熱口乾苦渴之義應古論簡脫而此差謬之亦如是者何背少陰之脈從腎上貫肝鬲入肺中循喉嚨俠舌本又膀胱太陽之脈從目內眥上額交巔上其支者從巔至耳上角其直者從巔入絡腦還出別下項循肩髆內俠脊抵腰中入循膂今陰不足而陽有餘故熱從胷背上至頭而汗出口乾苦渴也然心者陽藏也其脈行於背手少陰藏也其脈循於胷足腎不足則心氣有餘故手熱矣又以心腎之脈俱是少陰脈也帝曰善

○逆調論篇第三十四新校正云按全元起本在第四卷

黃帝問曰人身非常溫也非常熱也為之熱而煩滿者何也異於常候故曰非常○新校正云按甲乙經无為之熱三字岐伯對曰陰氣少而陽氣勝故熱而煩滿也帝曰人身非衣寒也中非有寒氣也寒從中

生者何（言不知誰為所主邪）岐伯曰是人多痺氣也陽氣少陰氣多故身寒如從水中出（言自由形氣陰陽之為是非衣寒而中有寒也）帝曰人有四支熱逢風寒如炙如火者何也（新校正云按全元起本云如火一本云太素一云如炙於火當從太素云）岐伯曰是人者陰氣虛陽氣盛四支者陽也兩陽相得而陰氣虛少少水不能滅盛火而陽獨治獨治者不能生長也獨勝而止耳（水為陰火為陽今陽氣有餘陰氣不足故云少水不能滅盛火也治者王也勝者盛也故云獨勝而止）逢風而如炙如火者是人當肉爍也（爍者言消也言久久此人當肉消削也）（新校正云詳如炙如火當從太素作如炙於火）帝曰人有身寒湯火不能熱厚衣不能溫然不凍慄是為何病岐伯曰是人者素腎氣勝以水為事太陽氣衰腎脂枯不長一水不能勝兩火腎者水也而生於骨腎不生則髓不能滿故寒甚至骨也（以水為事言盛欲也）所以不能凍慄者肝一陽也心二陽也腎孤藏也一水不能勝二火故不能凍慄病名曰骨痺是人當攣節也（腎不生則髓不滿髓不滿則筋乾縮）

故節攣拘帝曰人之肉苛者雖近於衣絮猶尚苛也是謂何疾苛謂

痛重當明欲歹岐伯曰榮氣虛衛氣實也榮氣虛則不仁衛氣虛則

不用榮衛俱虛則不仁且不用肉如故也人身與志不相有

曰死身用志不應志為身不親兩者似不相有也○新校正云按甲乙經曰死作三十日死也帝曰人有

逆氣不得臥而息有音者有不得臥而息無音者有起居如

故而息有音者有得臥行而喘者有不得臥不能行而喘者

有不得臥臥而喘者皆何藏使然願聞其故岐伯曰不得臥

而息有音者是陽明之逆也足三陽者下行今逆而上行故

息有音也陽明者胃脈也胃者六府之海水穀海也其氣亦下行

陽明逆不得從其道故不得臥也下經曰胃不和則臥不安

此之謂也下經上古經也夫起居如故而息有音者此肺之絡脈逆

也絡脈不得隨經上下故留經而不行絡脈之病人也微故

起居如故而息有音也夫不得臥臥則喘者是水氣之客也

夫水者循津液而流也，腎者水藏，主津液，主臥與喘也。帝曰：善。新校正云：詳經所解之旨，不得臥而息无音，有得臥行而喘，有不得臥不能行而喘，此三義悉闕而未論，亦古之脫簡也。

○瘧論篇第三十五新校正云：按全元起本在第五卷。

黃帝問曰：夫痎瘧皆生於風，其蓄作有時者何也？痎猶老也，亦瘦也。新校正云：按《甲乙經》云：夫瘧疾者皆生於風，其以日作以時發何也？與此文異，《太素》同今文。楊上善云：痎有云二日一發為痎瘧，此經但夏傷於暑至秋為病，或云痎瘧，或但云瘧，不必以日發間日以定痎瘧也，但應四時其形有異以為痎瘧爾。岐伯對曰：瘧之始發也，先起於毫毛，伸欠乃作，寒慄鼓頷。慄謂戰慄，鼓頷謂振動。腰脊俱痛，寒去則內外皆熱，頭痛如破，渴欲冷飲。帝曰：何氣使然？願聞其道。岐伯曰：陰陽上下交爭，虛實更作，陰陽相移也。陽氣者下行極而上，陰氣者上行極而下，故曰陰陽上下交爭也。陽虛則外寒，陰虛則內熱，陽盛則外熱，陰盛則內寒，由此寒去熱生，則虛實更作，陰陽之氣相移易也。陽并於陰，則陰實而陽虛。陽明虛則寒慄鼓頷也。陽并於陰，言陽氣入於陰分也。陽明，胃脉也。胃之脉自交承漿，却分行循頤後下廉，出大迎；其支別者，從大迎前下人迎。故氣不足則惡寒戰慄而頤頷振動也。巨陽虛則腰背頭項痛（巨陽者膀胱脉，其脉從頭别下項，循肩髆內，俠脊抵腰中，故氣不足則腰背頭項痛也。髆音博）三陽俱虛則陰氣勝，陰氣勝則骨寒而痛，寒生於內，故中外皆寒。陽盛則外熱，陰虛則內熱，外內皆熱則喘而渴，故欲冷飲也。（熱傷氣，故內外皆熱則喘而渴）此皆得之夏傷於暑，熱氣盛，藏於皮膚之內，腸胃之外，此榮氣之所舍也。（腸胃之外，榮氣所主，故云榮氣所舍也。舍猶居也）此令人汗空疏，（新校正云：按全元起本作汗出空疏，甲乙經、太素同）腠理開，因得秋氣，汗出遇風，及得之以浴，水氣舍於皮膚之內，與衛氣并居。衛氣者，晝日行於陽，夜行於陰，此氣得陽而外出，得陰而內薄，內外相薄，是以日作。（作，發作也）帝曰：其間日而作者何也？（間日，謂隔日也）岐伯曰：其氣之舍深，內薄於陰，陽氣獨發，陰邪內著，陰與陽爭不得出，是以間日而作也。（不與衛氣相逢會，故隔日發也）帝曰：善。其作日晏與其日早者，何氣使然？（晏猶日暮也）岐伯曰：邪氣客於風府，循膂而下，（風府，穴名，在項上入髮際同身寸之一寸大筋內宛宛中也。膂，謂脊兩傍）衛氣一日一夜大會於風府，其明日日下一節，故其作也晏。此先客於脊背也。每至於風府則腠理開，腠理開則邪氣入，邪氣入則病作，以此日作稍益晏也。（節謂脊骨之節。然邪氣遠則逢會遲，故發暮也。）其出於風府，日下一節，二十五日下至骶骨，二十六日入於脊內，注於伏膂之脈。（項已下至尾骶凡二十四節，故日下一節，二十五日下至骶骨，二十六日入於脊內，注於伏膂之脈也。伏膂之脈者，謂膂筋之間，腎脈之伏行者也。腎之脈，循股內後廉，貫脊屬腎；其直行者，從腎上貫肝鬲，入肺中。以其貫脊，又不正應行穴，但循膂伏行，故謂之伏膂脈。○新校正云：按全元起本二十五日作二十一日，二十六日作二十二日，甲乙經、太素並同。伏膂之脈，甲乙經作太衝之脈，巢元方作伏衝。）其氣上行，九日出於缺盆之中，其氣日高，故作日益早也。（以腎脈貫脊屬腎，上入肺中，肺者缺盆為之道，其氣之行速，故其氣上行九日出於缺盆之中。）其間日發者，由邪氣內薄於五藏，橫連募原也。其道遠，其氣深，其行遲，不能與衛氣俱行，不得皆出，故間日乃作也。（募原謂鬲募之原系。○新校正云：按全元起本募作膜，太素、巢元方並同，舉痛論亦作膜原。）帝曰：夫子言衛氣每至於風府，腠理乃發，發則邪氣入，入則病作。今衛氣日下一節，其氣之發也，不當風府，其日作者奈何？岐伯曰：新校正云：按全元起本及甲乙經、太素，自此邪氣客於頭項至下則病作故八十八字並無。此邪氣客於頭項，循膂而下者也。故虛實不同，邪中異所，則不得當其風府也。故邪中於頭項者，氣至頭項而病；中於背者，氣至背而病；中於腰脊者，氣至腰脊而病；中於手足者，氣至手足而病。故下篇各以居邪之所而刺之。衛氣之所在，與邪氣相合則病作。故風無常府，衛氣之所發，必開其腠理，邪氣之所合，則其府也。虛實不同，邪中異所，衛邪相合，病則發焉，不必悉當風府而發作也。○新校正云：按甲乙經、巢元方則其府也作其病作。帝曰：善。夫風之與瘧也，相似同類，而風獨常在，瘧得有時而休者何也？風瘧皆有盛衰，故云相似同類。岐伯曰：風氣留其處，故常在；瘧氣隨經絡沉以內薄，新校正云：按甲乙經作次以內傳。故衛氣應乃作。留謂留止，隨謂隨從。帝曰：瘧先寒而後熱者何也？岐伯曰：夏傷於大暑，其汗大出，腠理開發，因遇夏氣淒滄之水寒，新校正云：按甲乙經、太素水寒作小寒迫之。藏於腠

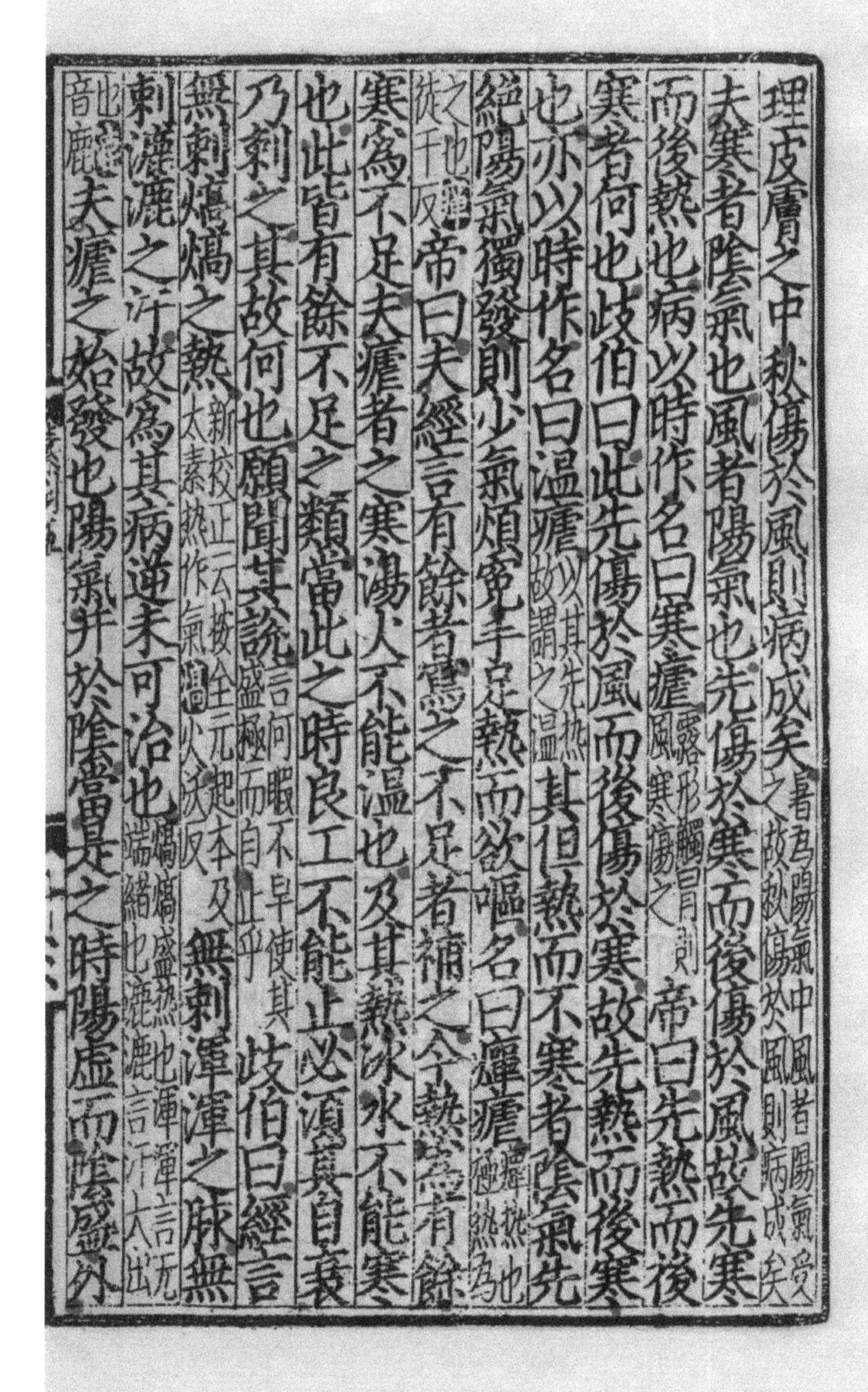

理皮膚之中，秋傷於風則病成矣。暑爲陽氣，中風者陽氣受之，故秋傷於風則病成矣。夫寒者陰氣也，風者陽氣也，先傷於寒而後傷於風，故先寒而後熱也，病以時作，名曰寒瘧。露形觸冒則風寒傷之。帝曰：先熱而後寒者何也？岐伯曰：此先傷於風而後傷於寒，故先熱而後寒也，亦以時作，名曰温瘧。以其先熱，故謂之温。其但熱而不寒者，陰氣先絶，陽氣獨發，則少氣煩寃，手足熱而欲嘔，名曰癉瘧。癉，熱也，極熱爲之也。癉，徒干反。帝曰：夫經言有餘者寫之，不足者補之，今熱爲有餘，寒爲不足，夫瘧者之寒，湯火不能温也，及其熱，冰水不能寒也，此皆有餘不足之類。當此之時，良工不能止，必須其自衰乃刺之，其故何也？願聞其説。言何暇不早使其盛極而自止乎。岐伯曰：經言無刺熇熇之熱，新校正云：按全元起本及太素熱作氣。熇，火沃反。無刺渾渾之脉，無刺漉漉之汗，故爲其病逆，未可治也。熇熇，盛熱也。渾渾，言无端緒也。漉漉，言汗大出也。漉，音鹿。夫瘧之始發也，陽氣并於陰，當是之時，陽虛而陰盛，外

無氣故先寒慄也陰氣逆極則復出之陽陽與陰復并於外則陰虛而陽實故先熱而渴（陰盛則胃寒故先寒戰慄陽盛則胃熱故先熱欲飲也）夫瘧氣者并於陽則陽勝并於陰則陰勝陰勝則寒陽勝則熱瘧者風寒之氣不常也病極則復（復謂復舊也言其氣發至極還復如舊）至（新校正云按甲乙經作瘧者風寒之暴氣不常病極則復至全元起本及太素作瘧風寒氣也不常病極則復至至字連上句與王氏之意異）病之發也如火之熱如風雨不可當也（以其盛熾故不可當也）故經言曰方其盛時必毀（新校正云按太素云勿敢必毀）因其衰也事必大昌此之謂也（方正也正盛寫之或傷真氣故必毀病氣衰已補其經氣則邪氣弭退正氣安平故必大昌也）夫瘧之未發也陰未并陽陽未并陰因而調之真氣得安邪氣乃亡（所寫必中所補必當故真氣得安邪氣乃亡也）故工不能治其已發為其氣逆也（真氣寖息邪氣大行真不勝邪是為逆也）帝曰善攻之奈何早晏何如岐伯曰瘧之且發也陰陽之且移也必從四末始也陽已傷陰從之故先其時堅束其處令邪氣不得入陰氣不得出審候見

之在孫絡盛堅而血者皆取之此真往而未得并者也言牢縛曰支令氣各在其處則邪所居處必自見之既見之則刺出其血尔往猶去也○新校正云按甲乙經真往作其往太素作直往帝曰瘧不發其應何如岐伯曰瘧氣者必更盛更虛當氣之所在也病在陽則熱而脉躁在陰則寒而脉靜陰靜陽躁故脉亦隨之極則陰陽俱衰衛氣相離故病得休衛氣集則復病也相薄至極物極則反故極則陰陽俱衰帝曰時有間二日或至數日發或渴或不渴其故何也岐伯曰其間日者邪氣與衛氣客於六府而有時相失不能相得故休數日乃作也氣不相會故數日不能發也瘧者陰陽更勝也或甚或不甚故或渴或不渴陽勝陰甚則渴陽勝陰不甚則不渴也勝謂強盛於彼之氣也帝曰論言夏傷於暑秋必病瘧新校正云按生氣通天論并陰陽應象大論二論俱云夏傷於暑秋必痎瘧今瘧不必應者何也言不必應然岐伯曰此應四時者也其病異形者反四時也其以秋病者寒甚秋氣清涼陽氣下降熱藏肌肉故寒甚也以冬病者寒不甚冬氣嚴冽陽氣伏藏不與寒爭故寒不甚以春

病者惡風春氣溫和陽氣外泄肉腠開發故惡於風以夏病者多汗夏氣暑熱津液充盈外泄皮膚故多汗也帝曰夫病溫瘧與寒瘧而皆安舍舍於何藏安何也舍居止也藏謂五神藏也岐伯曰溫瘧得之冬中於風寒氣藏於骨髓之中至春則陽氣大發邪氣不能自出因遇大暑腦髓爍肌肉消腠理發泄或有所用力邪氣與汗皆出此病藏於腎其氣先從內出之於外也腎主於冬冬主骨髓腦為髓海上下相應厥熱上熏故腦髓銷爍銷爍則熱氣外薄故肌肉減削而病藏於腎也如是者陰虛而陽盛陽盛則熱矣陰虛謂腎藏氣虛陽盛謂膀胱太陽氣盛衰則氣復反入入則陽虛陽虛則寒矣故先熱而後寒名曰溫瘧衰謂病衰退也復反謂入腎陰脈中帝曰癉瘧何如岐伯曰癉瘧者肺素有熱氣盛於身厥逆上衝中氣實而不外泄因有所用力腠理開風寒舍於皮膚之內分肉之間而發發則陽氣盛陽氣盛而不衰則病矣其氣不及於陰新校正云按全元起本及太素作不反之陰巢元方作不及之陰故但熱而不寒氣內藏於心而外舍於

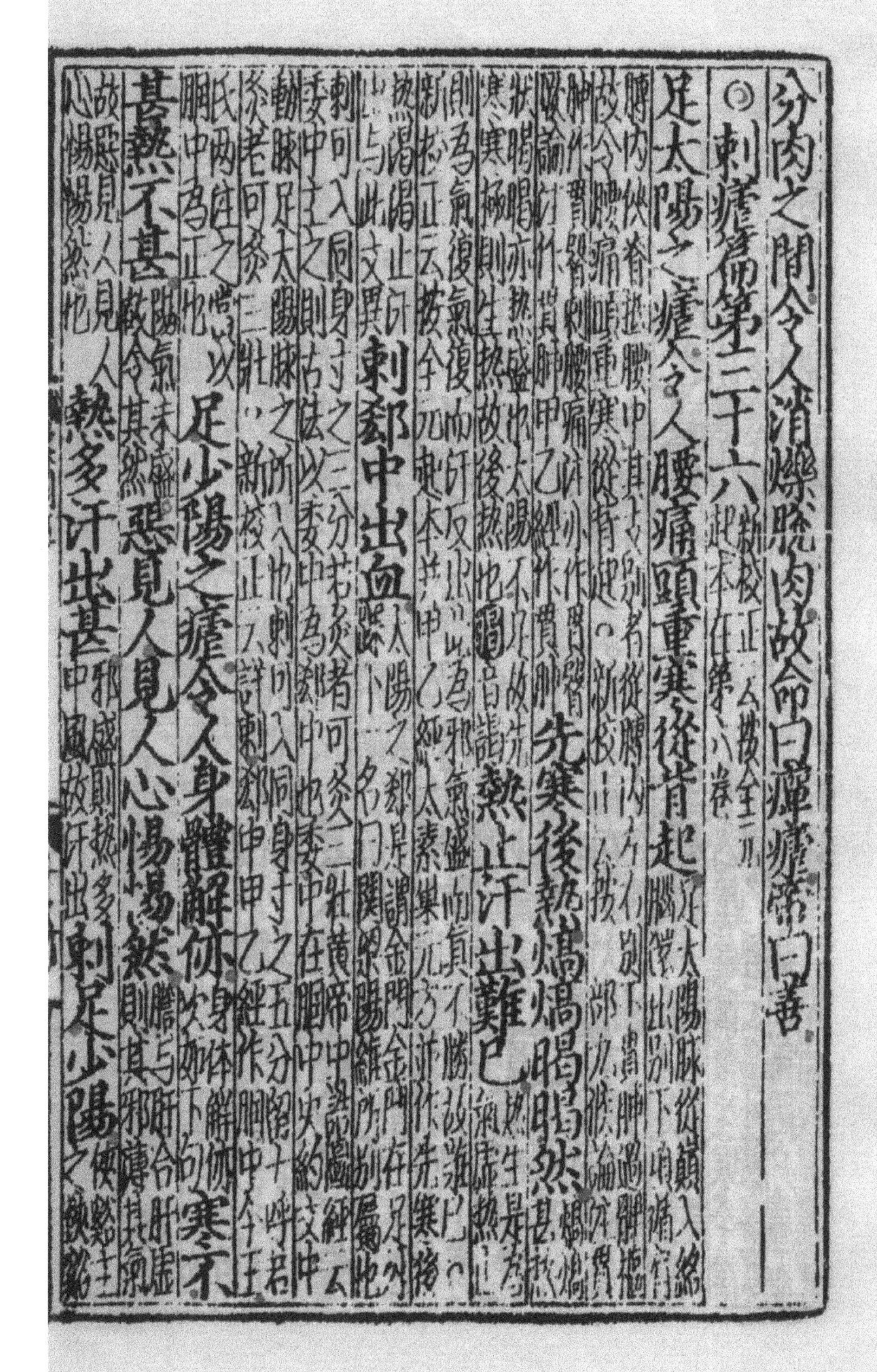

分肉之間令人消爍脫肉故命曰癉瘧帝曰善

◎刺瘧篇第三十六 新校正云按全元起本在第六卷

足太陽之瘧令人腰痛頭重寒從背起 足太陽脉從巔入絡腦還出別下項循肩髆內俠脊抵腰中其支別者從髆內左右別下貫胂過髀樞故令腰痛頭重寒從背起○新校正云按部次張論注貫胂作貫臀刺腰痛注亦作貫臀腎論注作貫胂甲乙經作貫胂 先寒後熱熇熇暍暍然 熇熇甚熱狀暍暍亦熱盛也太陽不足故先寒寒極則生熱故後熱也暍音謁 熱止汗出難已 熱生是為氣虛熱止則為氣復氣復而汗反出此為邪氣盛而真不勝故難已○新校正云按全元起本并甲乙經太素巢元方並作先寒後熱渴渴止汗出與此文異 刺郄中出血 太陽之郄是謂金門金門在足外踝下一名曰關梁陽維所別屬也刺可入同身寸之三分若灸者可灸三壯黃帝中誥圖經云委中主之則古法以委中為郄中也委中在膕中央約文中動脉足太陽脉之所入也刺可入同身寸之五分留七呼若灸者可灸三壯○新校正云詳刺郄中甲乙經作膕中今于王氏兩存之以膕中為正也 足少陽之瘧令人身體解㑊 身体解㑊次如下句 寒不甚熱不甚 陽氣未盛故令其然 惡見人見人心惕惕然 膽與肝合肝虛則其邪薄其氣故惡見人見人心惕惕然也 熱多汗出甚 邪盛則熱多中風故汗出 刺足少陽 俠谿主之俠谿

在足小指次指歧骨間本節前陷者中少陽之滎足陽明之
刺可入同身寸之三分留三呼若灸者可灸三壯
瘧令人先寒洒淅洒淅寒甚久乃熱熱去汗出喜見日月光
火氣乃快然陽虛則外先寒陽虛極則復盛故寒甚久乃熱也熱去汗已陰又內強陽不勝陰故喜見日月
光火氣乃快然也刺足陽明跗上跗上衝陽穴也在足跗上同身寸之五寸骨間動脈上去陷谷同身寸之
三寸陽明之原刺可入同身寸之三分留十呼若灸者可灸三壯足太陰之瘧令人不樂
好大息心氣流於肺則喜今脾藏受病心母救之火氣下入於脾不上行於肺又太陰脈支別者復從胃上膈注
心中故令人不樂好大息也不嗜食多寒熱汗出脾主化穀營助四傍今邪薄之諸藏無稟土寄
四季王則邪氣交爭故不嗜食多寒熱而汗出也○新校正云按甲乙經云多寒少熱病至則善嘔嘔已
乃衰足太陰脈入腹屬脾絡胃上膈俠咽故病氣來至則嘔嘔已乃衰退也即取之待病衰去即而取之
其言衰即取之井俞及公孫也公孫在足大指本節後同身寸之一寸太陰絡也刺可入同身寸之四分留七呼若灸者
可灸三壯足少陰之瘧令人嘔吐甚多寒熱熱多寒少足少陰脈貫肝膈入
肺中循喉嚨故嘔吐甚腎為陰藏陰氣生寒今陰氣不足故熱多寒少○新校正云按甲乙經云嘔吐甚多寒
少熱所欲閉戶牖而處其病難已胃陽明脈病欲獨閉戶牖而處今謂胃土病證反見腎水

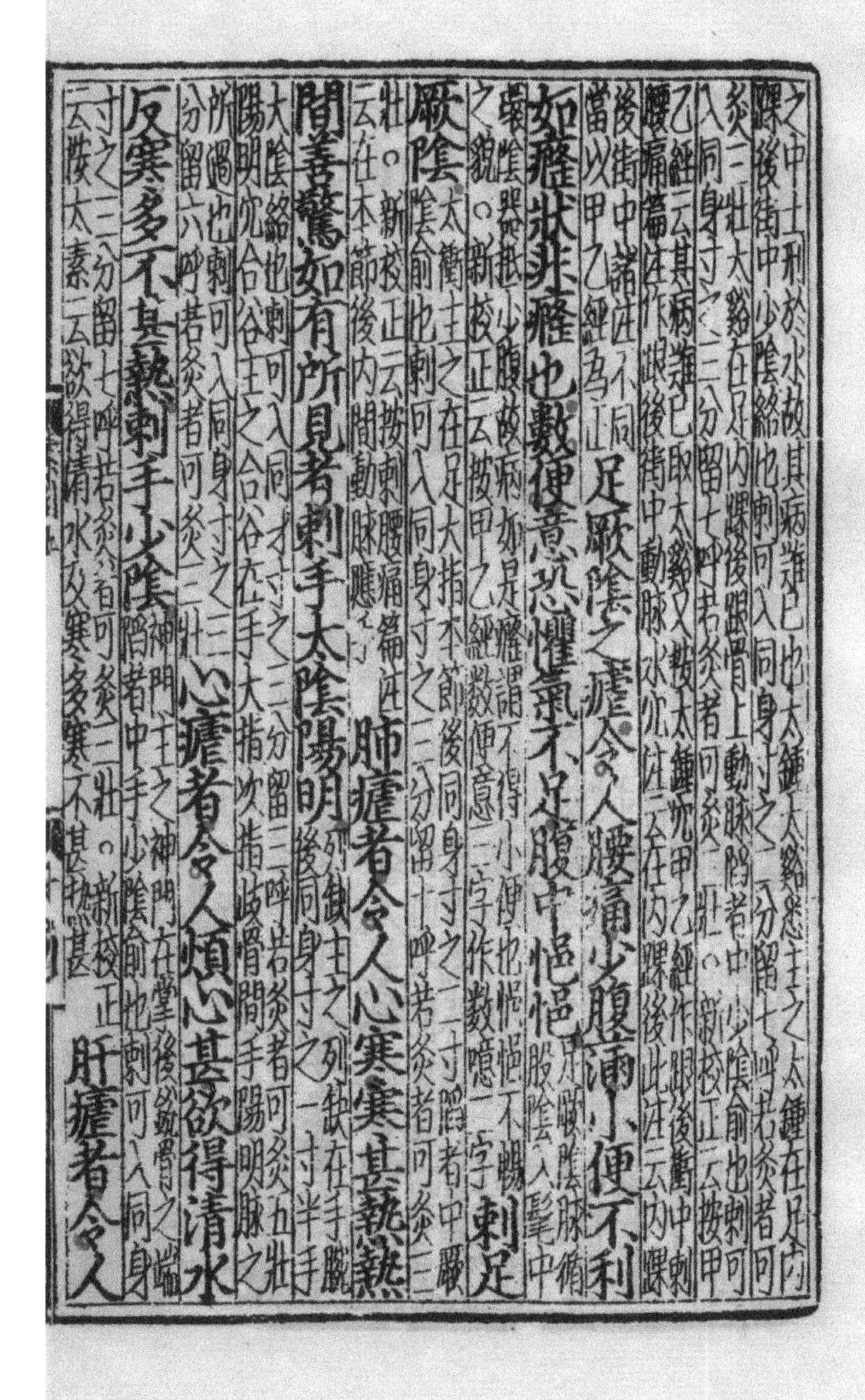

之中土刑於水故其病難已也太鍾太谿悉主之太鍾在足內踝後街中少陰絡也刺可入同身寸之二分留七呼若灸者可灸三壯太谿在足內踝後跟骨上動脉陷者中少陰俞也刺可入同身寸之三分留七呼若灸者可灸三壯○新校正云按甲乙經云其病難已取太谿又按太鍾穴甲乙經作跟後衝中刺腰痛篇注作跟後街中動脉水穴注云在內踝後此注云內踝後街中諸注不同當以甲乙經為正

足厥陰之瘧令人腰痛少腹滿小便不利如癃狀非癃也數便意恐懼氣不足腹中悒悒

足厥陰脉循股陰入髦中環陰器抵少腹故病如是癃謂不得小便也悒悒不暢之貌○新校正云按甲乙經數便意三字作數噫一字

刺足厥陰

太衝主之在足大指本節後同身寸之二寸陷者中厥陰俞也刺可入同身寸之三分留十呼若灸者可灸三壯○新校正云按刺腰痛篇注二云在本節後內間動脈應手

肺瘧者令人心寒寒甚熱熱間善驚如有所見者刺手太陰陽明

列缺主之列缺在手腕後同身寸之一寸半手太陰絡也刺可入同身寸之三分留三呼若灸者可灸五壯陽明穴合谷主之合谷在手大指次指歧骨間手陽明脉之所過也刺可入同身寸之三分留六呼若灸者可灸三壯

心瘧者令人煩心甚欲得清水反寒多不甚熱刺手少陰

神門主之神門在掌後銳骨之端陷者中手少陰俞也刺可入同身寸之三分留七呼若灸者可灸三壯○新校正云按太素云欲得清水反寒多寒不甚熱甚

肝瘧者令人

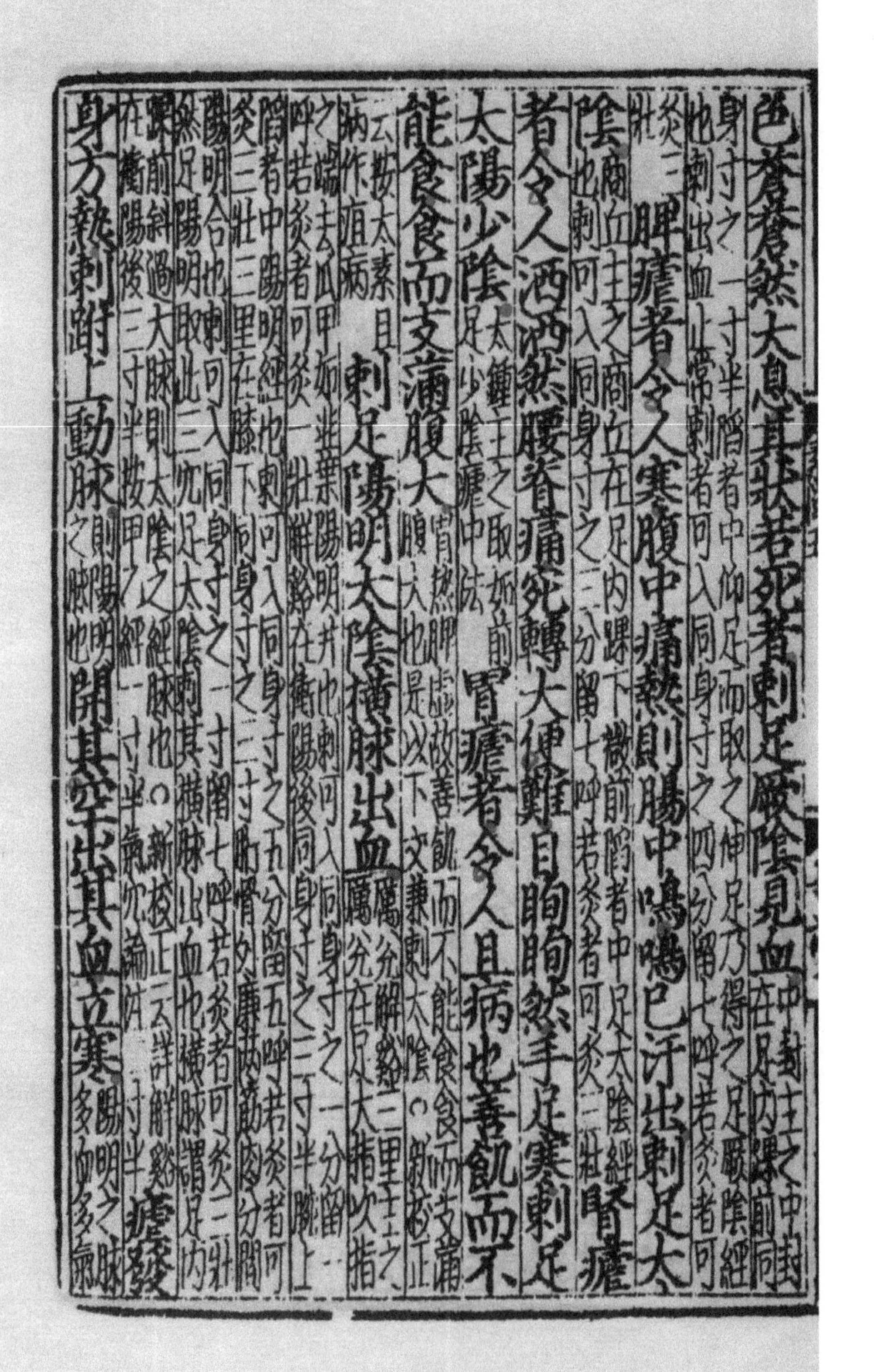

色蒼蒼然大息其狀若死者刺足厥陰見血中封主之中封在足内踝前同
身寸之一寸半陷者中仰足而取之伸足乃得之足厥陰經
也刺出血止常刺者可入同身寸之四分留七呼若灸者可
灸三壯脾瘧者令人寒腹中痛熱則腸中鳴鳴已汗出刺足太
陰商丘主之商丘在足内踝下微前陷者中足太陰經
也刺可入同身寸之三分留七呼若灸者可灸三壯腎瘧
者令人洒洒然腰脊痛宛轉大便難目眴眴然手足寒刺足
太陽少陰太鍾主之取如前足少陰瘧中法胃瘧者令人且病也善飢而不
能食食而支滿腹大胃熱脾虚故善飢而不能食食而支滿腹大也是以下文兼刺太陰○新校正
云按太素且病作疸病刺足陽明太陰横脉出血厲兌解谿三里主之厲兌在足大指次指
之端去爪甲如韭葉陽明井也刺可入同身寸之一分留一呼若灸者可灸一壯解谿在衝陽後同身寸之二寸半腕上
陷者中陽明經也刺可入同身寸之五分留五呼若灸者可
灸三壯三里在膝下同身寸之三寸䯒骨外廉兩筋肉分間
陽明合也刺可入同身寸之一寸留七呼若灸者可灸三壯
然足陽明取此三穴足太陰刺其横脉出血也横脉謂足内
踝前斜過大脉則太陰之經脉也○新校正云詳解谿
在衝陽後三寸半按甲乙經一寸半氣穴論注一寸半瘧發
身方熱刺跗上動脉則陽明之脉也開其空出其血立寒陽明之脉多血多氣

熱盛氣射故出其血而立可寒也瘧方欲寒刺手陽明太陰足陽明太陰亦謂開穴而出其血也當隨井俞而刺之也瘧脈滿大急刺背俞用中針傍五胠俞各一適肥瘦出其血也瘦者淺刺少出血肥者深刺多出血背俞謂大杼五胠俞謂譩譆○胠去魚反瘧脈小實急灸脛少陰刺指井灸脛少陰是謂復溜復溜在內踝上同身寸之二寸陷者中足少陰經也刺可入同身寸之三分留三呼若灸者可灸五壯刺指井謂刺至陰至陰在足小指外側去爪甲角如韭葉足太陽井也刺可入同身寸之一分留五呼若灸者可灸三壯瘧脈滿大急刺背俞用五胠俞背俞各一適行於血也謂調適肥瘦穴度深淺循三備法而行針令至於血脈也謂大杼五胠俞謂譩譆七之○新校正云詳此條從瘧脈滿大至此注終文注共五十五字當從刪削經文与次前經文重複王氏隨而注之別无義例不若士安之精審不復出也瘧脈緩大虛便用藥不宜用針緩者中風大為氣实虛者血虛血虛氣实風又攻之故宜藥治以遣其邪不宜針寫而出血也凡治瘧先發如食頃乃可以治過之則失時也先其發時真邪異居波隴不起故可治過時則真邪相合攻之則反傷真氣故曰失時○新校正云詳從前瘧脈滿大至此全元起本在第四卷中王氏後續於此也諸瘧而脈不、見刺十指間出血血去必已先視身之赤如小

豆者盡取之十二瘧者其發各不同時察其病形以知其何
脉之病也隨其形證而病脉可知先其發時如食頃而刺之一刺則衰
二刺則知三刺則已不已刺舌下兩脉出血解具下文不已刺郄
中盛經出血又刺項已下俠脊者必已並足太陽之脉氣也郄中則委中也俠脊
者謂大杼風門熱府穴也大杼在項第一椎下兩傍相去各同身寸之一寸半陷者中刺可入同身寸之三分留七呼若
灸者可灸五壯風門熱府在第七椎下兩傍各同身寸之一寸半刺可入同身寸之五分留七呼若灸者可灸五壯。新
校正云詳大杼穴灸五壯按甲乙經作七壯氣穴論注作七壯刺熱及熱穴注作五壯舌下兩脉者廉
泉也廉泉穴各在頷下結喉上舌本下陰維任脉之會刺可入同身寸之三分留三呼若灸者可灸三壯刺瘧
者必先問其病之所先發者先刺之先頭痛及重者先刺頭
上及兩額兩眉間出血頭上謂上星百會兩額謂懸顱兩眉間謂攢竹等穴也先項背
痛者先刺之項謂風池風府主之背謂大杼神道主之先腰脊痛者先刺郄中出血
先手臂痛者先刺手少陰陽明十指間新校正云按別本作手陰陽全本亦作手
陰陽先足脛痠痛者先刺足陽明十指間出血各以邪居之所以瀉之風

瘧。瘧發則汗出惡風，刺三陽經背俞之血者。三陽，太陽也。新校正云：按甲乙經云足三陽。胻痠痛甚，按之不可，名曰胕髓病，以鑱針針絕骨出血立已。陽輔穴也。取如氣穴論中府俞法。胕，扶付反。鑱，鋤銜反。身體小痛，刺至陰。新校正云：按甲乙經無至陰二字。諸陰之井無出血，間日一刺。諸井皆在指端，足少陰井在足心宛宛中。瘧不渴，間日而作，刺足太陽。新校正云：按九卷云足陽明，太素同。渴而間日作，刺足少陽。新校正云：按九卷云手少陽，太素同。溫瘧汗不出，為五十九刺。自胃瘧下至此，尋黃帝中誥圖經所主，或有不與此文同，應古之別法也。

○氣厥論篇第三十七 新校正云：按全元起本在第九卷，與厥論相并。

黃帝問曰：五藏六府寒熱相移者何？岐伯曰：腎移寒於肝，癰腫少氣。肝藏血，然寒入則陽氣不散，陽氣不散則血聚氣澀，故為癰腫，又為少氣也。○新校正云：按全元起本云腎移寒於脾，元起注云：腎傷於寒而傳於脾，脾胃主肉，寒生於肉則結為堅，堅化為膿，故為癰也。血傷陽氣少，故曰少氣。甲乙經亦作移寒於脾。王因誤本，遂解為肝，亦智者之一失也。脾移寒於肝，癰腫筋攣。脾藏主肉，肝藏主筋，肉溫則筋舒，肉冷則筋急，故筋攣也。肉寒則衛氣結聚，故為癰腫。肝移寒於心，狂隔中。心為陽藏神処其中寒薄之則神乱离故狂也陽氣与寒相薄故隔塞而中不通也心移寒於肺肺消肺消者飲一溲二死不治心爲陽藏反受諸寒寒氣不消乃移於肺寒隨心火内爍金精金受火邪故中消也然肺藏消爍氣无所持故令飲一而溲二也金火相賊故死不能治肺移寒於腎爲涌水涌水者按腹不堅水氣客於大腸疾行則鳴濯濯如囊裹漿水之病也肺藏氣腎主水夫肺寒入腎腎氣有餘腎氣有餘則上奔於肺故云涌水也大腸爲肺之府然肺腎俱爲寒薄上下皆无所之故水氣客於大腸也腎受凝寒不能化液大腸積水而不流通故其疾行則腸鳴而濯濯有声如囊裹漿而爲水病也○新校正云按甲乙經水之病也作治主肺者脾移熱於肝則爲驚衄肝藏血又主驚故熱薄之則驚而鼻中血出肝移熱於心則死兩陽和合火木相燔故肝熱入心則當死也陰陽別論曰肝之心謂之生陽生陽之屬不過四日而死○新校正云按陰陽別論之文義与此殊王氏不當引彼誤文附會此義心移熱於肺傳爲鬲消心肺兩間中有斜鬲膜鬲膜下際内連於橫鬲膜故心熱入肺久久傳化内爲鬲熱消渴而多飲也肺移熱於腎傳爲柔痓柔謂筋柔而无力痓謂骨痓而不隨氣骨皆熱髓不内充故骨痓强而不舉筋柔緩而无力也痓音熾腎移熱於脾傳爲虛腸澼死不可治脾土制水腎反移熱以与之是脾土不能制水而受病故久久傳爲虛損也腸澼死者腎

主下焦象水而冷今乃移熱是精氣內消下焦无主以守持故腸澼除而氣不禁止胞移熱於膀胱則
癃溺血膀胱為津液之府胞為受納之司故熱入膀胱胞中外熱陰絡內溢故不得小便而溺血也正理論曰熱
在下焦則溺血此之謂也膀胱移熱於小腸鬲腸不便上為口糜小腸脈絡心循
咽下鬲抵胃屬小腸故受熱以下令腸隔塞而不便上則口生瘡而糜爛也糜謂爛也糜武悲反小腸移熱
於大腸為虙瘕為沈小腸熱已移入大腸兩熱相薄則血溢而為伏瘕也血澁不利則月事沈滯而
不行故云為虙瘕為沈也虙与伏同瘕一為疝傳寫誤也大腸移熱於胃善食而瘦入謂
之食亦胃為水穀之海其氣外養肌肉熱消水穀又鑠肌肉故善食而瘦入也食亦者謂食入移易而過不生肌
膚也亦易也○新校正云按甲乙經入作又王氏注云善食而瘦入也殊為无義不若甲乙經作又讀連下文胃移
熱於膽亦曰食亦義同上膽移熱於腦則辛頞鼻淵鼻淵者濁
涕下不止也腦液下滲則為濁涕涕下不止如彼水泉故曰鼻淵也頞謂鼻頞也足太陽脈起於目內眥上
頞交巔上入絡腦足陽明脈起於鼻交頞中傍約太陽之脈今腦熱則足太陽逆與陽明之脈俱盛薄於頞中故鼻頞辛
也辛謂酸痛故下文曰傳為衄衊瞑目以足陽明脈交頞中傍約太陽之脈故耳熱盛則陽絡溢陽絡
溢則衄出汗血也衊謂汗血也血出甚陽明太陽脈衰不能榮養於目故目瞑瞑暗也衊莫結反故得之氣

厥也（噦者氣逆也皆由氣逆而得之）

○欬論篇第三十八（新校正云按全元起本在第九卷）

黄帝問曰肺之令人欬何也岐伯對曰五藏六府皆令人欬非獨肺也帝曰願聞其狀岐伯曰皮毛者肺之合也皮毛先受邪氣邪氣以從其合也（邪謂寒氣）其寒飲食入胃從肺脉上至於肺則肺寒肺寒則外内合邪因而客之則為肺欬（肺脉起於中焦下絡大腸還循胃口上鬲屬肺故云從肺脉上至於肺也）五藏各以其時受病非其時各傳以與之（時謂王月也非王月則不受邪故各傳以与之）人與天地相參故五藏各以治時感於寒則受病微則為欬甚者為泄為痛（寒氣微則外應皮毛内通肺故欬寒氣甚則入於内内裂則痛入於腸胃則泄痢）乘秋則肺先受邪乘春則肝先受之乘夏則心先受之乘至陰則脾先受之乘冬則腎先受之（以當用事之時故先受邪氣○新校正云按全元起本及太素无乘秋則二十字疑此文誤多也）帝曰何以異之（欲明其證也）岐伯曰肺欬之狀欬而喘息有音甚則唾血

肺藏氣而應息故欬則喘息而喉中有聲甚則肺絡逆故唾血也心欬之狀欬則心痛喉中
介介如梗狀甚則咽腫喉痺手心主脉起於胸中出屬心包少陰之脉起於心中出屬心系
其支別者從心系上俠咽喉故病如是。新校正云按甲乙經介介如梗狀作喝喝又少陰之脉上俠咽不言俠喉肝
欬之狀欬則兩脇下痛甚則不可以轉轉則兩胠下滿足厥陰脉
上貫膈布脇肋循喉嚨之後故欬如是胠亦脇也脾欬之狀欬則右胠下痛陰陰引肩
背甚則不可以動動則欬劇足太陰脉上貫膈俠咽其支別者復從胃別上膈故病如是也
脾氣連肺故痛引肩背也脾氣主右故右胠下陰陰然深慢痛也胠音樞腎欬之狀欬則腰背相
引而痛甚則欬涎足少陰脉上股内後廉貫脊屬腎絡膀胱其直行者從腎上貫肝膈入肺中循喉嚨
俠舌本又膀胱脉從肩髆内別下俠脊抵腰中入循膂絡腎故病如是帝曰六府之欬奈何安
所受病岐伯曰五藏之久欬乃移於六府脾欬不已則胃受
之胃欬之狀欬而嘔嘔甚則長蟲出脾与胃合又胃之脉循喉嚨入缺盆下膈屬胃
絡脾故脾欬不已胃受之也胃寒則嘔嘔甚則腸氣逆上故蚘出蚘音迴肝欬不已則膽受之膽
欬之狀欬嘔膽汁肝与膽合又膽之脉從缺盆以下胸中貫膈絡肝故肝欬不已膽受之也膽氣好逆

故嘔蚘長出也肺欬不已則大腸受之大腸欬狀欬而遺失肺与大腸合又大腸脉入缺盆絡肺故肺欬不已大腸受之大腸為傳送之府故寒入則氣不禁焉。新校正云按甲乙經遺失作遺矢心欬不已則小腸受之小腸欬狀欬而失氣氣與欬俱失心与小腸合又小腸脉入缺盆絡心故心欬不已小腸受之小腸寒盛氣入大腸欬則小腸氣下奔故失氣也腎欬不已則膀胱受之膀胱欬狀欬而遺溺腎与膀胱合又膀胱脉從肩髆內俠脊抵腰中入循膂絡腎屬膀胱故腎欬不已膀胱受之膀胱為津液之府是故遺溺久欬不已則三焦受之三焦欬狀欬而腹滿不欲食飲此皆聚於胃關於肺使人多涕唾而面浮腫氣逆也三焦者非謂手少陽也正謂上焦中焦耳何者上焦者出於胃上口并咽以上貫鬲布胸中走腋中焦者亦至於胃口出上焦之後此所受氣者泌糟粕蒸津液化其精微上注於肺脉乃化而為血故言皆聚於胃關於肺也兩焦受病則邪氣熏肺而肺氣滿故使人多涕唾而面浮腫氣逆也腹滿不欲食者胃寒故也胃脉者從缺盆下乳內廉下循腹至氣街其支者復從胃下口循腹裏至氣街中而合今胃受邪故病如是也何以明其不謂下焦然下焦者別於回腸注於膀胱故水穀者常并居於胃中盛糟粕而俱下於大腸泌別汁循下焦而滲入膀胱爭此行化乃与胃口懸遠故不謂此也。新校正云按甲乙經脉下循腹作下俠臍帝曰治之柰何

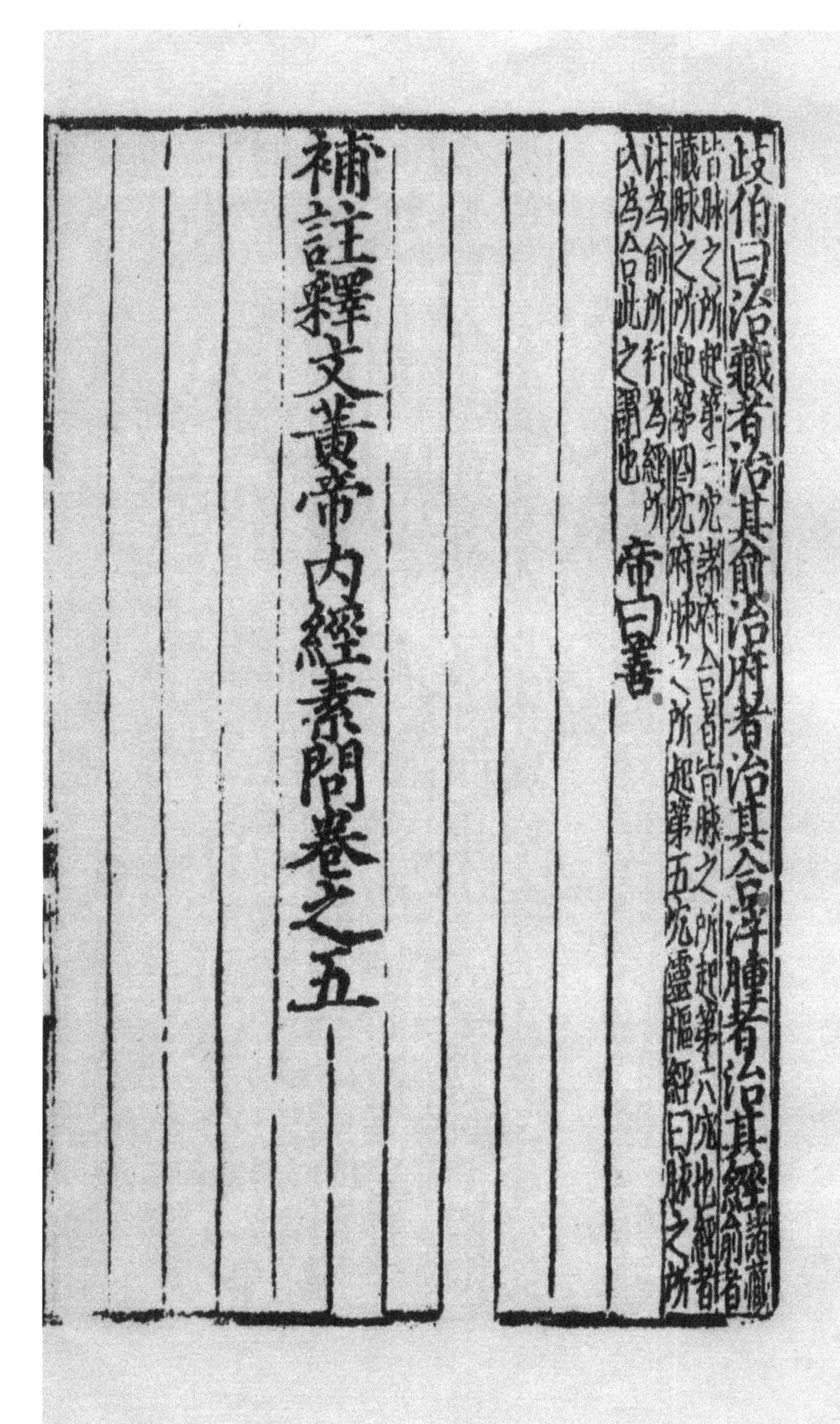

岐伯曰治藏者治其俞治府者治其合浮腫者治其經諸藏俞者皆脉之所起第三穴諸府合者皆脉之所起第六穴也經者藏脉之所起第四穴府脉之所起第五穴靈樞經曰脉之所注為俞所行為經所入為合此之謂也帝曰善

補註釋文黄帝内經素問卷之五

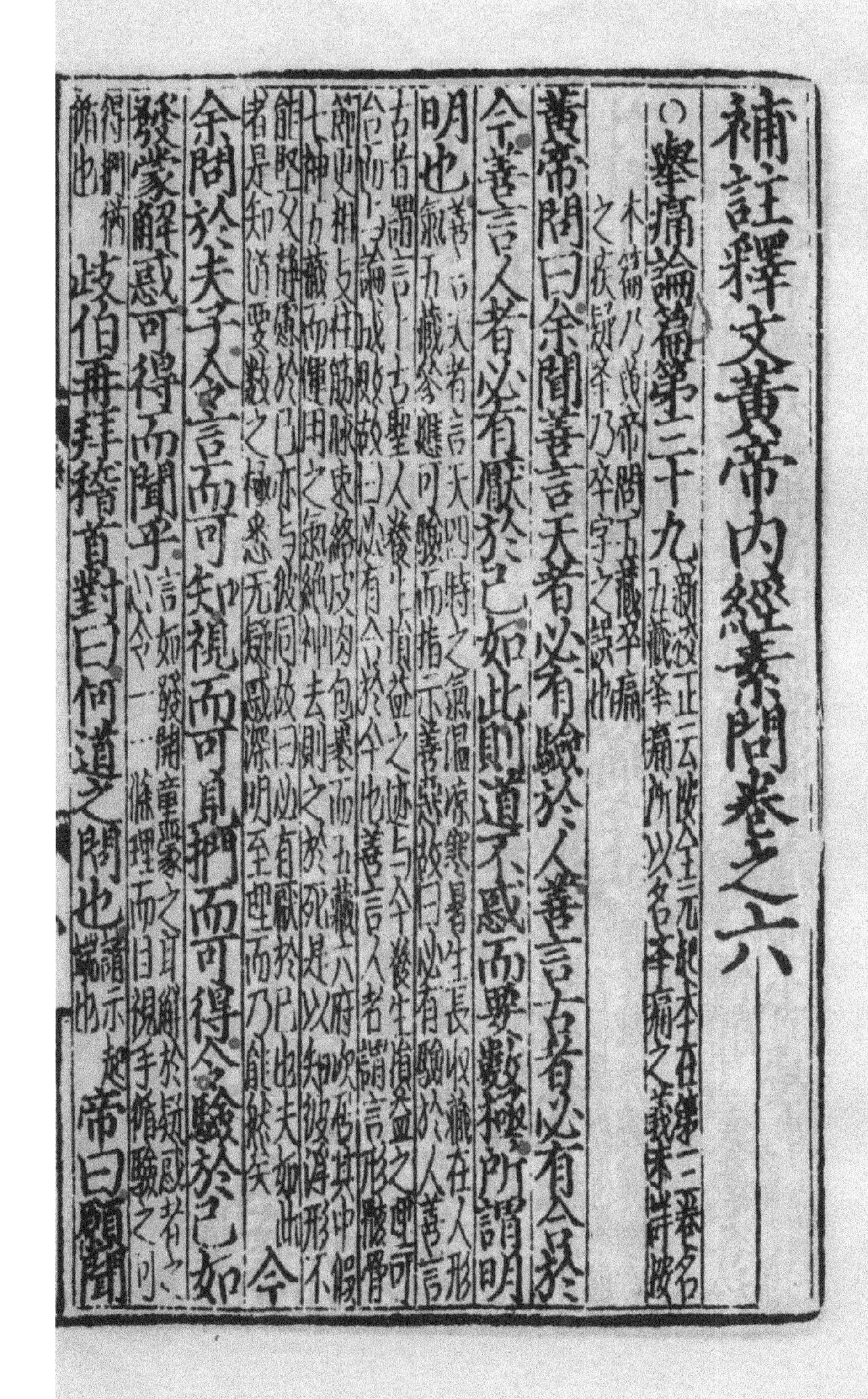

補註釋文黃帝內經素問卷之六

舉痛論篇第三十九 新校正云按全元起本在第三卷名五藏舉痛所以名舉痛之義未詳按本篇乃黃帝問五藏卒痛之疾疑舉乃卒字之誤也

黃帝問曰余聞善言天者必有驗於人善言古者必有合於今善言人者必有厭於己如此則道不惑而要數極所謂明明也 善言天者言天四時之氣溫涼寒暑生長收藏在人形氣五藏參應可驗而指示善惡故曰必有驗於人善言古者謂言上古聖人養生損益之迹與今養生損益之理可合而與論成敗故曰必有合於今也善言人者謂言形骸骨節更相枝柱筋脈束絡皮肉包裹而五藏六府次居其中假七神五藏而運用之氣絕神去則之於死是以知彼浮形不能堅久靜慮於己亦與彼同故曰必有厭於己也夫如此者是知道要數之極悉無疑惑深明至理而乃能然矣 今余問於夫子令言而可知視而可見捫而可得令驗於己如發蒙解惑可得而聞乎 言如發開童蒙之耳解於疑惑者之心令一一條理而目視手循驗之可得捫循循也 岐伯再拜稽首對曰何道之問也 請示其端也 帝曰願聞

人之五藏卒痛何氣使然岐伯對曰經脈流行不止環周不休寒氣入經而稽遲泣（音澁）而不行客於脈外則血少客於脈中則氣不通故卒然而痛帝曰其痛或卒然而止者或痛甚不休者或痛甚不可按者或按之而痛止者或按之無益者或喘動應手者或心與背相引而痛者或脇肋與少腹相引而痛者或腹痛引陰股者或痛宿昔而成積者或卒然痛死不知人少間復生者或痛而嘔者或腹痛而後泄者或痛而閉不通者凡此諸痛各不同形別之柰何（欲明異候之所起）岐伯曰寒氣客於脈外則脈寒脈寒則縮踡縮踡則脈絀急絀急則外引小絡故卒然而痛得炅則痛立止（脈左右環故得寒則縮踡絀急縮踡絀急則衛氣不得流通故外引於小絡脈也衛氣不入寒内薄之脈急不縱故痛生也得熱則衛氣復行寒氣退辟故痛止炅熱也已止也炅古迥反）因重中於寒則痛久矣（重寒難釋故痛久不消）寒氣客於經脈之中與炅氣相薄則脈滿滿則痛而不可按也（按之痛甚者其

義具下文寒氣稽留炅氣從上則脉充大而血氣亂故痛甚不可按也脉既滿大血氣復乱按之則邪氣攻內故不可按也寒氣客於腸胃之間膜原之下血不得散小絡急引故痛按之則血氣散故按之痛止膜謂鬲間之膜原謂鬲肓之原血不得散謂鬲膜之中小絡脉內血也絡滿則急故牽引而痛生也手按之則寒氣散小絡緩故痛止寒氣客於俠脊之脉則深按之不能及故按之無益也俠脊之脉者當中督脉也次兩傍足太陽脉也督脉者循脊裏太陽者貫膂筋故深按之不能及也若按當中則脊節曲按兩傍則膂筋蹙合曲與蹙皆衛氣不得行過寒氣益聚而內畜故按之無益寒氣客於衝脉衝脉起於關元隨腹直上寒氣客則脉不通脉不通則氣因之故喘動應手矣衝脉奇經脉也關元穴名在齊下三寸言起自此穴即隨腹而上非生出於此也其本生出乃起於腎下也直者謂行會於咽喉也氣因之謂衝脉不通足少陰氣因之上滿衝脉與少陰並行故喘動而應手也矣寒氣客於背俞之脉則血脉泣脉泣則血虛血虛則痛其俞注於心故相引而痛按之則熱氣至熱氣至則痛止矣背俞謂心俞脉亦足太陽脉也夫俞者皆內通於藏故曰其俞注於心相引而痛也按之則溫氣入溫氣入則心氣外發故痛

寒氣客於厥陰之脈，厥陰之脈者，絡陰器繫於肝，寒氣客於脈中，則血泣脈急，故脇肋與少腹相引痛矣。厥陰者肝之脈，入髦中，環陰器，抵少腹，上貫肝鬲，布脇肋，故曰絡陰器繫於肝，脈急引脇與少腹痛也。

厥氣客於陰股，寒氣上及少腹，血泣在下相引，故腹痛引陰股。亦厥陰肝脈之氣也。以其脈循陰股入毛中，環陰器，上抵少腹，故曰厥氣客於陰股，寒氣上及於少腹也。

寒氣客於小腸膜原之間，絡血之中，血泣不得注於大經，血氣稽留不得行，故宿昔而成積矣。言血為寒氣之所凝結而乃成積。

寒氣客於五藏，厥逆上泄，陰氣竭，陽氣未入，故卒然痛死不知人，氣復反則生矣。言藏氣被寒擁胃而不行，氣復得通則已也。○新校正云：詳注中擁胃疑作擁冒。

寒氣客於腸胃，厥逆上出，故痛而嘔也。腸胃客寒留止，則陽氣不得下流而反上行，寒不去則痛生，陽上行則嘔逆，故痛而嘔也。

寒氣客於小腸，小腸不得成聚，故後泄腹痛矣。小腸為受盛之府，中滿則寒邪不居，故不得結聚而傳下入於迴腸。迴腸，廣腸也，為傳導之府，物不得停留，故後泄而痛。

熱氣留於小腸，腸中痛，癉熱焦渴，則堅乾不得出，故痛而閉不通矣。熱滲津液，故便堅也。

曰所謂言而可知者也。視而可見奈何？（謂候色也）岐伯曰：五藏六府，固盡有部，（謂面上之分部）視其五色，黃赤為熱，（中熱則色黃赤）白為寒，（陽氣少血不上榮故色白）青黑為痛，（血凝泣則變惡，故色青黑則痛）此所謂視而可見者也。帝曰：捫而可得奈何？（捫，摸也，以手循摸也）岐伯曰：視其主病之脉，堅而血及陷下者，皆可捫而得也。帝曰：善。余知百病生於氣也，（夫氣之為用，虛實逆順緩急皆能為病，故發此問端）怒則氣上，喜則氣緩，悲則氣消，恐則氣下，寒則氣收，炅則氣泄，驚則氣亂，（新校正云：按《太素》驚作憂）勞則氣耗，思則氣結，九氣不同，何病之生？岐伯曰：怒則氣逆，甚則嘔血及飧泄，（新校正云：按《甲乙經》及《太素》飧泄作食而氣逆）故氣上矣。（怒則陽氣逆上而肝氣乘脾，故甚則嘔血及飧泄也。何以明其然？怒則面赤，甚則色蒼。《靈樞經》曰：盛怒而不止則傷志。明怒則氣逆上而不下也）喜則氣和志達，榮衛通利，故氣緩矣。（氣脉和調，故志達暢；榮衛通利，故氣徐緩）悲則心系急，肺布葉舉，而上焦不通，榮衛不散，熱氣在中，故氣消矣。（布葉，謂布蓋之大葉。○新校正云：按《甲乙經》及《太素》而上焦不通作兩焦不通。又王注肺布葉舉謂布蓋之大葉，疑

按全元起云悲則損於心心系急則動於肺肺氣系諸經逆故肺布而葉舉安得謂肺布為肺布葉之大葉恐則

精却却則上焦閉閉則氣還還則下焦脹故氣不行矣恐則陽精却上而不下流故却則上焦閉也上焦既閉氣不行流下焦陰氣亦還迴不散而聚為脹也然上焦固禁下焦氣還各守一處故氣不行也○新校正云詳氣不行當作氣下行也寒則腠理閉氣不行故氣收矣腠謂津液滲泄之所理謂文理逢會之中閉謂密閉氣謂衛氣行謂流行收謂收斂也身寒則衛氣沉故皮膚文理及滲泄之處皆閉密而氣不流行衛氣收斂於中而不發散也○新校正云按甲乙經氣不行作營衛不行炅則腠理開榮衛通汗大泄故氣泄矣人在陽則舒在陰則慘故熱則膚腠開發榮衛大通津液外滲而汗大泄驚則心無所倚神無所歸慮無所定故氣亂矣氣奔越故不調理○新校正云按太素驚作憂勞則喘且汗出外内皆越故氣耗矣疲力役則氣奔速故喘息氣奔速則陽外發故汗出然喘且汗出內外皆踰越於常紀故氣損耗也思則心有所存神有所歸正氣留而不行故氣結矣繫心不散故氣亦停留○新校正云按甲乙經歸正二字作止字

○腹中論篇第四十

新校正云按全元起本在第五卷

黄帝問曰：有病心腹滿，旦食則不能暮食，此爲何病？岐伯對曰：名爲鼓脹。心腹脹滿，不能再食，形如鼓脹，故名鼓脹也。新校正云：按《太素》鼓作穀字。帝曰：治之奈何？岐伯曰：治之以雞矢醴，一劑知，二劑已。按古本草雞矢並不治鼓脹，惟大利小便，微寒，今方制法當取用處湯漬服之。帝曰：其時有復發者何也？復，謂再發。言如舊也。岐伯曰：此飲食不節，故時有病也。雖然其病且已時，故當病氣聚於腹也。飲食不節則傷胃，胃脉者循腹裏而下行，故飲食不節時有病者，復病氣聚於腹中也。

帝曰：有病胸脇支滿者，妨於食，病至則先聞腥臊臭，出清液，先唾血，四支清，目眩，時時前後血，病名爲何？何以得之？清液，清水也，亦謂之清涕。清涕者，謂從窈漏中漫液而下，水出清冷也。清，謂清冷也。眩，謂目視眩轉也。前後血，謂前陰後陰出血也。岐伯曰：病名血枯，此得之年少時，有所大脫血，若醉入房中，氣竭肝傷，故月事衰少不來也。出血多者，謂之脫血，漏中、鼻衄、嘔吐出血皆同焉。夫醉則血脉盛，血脉盛則內熱，因而入房，髓液皆下，故腎中氣竭也。肝藏血，以少大脫血，故肝傷也。然於丈夫則精液衰乏，女子則月事衰少而不來。帝曰：治之奈何？復以何術？岐伯曰：以四烏鰂骨一藘茹一物并合之丸以雀卵大如小豆以五丸為後飯飲以鮑魚汁利腸中新校正云按別本一作傷中鰂昨則反藘茹上力居反下音如字及傷肝也飯後藥先謂之後飯按古本草經云烏鰂魚骨藘茹等並不治血枯然經法用之是攻其所生所起尒夫醉勞力以入房則腎中精氣耗竭月事衰少不至則中有惡血淹留精氣耗竭則陰萎不起而无精惡血淹留則血痺著中而不散故先兹四藥用入方焉古本草經曰烏鰂魚骨味鹹冷平无毒主治女子血閉藘茹味辛寒平有小毒主散惡血雀卵味甘溫平无毒主治男子陰萎不起強之令熱多精有子鮑魚味辛臭溫平无毒主治瘀血血痺在四支不散者尋文會意方義如此而迎治之也○新校正云按甲乙經及大素藘茹作蔄茹詳王冰以性味乃蔄茹當改藘作蔄又按本草烏鰂魚骨冷作微溫雀卵甘作酸与王注異帝曰病有少腹盛上下左右皆有根此為何病可治不岐伯曰病名曰伏梁伏梁心之積也○新校正云詳此伏梁与心積之伏梁大異此病有名同而實異者非一如此之類是也帝曰伏梁何因而得之岐伯曰裹大膿血居腸胃之外不可治治之每切按之致死帝曰何以然岐伯曰此下則因陰必下膿血上則迫胃脘生鬲俠胃脘內癰正當衝脉帶脉之部分也帶脉者起於季脇迴身一周橫絡於臍下衝脉者与足少陰之絡起於腎下出於氣街循陰股

其上行者出齊下同身寸之二寸關元之分俠齊直上循腹各行會於咽喉故病當其分則少腹盛上下左右皆有根也以其上下堅盛如有潛梁故曰病名伏梁不可治也以裹大膿血居腸胃之外按之痛悶不堪故每切按之致死也以衝脉下行者絡陰上行者循腹故也上則迫近於胃脘下則因薄於陰器也若因薄於陰則便下膿血若迫近於胃則病氣上出於鬲復侵胃脘內長其癰也何以然哉以本有大膿血在腸胃之外故也生當爲出傳文誤也。新校正云按太素俠胃作使胃

此久病也難治居齊上爲逆居齊下爲從勿動亟奪 若裹大膿血居齊上則漸傷心藏故爲逆居齊下則去心稍遠猶得漸攻故爲從從順也亟數也奪去也言不可移動但數數去之則可矣

論在刺法中 今經亡

帝曰人有身體髀股䯒皆腫環齊而痛是爲何病岐伯曰病名伏梁 此二十六字錯簡在奇病論中若不有此二十六字則下文无據也。新校正云詳此並无注辭盡在下卷奇病論中

此風根也 此四字此篇本有奇病論中亦有之

其氣溢於大腸而著於肓肓之原在齊下故環齊而痛也不可動之動之爲水溺濇之病 亦衝脉也齊下謂脖胦在齊下同身寸之一寸半靈樞經曰肓之原名曰脖胦脖蒲没反胦烏朗反

帝曰夫子數言熱中消中不可服高梁芳草石藥石藥發瘨芳草發狂 多飲數溲謂之熱中多食數溲謂之消中多喜曰瘨

多怒曰狂芳美味也夫熱中消中者皆富貴人也今禁高梁是不合其心禁芳草石藥是病不愈願聞其說熱中消中者脾氣之上溢甘肥之所致故禁食高梁芳美之草也通評虛實論曰凡治消癉甘肥貴人則高梁之疾也又奇病論曰夫五味入於口藏於胃脾為之行其精氣津液在脾故令人口甘此肥美之所發也此人必數食甘美而多肥也肥者令人內熱甘者令人中滿故其氣上溢轉為消渴此之謂也夫富貴人者驕恣縱欲輕人而無能禁之禁之則逆其志順之則加其病帝思難詰故發問之高膏梁米也石藥英乳也芳草濃美也然此五者富貴人常服之難禁也岐伯曰夫芳草之氣美石藥之氣悍二者其氣急疾堅勁故非緩心和人不可以服此二者脾氣溢而生病氣美則重盛於脾消熱之氣躁疾氣悍則又滋其熱若人性和心緩氣候舒匀不與物爭釋然寬泰則神不躁迫无懼內傷故非緩心和人不可以服此二者悍利也堅定也固也勁剛也言其芳草石藥之氣堅定固久剛烈而卒不歇滅也二者是也帝曰不可以服此二者何以然岐伯曰夫熱氣慓悍藥氣亦然二者相遇恐內傷脾脾者土也而惡木服此藥者至甲乙日更論熱氣慓盛則木氣內餘故心非和緩則躁怒數起躁怒數起則熱氣因木以傷脾甲乙為木故至甲乙日更論脾病之增減也帝曰善有病膺腫新校正云按甲

（乙經作腫）頸痛胸滿腹脹此為何病何以得之（膺胸傍也頸項前也胸膺間也）岐伯曰名厥逆（氣逆所生故名厥逆）帝曰治之柰何岐伯曰灸之則瘖石之則狂須其氣并乃可治也（石謂以石鍼開破之）帝曰何以然岐伯曰陽氣重上有餘於上灸之則陽氣入陰入則瘖石之則陽出內虛則狂（灸之則火氣助陽陽盛故入陰石之則陽氣出陽氣出則內不足故狂）須其氣并而治之可使全也（并謂并合也待自并合則兩氣俱全故可治若不爾而灸石之則偏致勝負故不得全而瘖狂也）帝曰善何以知懷子之且生也岐伯曰身有病而無邪脈也（病謂經閉也脈法曰尺中之脈來而斷絕者經閉也月水不利若尺中脈絕者經閉也今病經閉脈反如常者婦人姙娠之證故云身有病而無邪脈）帝曰病熱而有所痛者何也岐伯曰病熱者陽脈也以三陽之動也人迎一盛少陽二盛太陽三盛陽明入陰也夫陽入於陰故病在頭與腹乃䐜脹而頭痛也帝曰善（新校正云按六節藏象論云人迎一盛病在少陽二盛病在太陽三盛病在陽明與此論同又按甲乙經三盛陽明无入陰也三字）

○刺腰痛篇第四十一 新校正云按全元起本在第六卷

足太陽脉令人腰痛引項脊尻背如重狀足太陽脉别下項循肩髆内俠脊抵腰中别下貫臀故令人腰痛引項脊尻背如重狀也。新校正云按甲乙經貫臀作貫胂刺瘧注亦作貫胂三部九候注作貫臀尻栝敖反刺其郄中太陽正經出血春無見血郄中委中也在膝後屈處膕中央約文中動脉足太陽脉之所入也刺可入同身寸之五分留七呼若灸者可灸三壯太陽合腎腎王於冬水衰於春故春无見血也

少陽令人腰痛如以鍼刺其皮中循循然不可以俛仰不可以顧足少陽脉繞髦際横入髀厭中故令腰痛如以鍼刺其皮中循循然不可俛仰少陽之脉起於目銳眥上抵頭角下耳後循頸行手陽明之前至肩上交出手少陽之後其支别者目銳眥下大迎合手少陽於頗下加頰車下頸合缺盆故不可以顧。新校正云按甲乙經行手陽明之前作行手少陽之前也刺少陽成骨之端出血成骨在膝外廉之骨獨起者夏無見血成骨謂膝外近下䯒骨上端兩起骨相並間陷容指者也䯒骨所成柱膝髀骨故謂之成骨也少陽合肝肝主於春木衰於夏故无見血也

陽明令人腰痛不可以顧顧如有見者善悲足陽明脉起於鼻交頞中下循鼻外入上齒中還出俠口環脣下交承漿却循頤後下廉出大迎其支别者從大迎前下人迎循喉嚨入缺盆又其

支別者起胃下口循腹裏至氣街中而合以下髀故令人腰痛不可顧顧如有見者陽虛故悲也刺陽明於䯒前三痏上下和之出血秋無見血按內經中誥流注圖經陽明脉穴俞之所主此腰痛者巻刺䯒前三痏則正三里穴也三里穴在膝下同身寸之三寸斷骨外廉兩筋肉分間刺可入同身寸之一寸留七呼若灸者可灸三壯陽明合脾脾王長夏土衰於秋故秋無見血○新校正云按甲乙經䯒作骭足少陰令人腰痛痛引脊內廉足少陰脉上股內後廉貫脊屬腎故令人腰痛引脊內廉也○新校正云按全元起本脊內廉作脊內痛太素亦同此前少足太陰腰痛證并刺穴以太陰綂應古文脫簡也刺少陰於內踝上二痏春無見血出血太多不可復也按內經中誥流注圖經少陰脉穴俞所主此腰痛者當刺內踝上則正復溜穴也復溜見內踝後上同身寸之二寸動脉陷者中刺可入同身寸之三分留三呼若灸者可灸五壯厥陰之脉令人腰痛腰中如張弓弩弦足厥陰脉自陰股環陰器抵少腹其支別者与太陰少陽結於腰髁下俠脊第三第四骨空中其穴即中髎下髎故腰痛則中如張弓弩之弦也如張弦者言強急之甚刺厥陰之脉在腨踵魚腹之外循之累累然乃刺之腨踵者言脉在腨外側下當足跟也腨形勢如卧魚之腹故曰魚腹之外也循其分肉有血絡累累然乃刺出之此正當蠡溝穴分足厥陰之絡在內踝上五寸別走少陽者刺可入同身寸之二分留三呼若灸者可灸三壯厥陰二

經作居陰是傳寫草書厥字為居也○新校正按經云厥陰之脈令人腰痛次言刺厥陰之脈注言刺厥陰之絡經注相違疑經中脈字乃絡字之誤也臨時轉次**其病令人善言嘿嘿然不慧刺之三痏**厥陰之脈循喉嚨之後上入頏顙絡於舌本故病則善言風盛則昏冒故不爽慧也三刺其處腰痛乃除○新校正云按經云善言嘿嘿然不慧詳善言嘿嘿二病難相兼全元起本无善字於義為允又按甲乙經厥陰之脈不絡舌本王氏於素問之中五處引注而注厥論與刺熱及此三篇皆云絡舌本注風論注痺論二篇不言絡舌本蓋王氏亦疑而兩言之也**解脈令人腰痛痛而引肩目䀮䀮然時遺溲**解脈散行脈也言不合而別行也此足太陽之經起於目內眥上額交巔上循肩髆俠脊抵腰中入循膂絡腎屬膀胱下入膕中故病斯候也又其支別者從髆內別下貫胂循髀外後廉而下合於膕中二脈如繩之解股故名解脈也**刺解脈在膝筋肉分間郄外廉之橫脈出血血變而止**膝後兩傍大筋之上股之後兩筋之間橫文之處弩肉高起則郄中之分也古中誥以膕中為太陽之郄當取郄外廉有血絡橫見迢然紫黑而盛滿者乃刺之當見黑血必候其血色變赤乃止血不變赤極而寫之必行血色變赤乃止此太陽中經之為腰痛也**解脈令人腰痛如引帶常如折腰狀善恐**足太陽之別脈自肩而別下循背脊至腰而橫入髀外後廉而下合膕中故若引帶如折腰之狀○新校正云按甲乙經如引帶作如裂善恐作善怒**刺解脈在郄**

中結絡如黍米，刺之血射以黑，見赤血而已。郄中則委中穴，足太陽合也，在膝後屈處膕中央約文中動脈，刺可入同身寸之五分，留七呼，若灸者可灸三壯。此經刺法也。今則取其結絡大如黍米者，當黑血箭射而出，見血變赤，然可止也。○新校正云：按全元起云：有兩解脉，病源各異，恐誤，未詳。

同陰之脉令人腰痛，痛如小鍾居其中，怫然腫。足少陽之別絡也，並少陽經上行，去足外踝上同身寸之五寸乃別走厥陰，並經下絡足跗，故曰同陰脉也。怫，怒也，言腫如嗔怒也。○新校正云：按太素小鍾作小鍼。音弗。

刺同陰之脉，在外踝上絕骨之端，為三痏。絕骨之端如前同身寸之三分，陽輔穴也。足少陽脉所行，刺可入同身寸之五分，留七呼，若灸者可灸三壯。

陽維之脉令人腰痛，痛上怫然腫。陽維起於陽，則太陽之所生，奇經八脉此其一也。

刺陽維之脉，脉與太陽合腨下間，去地一尺所。太陽所主与正經並行而上，至腨下，復与太陽合而上也。腨下去地正同身寸之一尺，是則承光穴，在銳腨腸下肉分間陷者，刺可入同身寸之七分，若灸者可灸五壯，以其取腨腸下分間，故云合腨下間。○新校正云：按穴之所在乃承山穴，非承光也，山字誤為光。

衡絡之脉令人腰痛，不可以俛仰，則恐仆，得之舉重傷腰，衡絡絕，惡血歸之。衡，橫也，謂太陽之外絡自腰中橫入髀外後廉而下，与中經合於膕中者。今舉重傷腰，則橫絡絕，中經獨盛，故腰痛不可以俛

仰矣一經作行絡之脈傳寫魚魯之誤也若是足行脈中諸不聽取太陽脈委陽殷門之穴也刺之在郄陽
筋之間上郄數寸衡居為二痏出血橫居二穴謂委陽殷門平視橫相當也郄陽謂
浮郄穴上側委陽穴也筋之間謂膝後膕上兩筋之間殷門穴也二穴各去臀下橫紋同身寸之六寸故曰上郄數寸也
委陽刺可入同身寸之七分留五呼若灸者可灸三壯殷門刺可入同身寸之五分留七呼若灸者可灸三壯故曰行居
為二痏○新校正云詳王氏云浮郄穴上側委陽穴也按甲乙經委陽在浮郄穴下一寸不得言上側也會陰之
脈令人腰痛痛上漯漯然汗出汗乾令人欲飲飲已欲走足太
陽之中經也其脈循腰下會於後陰故曰會陰之脈其經自腰下行至足今陽氣大盛故痛上漯漯然汗出汗液既出則
腎燥陰虛故汗乾令人欲飲水以救腎也水入腹已腎氣復生陰氣流行大陽又盛故飲水已反欲走也刺直陽
之脈上三痏在蹻上郄下五寸橫居視其盛者出血直陽之脈則大
陽之脈俠脊下行貫臀下至膕中下循腨過外踝之後條直而行者故曰直陽之脈也蹻爲陽蹻所生申脈穴在外踝下
也郄下則膕下也言此刺處在膕下同身寸之五寸上承郄中之穴下當申脈之位是謂承筋穴即腨中央如外陷者中
也太陽脈氣所發禁不可刺可灸三壯今云刺者謂刺其血絡之盛滿者也兩腨皆有太陽經氣下行當視兩腨中央有
血絡盛滿者乃刺出之故曰視其盛者出血○新校正云詳上云會陰之脈令人腰痛此云刺直陽之脈者詳此直陽之

脉郄會陰之脉也。文變而事不殊。又承筋穴注云：腨中央如外。按甲乙經及骨空論注無如外二字。飛陽之脉

令人腰痛，痛上怫怫然，甚則悲以恐。是陰維之脉也。去內踝上同身寸之五寸腨分中，並少陰經而上也。少陰之前，陰維脉所行也。足少陰之脉，從腎上貫肝鬲，入肺中，循喉嚨，俠舌本；其支別者，從肺出絡心，注胸中，故甚則悲以恐也。恐者生於腎，悲者生於心。

刺飛陽之脉，在內踝上五寸，新校正云：按甲乙經作二寸。少陰之前，與陰維之會。內踝後上同身寸之五寸，復溜穴，少陰脉所行，刺可入同身寸之三分。內踝之後，築賓穴，陰維之郄，刺可入同身寸之三分，若灸者可灸五壯。少陰之前，陰維之會，以三脉會在此穴分位也。刺可入同身寸之一分，若灸者可灸五壯。今中誥經文正同此法。○新校正云：按甲乙經，足太陽之絡別走少陰者，名曰飛陽，在外踝上七寸。又云：築賓，陰維之郄，在內踝上腨分中。復溜穴在內踝上二寸。今此經注都與甲乙不合者，疑經注中五寸字當作二寸，則素問與甲乙相應矣。

昌陽之脉令人腰痛，痛引膺，目䀮䀮然，甚則反折，舌卷不能言。陰蹻脉也。陰蹻者，足少陰之別也，起於然骨之後，上內踝之上，直上循陰股入陰，而循腹上入胸裏，入缺盆，上出人迎之前，入頄內廉，屬目內眥，合於太陽陽蹻而上行，故腰痛之狀如此。

刺內筋為二痏，在內踝上大筋前太陰後上踝二寸所。內筋，謂大筋之前分肉也。太陰後，大筋前，即陰蹻之郄交信穴也，在內踝上同身寸之二寸，少陰前，太陰

後筋骨之間陷者之中刺可入同身寸之四分留五呼若灸者可灸三壯今中誥經文正主此散脉令人腰痛而熱熱甚生煩腰下如有橫木居其中甚則遺溲散脉足太陰之別也散行而上故以名焉其脉循股內入腹中與少陰少陽結於腰髁下骨空中故病則腰下如有橫木居其中甚乃遺溲也刺散脉在膝前骨肉分間絡外廉束脉為三痏謂膝前內側也骨肉分謂膝內輔骨之下下廉腨肉之兩間也絡外廉則太陰之絡色青而見者也輔骨之下後有大筋纈束膝胻之骨令其連屬取此筋骨繫束之處脉以去其病是曰地機三刺而已故曰束脉為之三痏也肉里之脉令人腰痛不可以咳咳則筋縮急肉里之脉少陽所生則陽維之脉氣所發也里裏也刺肉里之脉為二痏在太陽之外少陽絕骨之後分肉主之一經云少陽絕骨之前傳寫誤也絕骨之前足少陽脉所行絕骨之後陽維脉所過故指曰在太陽之外少陽絕骨之後也分肉穴在足外踝直上絕骨之端如後同身寸之二分筋肉分間陽維脉氣所發刺可入同身寸之五分留十呼若灸者可灸三壯○新校正云按分肉之穴甲乙經不見與氣穴注刺出而分寸不同氣穴注二分作三分五分作三分十呼作七呼腰痛俠脊而痛至頭几几然目𥆨𥆨欲僵仆刺足太陽郄中出血郄中委中○新校正云按太素作頭沉沉然腰痛上寒刺足太陽陽明上熱刺足厥

陰不可以俛仰，刺足少陽。中熱而喘，刺足少陰，刺郄中出血。此法玄妙，中誥不同，莫可窺測，當用知其應，不亦皆應先去血絡，乃調之也。腰痛上寒不可顧，刺足陽明。上寒，陰市主之。陰市在膝上同身寸之三寸伏兔下陷者中，足陽明脈氣所發，刺可入同身寸之三分，留七呼，若灸者可灸三壯。不可顧，三里主之。三里在膝下同身寸之三寸䯒外廉兩筋肉分間，足陽明脈之所入也，刺可入同身寸之一寸，留七呼，若灸者可灸三壯。上熱，刺足太陰。地機主之。地機在膝下同身寸之五寸，足太陰之郄也，刺可入同身寸之三分，若灸者可灸三壯。○新校正云：按《甲乙經》作五壯。中熱而喘，刺足少陰。涌泉、太鐘悉主之。涌泉在足心陷者中，屈足捲指宛宛中，足少陰脈之所出，刺可入同身寸之三分，留三呼，若灸者可灸三壯。太鐘在足跟後街中動脈，足少陰之絡，刺可入同身寸之二分，留七呼，若灸者可灸三壯。○新校正云：按《刺瘧》注太鐘在內踝後街中，《水穴論》注在內踝後，此注在跟後街中動脈，三注不同。《甲乙經》亦云在跟後衝中，當從《甲乙經》為正。大便難，刺足少陰。涌泉主之。少腹滿，刺足厥陰。大衝主之。在足大指本節後內間同身寸之二寸陷者中，脈動應手，足厥陰脈之所注也，刺可入同身寸之三分，留十呼，若灸者可灸三壯。如折，不可以俛仰，不可舉，刺足太陽。如折，束骨主之。不可以俛仰，京骨、崑崙悉主之。不可舉，申脈、僕參悉主之。束骨在足小指外側本節後赤白肉際陷者中，足太陽脈之所注也，刺可入同身寸之三分，留三呼，若灸者可灸三壯京骨在足外側大骨下赤白肉際陷者中按而得之足太陽脈之所過也刺可入同身寸之三分留七呼若灸者可灸三壯崑崙在足外踝後跟骨上陷者中細脈動應手足太陽脈之所行也刺可入同身寸之五分留十呼若灸者可灸三壯申脈在外踝下同身寸之五分容爪甲陽蹻之所生也刺可入同身寸之六分留十呼若灸者可灸三壯僕參在跟骨下陷者中足太陽陽蹻二脈之會刺可入同身寸之三分留七呼若灸者可灸三壯◦新校正云按甲乙經申脈在外踝下陷者中无五分字刺入六分作三分留十呼作留六呼氣穴注作七呼僕參留七呼甲乙經作六呼

脊内廉刺足少陰復溜主之取用飛陽注從腰痛上寒不可顧至此件經語除注並合朱書◦新校正云按全元起本及甲乙經并太素自腰痛上寒至此並无乃王氏所添也今注云從腰痛上寒至並合朱書十九字非王氷之語蓋後人所加也

腰痛引少腹控䏚不可以仰新校正云按甲乙經作不可以俛仰字䏚音妙

刺腰尻交者兩髁胂上以月生死為痏數發鍼立已此邪客於足太陰之絡也控通引也䏚謂季脇下之空軟處也腰尻交者謂髁下尻骨二傍四骨空左右八穴俗呼此骨為八髎骨也此腰痛取腰髁下第四髎即下髎穴也足太陰厥陰少陽三脈左右交結於中故曰腰尻交者也兩髁胂謂兩髁骨下堅起肉也胂上非胂之上巔正當刺胂肉矣直刺胂即胂上也何者胂之上巔別有中膂肉俞白環俞雖並主腰痛考其形證經不相應矣髎骨即腰脊兩傍起骨之俠脊傍腰髁之下各有胂肉隴起而斜趣於髎骨之後內承其髎

故曰兩髁胂也。下謂腰髁胂內左右兩胂各有四骨空，故曰上髎、次髎、中髎、下髎。上髎當髁骨下陷者中，餘三髎少斜下，按之陷中是也。四穴悉主腰痛。惟下髎所主，文與經同，即太陰、厥陰、少陽所結者也。刺可入同身寸之二寸，留十呼。若灸者可灸三壯。以月死生為痏數者，月初向圓為月生，月半向空為月死，死月刺少，生月刺多。繆刺論曰：月生一日一痏，二日二痏，漸多之，十五日十五痏，十六日十四痏，漸少之。其痏數多少，如此即知之。髁，苦瓦反。髎，音遼。左取右，右取左。痛在左，針取右；痛在右，針取左。所以然者，以其脈左右交結於尻骨之中故也。○新校正云：詳此腰痛引少腹一節上與繆刺論重。

○風論篇第四十二（新校正云：按全元起本在第九卷。）

黃帝問曰：風之傷人也，或為寒熱，或為熱中，或為寒中，或為癘風，或為偏枯，或為風也，其病各異，其名不同，或內至五藏六府，不知其解，願聞其說。（說謂說風傷人自中之。）岐伯對曰：風氣藏於皮膚之間，內不得通，外不得泄。（腠理開疎則邪風入，風氣入已，玄府閉封，故內不得通，外不得泄也。）風者善行而數變，腠理開則洒然寒，閉則熱而悶。（洒然，寒皃。悶，不爽皃。腠理開則風飄揚，故寒；腠理閉則風混亂，故悶。）其寒也則衰食飲，其熱也則消肌肉。

故使人怢慄而不能食，名曰寒熱。寒熱風入胃故食飲衰熱內藏故消肌肉寒熱相合故怢慄而不能食名曰寒熱也怢慄卒振寒皃○新校正云詳怢慄全元起本作失味甲乙經作解㑊

風氣與陽明入胃，循脈而上至目內眥，其人肥則風氣不得外泄，則為熱中而目黃；人瘦則外泄而寒，則為寒中而泣出。陽明者胃脈也胃脈起於鼻交頞中下循鼻外入上齒中還出俠口環脣下交承漿却循頤後下廉循喉嚨入缺盆下鬲屬胃故與陽明入胃循脈而上至目內眥也人肥則腠理密緻故不得外泄則為熱中而目黃人瘦則腠理開踈風得外泄則寒中而泣出也

風氣與太陽俱入，行諸脈俞，散於分肉之間，與衛氣相干，其道不利，故使肌肉憤䐜而有瘍，衛氣有所凝而不行，故其肉有不仁也。肉分之間衛氣行處風與衛氣相薄俱行於肉分之間故氣道澀而不利也氣道不利風氣內攻衛氣相持故肉憤䐜而瘡出也瘍瘡也若衛氣被風吹之不得流轉所在偏併凝而不行則肉有不仁之處也不仁謂𤸷而不知寒熱痛痒

癘者，有榮衛熱胕，其氣不清，故使鼻柱壞而色敗，皮膚瘍潰。此則風入於經脈之中也榮行脈中故風入脈中內攻於血與榮氣合合熱而血胕壞也其氣不清言潰亂也然血脈潰亂榮復挾風陽脈盡上於頭鼻為呼吸之所故鼻柱壞而色惡皮膚破而潰爛也脈要精微論曰脈

脈風成為癘潰胡對反 新校正云按別本一作潰 風寒客於脈而不去，名曰癘風，或名曰寒熱。[illegible]以春甲乙傷於風者為肝風，以夏丙丁傷於風者為心風，以季夏戊己傷於邪者為脾風，以秋庚辛中於邪者為肺風，以冬壬癸中於邪者為腎風。春甲乙木肝主之夏丙丁火心主之季夏戊己土脾主之秋庚辛金肺主之冬壬癸水腎主之 風中五藏六府之俞，亦為藏府之風，各入其門戶，所中則為偏風。隨俞左右而偏中之則為偏風 風氣循風府而上，則為腦風。風入系頭，則為目風，眼寒。風府穴名正入項髮際一寸大筋內宛宛中督脈陽維之會自風府而上則腦戶也腦戶者督脈足太陽之會故循風府而上則為腦風也足太陽之脈起於目內眥上額交巔上入絡腦還出別下項故風入系頭則為目風眼寒也 飲酒中風，則為漏風。熱鬱腠踈故中風汗出多如液漏故曰漏風經具名曰酒風 入房汗出中風，則為內風。內耗其精外開腠理因內風襲故曰內風經具名曰勞風 新沐中風，則為首風。沐髮中風舍於頭故曰首風 久風入中，則為腸風飧泄。風在腸中上熏於胃故食不化而下出焉飧泄者食不化而出也 新校正云按全元起云飧泄者水穀不分為利 外在腠理，則為泄風。風居腠理則玄府開通風薄汗泄

偏風薄汗泄故云泄風故風者百病之長也至其變化乃為他病也無
常方然致有風氣也長先也先百病而有也○新校正云按全元起本及甲乙經致字作故帝
曰五藏風之形狀不同者何願聞其診及其病能診謂可言之證能謂
內作病形岐伯曰肺風之狀多汗惡風色皏然白時欬短氣晝日
則差暮則甚診在眉上其色白凡內多風氣則熱有餘熱則腠理開故多汗也風薄於內
故惡風焉皏謂薄白色也肺色白在變動為欬主藏氣風內迫之故色皏然白時欬短氣也晝則陽氣在表故差暮則陽
氣入裏風內應之故甚也眉上謂兩眉間之上闕庭之部所以外司肺候故診在焉白肺色也心風之狀多
汗惡風焦絕善怒嚇赤色病甚則言不可快診在口其色赤
焦絕謂脣焦而文理斷絕也何者熱則皮剝故也風薄於心則神亂故善怒而嚇人也心脉支別者從心系上俠咽喉而
主舌故病甚則言不可快也口脣色赤故診在口焉赤者心色○新校正云按甲乙經無嚇字肝風之狀多
汗惡風善悲色微蒼嗌乾善怒時憎女子診在目下其色青
肝病則心藏無養心氣虛故善悲肝合木木色蒼故色微蒼也肝脉者循股陰入髦中環陰器抵少腹俠胃屬肝絡膽上
貫鬲布脇肋循喉嚨之後入頏顙上出額與督脉會於巔其支別者從目系下故嗌乾善怒時憎女子診在目下也青肝

色也脾風之狀多汗惡風身體怠墮四支不欲動色薄微黃不嗜食診在鼻上其色黃脾脈起於足上循䯒骨又上膝股內前廉入腹屬脾絡胃上鬲俠咽連舌本散舌下其支別者復從胃別上鬲注心中心脈出於手循臂故身體怠墮四支不欲動又不嗜食脾氣合土主中央鼻於面部亦居中故診在焉黃脾色也◦新校正云按王注脾風不當引心脈出於手循臂為證王氏之義無取脾主四支脾風則四支不欲動矣

腎風之狀多汗惡風面痝然浮腫脊痛不能正立其色炲隱曲不利診在肌上其色黑痝然言腫起也炲黑色也腎者陰也目下亦陰也故腎藏受風則面痝然而浮腫腎脈者起於足下上循踹內出膕內廉上股內後廉貫脊屬腎故脊痛不能正立也隱曲者謂隱蔽委曲之處也腎藏精外應交接今藏被風薄精氣內微故隱蔽委曲之事不通利所為也◦陰陽應象大論曰氣歸精精食氣今精不足則氣內歸精氣不注皮故肌皮皆黑也黑腎色也

胃風之狀頸多汗惡風食飲不下鬲塞不通腹善滿失衣則䐜脹食寒則泄診形瘦而腹大胃之脈支別者從頤後下廉過人迎循喉嚨入缺盆下鬲屬胃絡脾其直行者從缺盆下乳內廉下俠臍入氣街中其支別者起胃下口循腹裏至氣街中而合以下髀故頸多汗食飲不下鬲塞不通腹善滿也然失衣則外寒而中熱故腹䐜脹食寒則寒物薄胃而陽不內消故泄利胃合脾而主肉胃氣不足則肉不長故瘦也胃中風氣稸聚故腹大也

○新校正云按孫思邈云新食竟取風為胃風首風之狀，頭面多汗惡風，當先風一日則病甚，頭痛不可以出內，至其風日則病少愈。頭者諸陽之會，風客之則皮腠疎，故頭面多汗也。夫人陽氣外合於風，故先當風一日則病甚；以先風甚，故亦先衰，是以至其風日則病少愈。內謂室屋之內也。不可以出室屋之內者，以頭痛甚而不喜外風故也。○新校正云按孫思邈云新沐浴竟取風為首風。漏風之狀，或多汗，常不可單衣，食則汗出，甚則身汗，喘息惡風，衣常濡，口乾善渴，不能勞事。脾胃風熱，故不可單衣。腠理開疏，故食則汗出。甚則風薄於內，故身汗喘息惡風，衣裳濡，口乾善渴也。形勞則喘息，故不能勞事。○新校正云按孫思邈云因醉取風為漏風，其狀惡風多汗少氣，口乾善渴，近衣則身熱如火，臨食則汗流如雨，骨節懈惰，不欲自勞。泄風之狀，多汗，汗出泄衣上，口中乾，上漬，其風不能勞事，身體盡痛則寒。上漬謂皮上濕如水漬也。以多汗出，故不汗多則津液涸，故口中乾。形勞則汗出甚，故不能勞事。身體盡痛，以其汗多，汗多則亡陽，故寒也。○新校正云按孫思邈云新房室竟取風為內風，其狀惡風，汗流沾衣裳。疑此泄風乃內風也。按本論前文先云漏風、內風、首風，次言入中為腸風，在外為泄風。今有泄風而無內風，孫思邈載內風乃此泄風之狀，故知此泄字，內之誤也。帝曰：善。

○痺論篇第四十三 新校正云按全元起本在第八卷
黃帝問曰痺之安生 安猶何也言何以生 岐伯對曰風寒濕三氣雜至
合而為痺也 雖合而為痺發起亦殊矣 其風氣勝者為行痺寒氣勝者為
痛痺濕氣勝者為著痺也 風則陽受之故為痺行寒則陰受之故為痺痛濕則皮肉筋脈受之
故為痺著而不去也故乃痺從風寒濕之所生也 帝曰其有五者何也 言風寒濕氣各異則三痺
以其有五而何氣之入勝也 岐伯曰以冬遇此者為骨痺以春遇此者為筋
痺以夏遇此者為脈痺以至陰遇此者為肌痺以秋遇此者
為皮痺 冬主骨春主筋夏主脈秋主皮至陰主肌肉故各為其痺也至陰謂戊己月及土寄王月也 帝曰
內舍五藏六府何氣使然 言皮肉筋骨脈痺以五時之外遇然內居藏府何以致之 岐伯
曰五藏皆有合病久而不去者內舍於其合也 肝合筋心合脈脾合肉肺
合皮腎合骨久病不去則入於是 故骨痺不已復感於邪內舍於腎筋痺不
已復感於邪內舍於肝脈痺不已復感於邪內舍於心肌痺
不已復感於邪內舍於脾皮痺不已復感於邪內舍於肺所

謂痺者各以其時重感於風寒濕之氣也時謂氣王之月也肝王春心王夏肺
王秋腎王冬脾王四季之月感謂感應也凡痺之客五藏者肺痺者煩滿喘而嘔
以藏氣應息又其脈還循胃口故使煩滿喘而嘔心痺者脈不通煩則心下鼓暴上
氣而喘嗌乾善噫厥氣上則恐心合脈受邪則脈不通利也邪氣內擾故煩也手心主心
包之脈起於胷中出屬心包下鬲手少陰心脈起於心中出
屬心系下鬲絡小腸其支別者從心系上俠咽喉其直者復
從心系却上肺故煩則心下鼓滿暴上氣而喘嗌乾也心主
為噫以下鼓滿故噫之以出氣也若是逆氣上乘於心則恐
畏也神懼凌弱故爾肝痺者夜臥則驚多飲數小便上為引如懷肝主驚駭
氣相應故中夜臥則驚也肝之脈循股陰入髦中環陰器抵
小腹俠胃屬肝絡膽上貫鬲布脅肋循喉嚨之後上入頏顙
故多飲水數小便上引少腹痛懷任之狀腎痺者善脹尻以代踵脊以代頭腎者胃之
關關不利則胃氣不轉故善脹也尻以代踵謂足攣急也脊
以代頭謂身踡屈也踵足跟也腎之脈起於小指之下斜
趣足心出於然骨之下循內踝之後別入跟中以上腨內出
膕內廉上股內後廉貫脊屬腎絡膀胱其直行者從腎上貫
肝鬲入肺中氣不足而受邪故不伸
展。新校正云詳然骨一作然谷脾痺者四支解墮發欬
嘔汁上為大塞土王四季外主四支故四支解墮又以其脈起於足循腨胻上膝股也然脾脈入腹屬脾

絡胃上鬲俠咽故發欬嘔汁脾氣養肺胃復連咽故上為大塞也腸痹者數飲而出不得中
氣喘爭時發飧泄大腸之脈入缺盆絡肺下鬲屬大腸小腸之脈又入缺盆絡心循咽下鬲抵胃屬小
腸今小腸有邪則脈不下鬲脈不下鬲則腸不行化而胃氣蓄熱故多飲水而不得下出也腸胃中陽氣與邪氣奔喘交
爭得時通利以腸氣不化故時或得通則為飧泄胞痹者少腹膀胱按之內痛若沃
以湯澀於小便上為清涕膀胱為津液之府胞內居之少腹處關元之中內藏胞器然膀胱之
脈起於目內眥上額交巔上入絡腦還出別下項循肩髆內俠脊抵腰中入循膂絡腎屬膀胱其支別者從腰中下貫臀入
膕中今胞受風寒濕氣則膀胱太陽之脈不得下流於足少腹膀胱按之內痛若沃以湯澀於小便也小便既澀太陽
之脈不得下行故上爍其腦而為清涕出於鼻竅矣沃猶灌也○新校正云按全元起本內痛二字作兩髀陰氣
者靜則神藏躁則消亡陰謂五神藏也所以說神藏與消亡者言人安靜不涉邪氣則神氣寧以
內藏人躁動觸冒邪氣則神被害而離散藏無所守故曰消亡此言五藏受邪之為痹也飲食自倍腸胃
乃傷藏以躁動致傷府以食飲見損皆謂過用越性則受其邪此言六府受邪之為痹也淫氣喘息痹
聚在肺淫氣憂思痹聚在心淫氣遺溺痹聚在腎淫氣乏竭
痹聚在肝淫氣肌絕痹聚在脾淫氣謂氣之妄行者各隨藏之所生而為痹也○新校

正云詳從上凡痺之客五藏者至此全元起本在陰陽別論中此王氏之所移也諸痺不已亦益內也從外不去則益深至於身內其風氣勝者其人易已也帝曰痺其時有死者或疼久者或易已者其故何也岐伯曰其入藏者死其留連筋骨間者疼久其留皮膚間者易已入藏者死以神去也筋骨疼久以其定也皮膚易已以浮淺也由斯深淺故有是不同帝曰其客於六府者何也岐伯曰此亦其食飲居處為其病本也四方雖土地溫涼高下不同物性剛柔食居不異但動過其分則六府致傷陰陽應象大論曰水穀之寒熱感則害六府○新校正云按傷寒論曰物性剛柔餐居亦異六府亦各有俞風寒濕氣中其俞而食飲應之循俞而入各舍其府也六府俞亦謂背俞也膽俞在十椎之傍胃俞在十二椎之傍三焦俞在十三椎之傍大腸俞在十六椎之傍小腸俞在十八椎之傍膀胱俞在十九椎之傍隨形分長短而取之如是各去脊同身寸之一寸五分並足太陽脈氣之所發也○新校正云詳六府俞並在本椎下兩傍此注言在椎之傍者文略也帝曰以鍼治之奈何岐伯曰五藏有俞六府有合循脈之分各有所發各隨其過新校正云按甲乙經[illegible]則病瘳也肝之俞曰太衝心之俞曰太陵脾之俞曰太白肺之俞曰太淵腎之

俞曰大絡皆經脈之所注也太衝在足大指間本節後二寸陷者中。新校正云按刺腰痛注云太衝在足大指本節後內間二寸陷者中動脈應手刺可入同身寸之三分留十呼若灸者可灸三壯大陵在手掌後骨兩筋間陷者中刺可入同身寸之六分留七呼若灸者可灸三壯太白在足內側核骨下陷者中刺可入同身寸之三分留七呼若灸者可灸三壯太淵在手掌後陷者中刺可入同身寸之二分留二呼若灸者可灸三壯太谿在足內踝後跟骨上動脈陷者中刺可入同身寸之三分留七呼若灸者可灸三壯胃合入于三里膽合入于陽陵泉大腸合入于曲池小腸合入于小海三焦合入于委陽膀胱合入于委中三里在膝下三寸䯒外廉兩筋間刺可入同身寸之一寸留十呼若灸者可灸三壯陽陵泉在膝下一寸䯒外廉陷者中刺可入同身寸之六分留十呼若灸者可灸三壯小海在肘內大骨外去肘端五分陷者中屈肘乃得之刺可入同身寸之二分留七呼若灸者可灸五壯曲池在肘外輔屈肘曲骨之中刺可入同身寸之五分留七呼若灸者可灸三壯委陽在足膕中外廉兩筋間刺可入同身寸之七分留五呼若灸者可灸三壯屈伸而取之委中在膕中央約文中動脈刺可入同身寸之五分留七呼若灸者可灸三壯。新校正云按刺熱注委中在足膝後屈處與餘並同此。故經言陷脈之分各有所發各隨其過則病瘳也過謂脈所經過處。新校正云詳王氏以委陽為三焦合按甲乙經云委陽三焦下輔俞也足太陽之別絡三焦之合自陷手少陽經入天井穴為少陽所入為合詳說六府之合但引本經所入之穴獨三焦不引本經所入之穴者王氏之說此王氏但見甲乙經云三焦合于委陽故說自異彼又

以大腸合于巨虛上廉小腸合于下廉此以曲池小海為之故衛當以天井沉為合也帝曰榮衛之氣
亦令人痺乎岐伯曰榮者水穀之精氣也和調於五藏灑陳
於六府乃能入於脉也正理論曰谷入於胃脉道乃行水入於經其血乃成又靈樞經曰榮氣之
道內谷為實新校正云按別本實作寶谷入於胃氣傳與肺精專者上行經隧由此故水谷精氣合榮氣運行而入於脉
也故循脉上下貫五藏絡六府也榮行脉內故无所不至衛者水穀之
悍氣也其氣慓疾滑利不能入於脉也悍氣謂浮盛之氣也以其浮盛之氣故慓
疾滑利不能入於脉中也故循皮膚之中分肉之間熏於肓膜散於胸腹
皮膚之中分肉之間謂脉外也肓膜謂五藏之間鬲中膜也以其浮盛故能布散於胸腹之中空虛之處熏其肓膜令氣
宣通也肓音荒逆其氣則病從其氣則愈不與風寒濕氣合故不為
痺帝曰善痺或痛或不痛或不仁或寒或熱或燥或濕其故
何也岐伯曰痛者寒氣多也有寒故痛也風寒濕氣客於肉分之間迫切而為
沫得寒則聚聚則排分肉肉裂則痛故有寒則痛也其不痛不仁者病久入深榮衛之
行濇經絡時疏故不通新校正云按甲乙經不通作不痛詳甲乙經此條論不痛與不仁兩事後言

不痛足藏則不痛之為重也皮膚不營故為不仁不仁者皮頑不知有无也其寒者陽氣少陰氣多與病相益故寒也病本生於風寒濕氣故陰氣益之也其熱者陽氣多陰氣少病氣勝陽遭陰故為痺熱遭遇也言遇於陰氣陰氣不勝故為熱新校正云按甲乙經遭作乘其多汗而濡者此其逢濕甚也陽氣少陰氣盛兩氣相感故汗出而濡也中表相應則相感也帝曰夫痺之為病不痛何也岐伯曰痺在於骨則重在於脈則血凝而不流在於筋則屈不伸在於肉則不仁在皮則寒故具此五者則不痛也凡痺之類逢寒則蟲逢熱則縱帝曰善蟲謂皮中如蟲行縱謂縱緩不相就○新校正云按甲乙經蟲作急

○痿論篇第四十四新校正云按全元起本在第四卷

黃帝問曰五藏使人痿何也痿謂痿弱无力以運動岐伯對曰肺主身之皮毛心主身之血脈肝主身之筋膜新校正云按全元起本云膜者人皮下肉上筋膜也脾主身之肌肉腎主身之骨髓所主不同痿生亦各歸其所主故肺熱

葉焦則皮毛虛弱急薄著則生痿躄也躄謂攣躄足不得伸以行也肺熱則腎受熱氣故爾躄必亦反心氣熱則下脈厥而上上則下脈虛虛則生脈痿樞折挈脛縱而不任地也心熱盛則火獨光火獨光則內炎上腎之脈常下行今火盛而上炎用事故腎脈亦隨火炎爍而逆上行也陰氣厥逆火復內燔陰上隔陽下不守位心氣通脈故生脈痿腎氣主足故膝腕樞紐如折去而不相提挈脛筋縱緩而不能任用於地也肝氣熱則膽泄口苦筋膜乾筋膜乾則筋急而攣發為筋痿膽約肝葉而汁味至苦故肝熱則膽液滲泄膽病則口苦今膽液滲泄故口苦也肝主筋膜故熱則筋膜乾而攣急發為筋痿也八十一難經曰膽在肝短葉間下脾氣熱則胃乾而渴肌肉不仁發為肉痿脾與胃以膜相連脾氣熱則胃液滲泄故乾而且渴也脾主肌肉今熱薄於內故肌肉不仁而發為肉痿腎氣熱則腰脊不舉骨枯而髓減發為骨痿腰為腎府又腎脈上股內貫脊屬腎故腎氣熱則腰脊不舉也腎主骨髓故熱則骨枯而髓減發則為骨痿帝曰何以得之岐伯曰肺者藏之長也為心之蓋也位高而布葉於胸中是故為藏之長心之蓋有所失亡所求不得則發肺鳴鳴則肺熱葉焦志苦不暢氣鬱故也肺藏氣氣鬱不利故喘息有聲而肺熱葉焦也故曰五藏因肺熱

葉焦發爲痿躄，此之謂也。肺者所以行榮衛治陰陽，故引曰五藏因肺熱而發爲痿躄也。悲哀太甚，則胞絡絕，胞絡絕則陽氣內動，發則心下崩，數溲血也。悲則心系急，肺布葉舉，而上焦不通，榮衛不散，熱氣在中，故胞絡絕而陽氣內鼓動，發則心下崩，數溲血也。心下崩，謂心包內崩而下血也。溲謂溺也。新校正云：按楊上善云：胞絡者，心上胞絡之脈也。詳經注中胞字，俱當作包。全本胞又作肌也。故本病曰：大經空虛，發爲肌痹，傳爲脈痿。本病，古經論篇名也。大經，謂大經脈也。以心崩溲血，故大經空虛，脈空則熱內薄，衛氣盛，榮氣微，故發爲肌痹也。先見肌痹，後漸脈痿，故曰傳爲脈痿也。思想無窮，所願不得，意淫於外，入房太甚，宗筋弛縱，發爲筋痿，及爲白淫。思想所願，爲祈欲也。施寫勞損，故爲筋痿及白淫。白淫，謂白物淫衍，如精之狀，男子因溲而下，女子陰器中綿綿而下也。故下經曰：筋痿者，生於肝使內也。下經，上古之經名也。使內，謂勞役陰力，費竭精氣也。有漸於濕，以水爲事，若有所留，居處相濕，肌肉濡漬，痹而不仁，發爲肉痿。業惟近濕，居處澤下，皆水爲事也。平者久而猶殆，感之者尤甚矣。肉屬於脾，脾惡濕，濕著於內則衛氣不榮，故爲肉痿也。故下經曰：肉痿者，得之濕地也。陰陽應象大論曰：地之濕氣，感則害皮肉筋脈，此之謂害肉也。有所遠行勞倦，逢大熱而渴渴則陽氣內伐內伐則熱舍於腎腎者水藏也今水不勝火則骨枯而髓虛故足不任身發為骨痿陽氣內伐謂伐腹中之陰氣也水不勝火以熱舍於腎中也故下經曰骨痿者生於大熱也腎性惡燥熱反居中熱薄骨乾故骨痿無力也帝曰何以別之岐伯曰肺熱者色白而毛敗心熱者色赤而絡脈溢肝熱者色蒼而爪枯脾熱者色黃而肉蠕動腎熱者色黑而齒槁各求其色及所主之分而命之則其應也帝曰如夫子言可矣論言治痿者獨取陽明何也岐伯曰陽明者五藏六府之海陽明胃脈也胃為水穀之海主閏宗筋宗筋主束骨而利機關也宗筋謂陰髦中橫骨上下之豎筋也上絡胸腹下貫髖尻又經於背腹上頭項故云宗筋主束骨而利機關也然腰者身之大關節所以司屈伸故曰機關髖音寬尻枯敖反衝脈者經脈之海也靈樞經曰衝脈者十二經之海主滲灌谿谷與陽明合於宗筋尋此則橫骨上下齊兩傍豎筋正宗筋也衝脈循腹俠齊傍各同身寸之五分而上陽明脈亦俠齊傍各同身寸之一寸五分而上宗筋脈於中故云與陽明合於宗筋也以為十二經海故主滲灌谿谷也肉之大會為谷小會為谿新校正云詳宗筋脈於中一作宗筋縱於中陰陽總宗

筋之會，會於氣街，而陽明爲之長，皆屬於帶脈，而絡於督脈。宗筋聚會，會於橫骨之中，從上而下，故云陰陽揔宗筋之會也。宗筋俠齊下合於橫骨，陽明輔其外，衝脈居其中，故云會於氣街而陽明爲之長也。氣街則陰毛兩傍脈動處也。帶脈者，起於季脅，迴身一周，而絡於督脈也。督脈者，起於關元，上下循腹，故云皆屬於帶脈而絡於督脈也。督脈、任脈、衝脈三脈者，同起而異行，故經文或參差而引之。故陽明虛則宗筋縱，帶脈不引，故足痿不用也。陽明之脈，從缺盆下乳內廉，下俠齊，至氣街中。其支別者，起胃下口，循腹裏，下至氣街中而合，以下髀抵伏兔，下入膝臏中，下循䯒外廉，下足跗，入中指內間。其支別者，下膝三寸而別，以下入中指外間。故陽明虛則宗筋縱緩，帶脈不引，而足痿弱不可用也。引，謂牽引。〇習惟 帝曰：治之奈何？岐伯曰：各補其滎而通其俞，調其虛實，和其逆順，筋脈骨肉，各以其時受月，則病已矣。帝曰：善。時受月，謂受氣時月也。如肝王甲乙，心王丙丁，脾王戊己，肺王庚辛，腎王壬癸，皆王氣法也。時受月，則正謂五常受氣月也。

〇厥論篇第四十五 新校正云：按全元起本在第五卷。

黃帝問曰：厥之寒熱者何也？厥，謂氣逆上也。世謬傳爲脚氣，廣飾方論焉。岐伯對曰：陽氣衰於下，則爲寒厥；陰氣衰於下，則爲熱厥。陽，謂足之三陽脈；陰

（謂足之三陰脈。下謂足也。）帝曰：熱厥之為熱也，必起於足下者何也？（陽主外而厥在內，故問之。）岐伯曰：陽氣起於足五指之表，陰脈者集於足下而聚於足心，故陽氣勝則足下熱也。（以脈言之，足太陽脈出於足小指之端外側，足少陽脈出於足小指次指之端，足陽明脈出於足中指及大指之端，並循足陽而上。肝脾腎脈集於足下，聚於足心，陰弱故足下熱也。○新校正云：按甲乙經陽氣起於足作走於足，起當作走。）帝曰：寒厥之為寒也，必從五指而上於膝者何也？（陰主內而厥在外，故問之。）岐伯曰：陰氣起於五指之裏，集於膝下而聚於膝上，故陰氣勝則從五指至膝上寒，其寒也，不從外，皆從內也。（足太陰脈起於足大指之端內側，足厥陰脈起於足大指之端三毛中，足少陰脈起於足小指之下斜趣足心，並循足陰而上循股陰入腹，故云集於膝下而聚於膝上也。）帝曰：寒厥何失而然也？岐伯曰：前陰者，宗筋之所聚，太陰陽明之所合也。（宗筋俠齊下合於陰器，故云前陰者宗筋之所聚也。太陰者脾脈，陽明者胃脈，脾胃之脈皆輔近宗筋，故云太陰陽明之所合。○新校正云：按甲乙經前陰者厥陰之所聚也，與王注義異，亦自一說。）春夏則陽氣多而陰氣少，秋冬則陰氣盛

而陽氣衰此乃天之常道此人者質壯以秋冬奪於所用下氣上爭
不能復精氣溢下邪氣因從之而上也質謂形質也奪於所用謂多欲而奪其精
氣也氣因於中新校正云按甲乙經氣因於中作[illegible]陽氣衰不能滲營其經絡
陽氣日損陰氣獨在故手足為之寒也帝曰熱厥何如而然
也源其所由也岐伯曰酒入於胃則絡脈滿而經脈虛脾主為胃
行其津液者也陰氣虛則陽氣入陽氣入則胃不和胃不和
則精氣竭精氣竭則不營其四支也前陰者太陰陽明之所合故胃不和則精氣竭
也內精不化故四支無氣以營之此人必數醉若飽以入房氣聚於脾中不
得散酒氣與穀氣相薄熱盛於中故熱遍於身內熱而溺赤
也夫酒氣盛而慓悍腎氣日衰陽氣獨勝故手足為之熱也
醉飽入房內亡精氣中虛熱入由是腎衰陽盛陰虛故熱生於手足也帝曰厥或令人腹滿或
令人暴不知人或至半日遠至一日乃知人者何也暴猶卒也言卒
然冒悶不醒覺也不知人謂悶甚不知識人也或謂尸厥岐伯曰陰氣盛於上則下虛下

虛則腹脹滿陽氣盛於上則下氣重上而邪氣逆逆則陽氣亂陽氣亂則不知人也陰謂足太陰氣○新校正云按甲乙經云陽氣盛於上五字作腹滿二字當從甲乙經之說何以言之別按甲乙經云陽脈下墜陰脈上爭發尸厥焉有陰氣盛於上而又言陽氣盛於上又按張仲景云少陰脈不至腎氣微少精血奔氣促迫上入胸膈宗氣反聚血結心下陽氣退下熱歸陰股與陰相動令身不仁此為尸厥仲景言陽氣退下則是陽氣不得盛於上故知當從甲乙經也又王注陰謂足太陰亦為未盡按繆刺論云邪客於手足少陰太陰足陽明之絡此五絡皆會於耳中上絡左角五絡俱竭令人身脈皆動而形無知其狀若尸或曰尸厥言得專辭儀為太陰也

帝曰善願聞六經脈之厥狀病能也謂前問辭故請備聞諸經厥也岐伯曰巨陽之厥則腫首頭重足不能行發為眴仆巨陽太陽也足太陽脈起於目內眥上額交巔上其支別者從巔至耳上角其直行者從巔入絡腦還出別下項循肩髆內俠脊抵腰中入循膂絡腎屬膀胱其支別者從腰中下貫臀入膕中其支別者從髆內左右別下貫胂過髀樞循髀外後廉下合膕中以下貫腨內出外踝之後循京骨至小指之端外側由是厥逆外形斯證也腫或作踵非陽明之厥則癲疾欲走呼腹滿不得臥面赤而熱妄見而妄言足陽明脈起於鼻交頞中下循鼻外入上齒中還出俠口環脣下交承漿却循頤後下廉出大迎循頰車上耳前過客主人循髮際至額

顱其支別者從大迎前下人迎循喉嚨入缺盆下膈屬胃絡脾其直行者從缺盆下乳內廉下俠齊入氣街中其支別者起胃下口循腹裏下至氣街中而合以下髀抵伏兔下入膝臏中下循䯒外廉下足跗入中指內間其支別者下膝三寸而別以下入中指外間其支別者跗上入大指間出其端故厥如是也顛一為巔非

少陽之厥則暴聾頰腫而熱脇痛䯒不可以運足少陽脈起於目銳眥上抵頭角下耳後循頸行手少陽之前至肩上却交出手少陽之後入缺盆其支別者從耳後入耳中出走耳前至目銳眥後其支別者目銳眥下大迎合手少陽於頗下加頰車下頸合缺盆以下胸中貫膈絡肝屬膽循脇裏出氣街遶毛際橫入髀厭中其直行者從缺盆下腋循胸過季脇下合髀厭中以下循髀陽出膝外廉下入外輔骨之前直下抵絕骨之端下出外踝之前循足跗出小指次指之端故厥如是

太陰之厥則腹滿䐜脹後不利不欲食食則嘔不得臥足太陰脈起於大指之端上膝股內前廉入腹屬脾絡胃上膈俠咽連舌本散舌下其支別者復從胃別上膈注心中故厥如是

少陰之厥則口乾溺赤腹滿心痛足少陰脈上股內後廉貫脊屬腎絡膀胱其直行者從腎上貫肝膈入肺中循喉嚨俠舌本其支別者從肺出絡心注胸中故厥如是

厥陰之厥則少腹腫痛腹脹涇溲不利好臥屈膝陰縮腫䯒內熱足厥陰脈去內踝一寸上踝八寸交出太陰之後上膕內廉循股陰入毛中下環陰器抵少腹俠胃屬肝絡膽上貫膈故厥如是

腹内熱一本云腸外熱傳寫行書内外誤也盛則寫之虚則補之不盛不虚以經取之不盛不虚謂邪氣未盛真氣未虚如是則以穴俞經法留呼多少而取之太陰厥逆䯒急攣心痛引腹治主病者足太陰脉起於大指之端循指内側上内踝前廉上腨内循䯒骨後上膝股内前入腹其支別者復從胃別上鬲注心中故䯒急攣心痛引腹也太陰之脉行有左右候其有過者當發取之故言治主病者○新校正云詳從大陰厥逆至篇末全元起本在第九卷王氏移於此少陰厥逆虚滿嘔變下泄清治主病者以其脉從腎上貫肝鬲入肺中循喉嚨故如是厥陰厥逆攣腰痛虚滿前閉譫言新校正云按全元起云譫言者氣虚獨言也譫音讝治主病者以其脉循股陰入髦中環陰器復上循喉嚨之後絡舌本故如是○新校正云按甲乙經厥陰之經不絡舌本王氏注刺熱篇刺腰痛篇并此三注俱云絡舌本又注風論痺論各不同然舌本之注自有異同當以甲乙經為正三陰俱逆不得前後使人手足寒三日死三陰絶故三日死太陽厥逆僵仆嘔血善衄治主病者以其脉起目内眥又循脊絡腦故如是僵居良反仆音付少陽厥逆機關不利機關不利者腰不可以行項不可以顧以其脉循頸下繞髦際横入髀厭中故如發腸癰不可治驚者死足少陽脉貫鬲絡肝屬膽循脇裏出氣街發腸癰則經氣絶故是

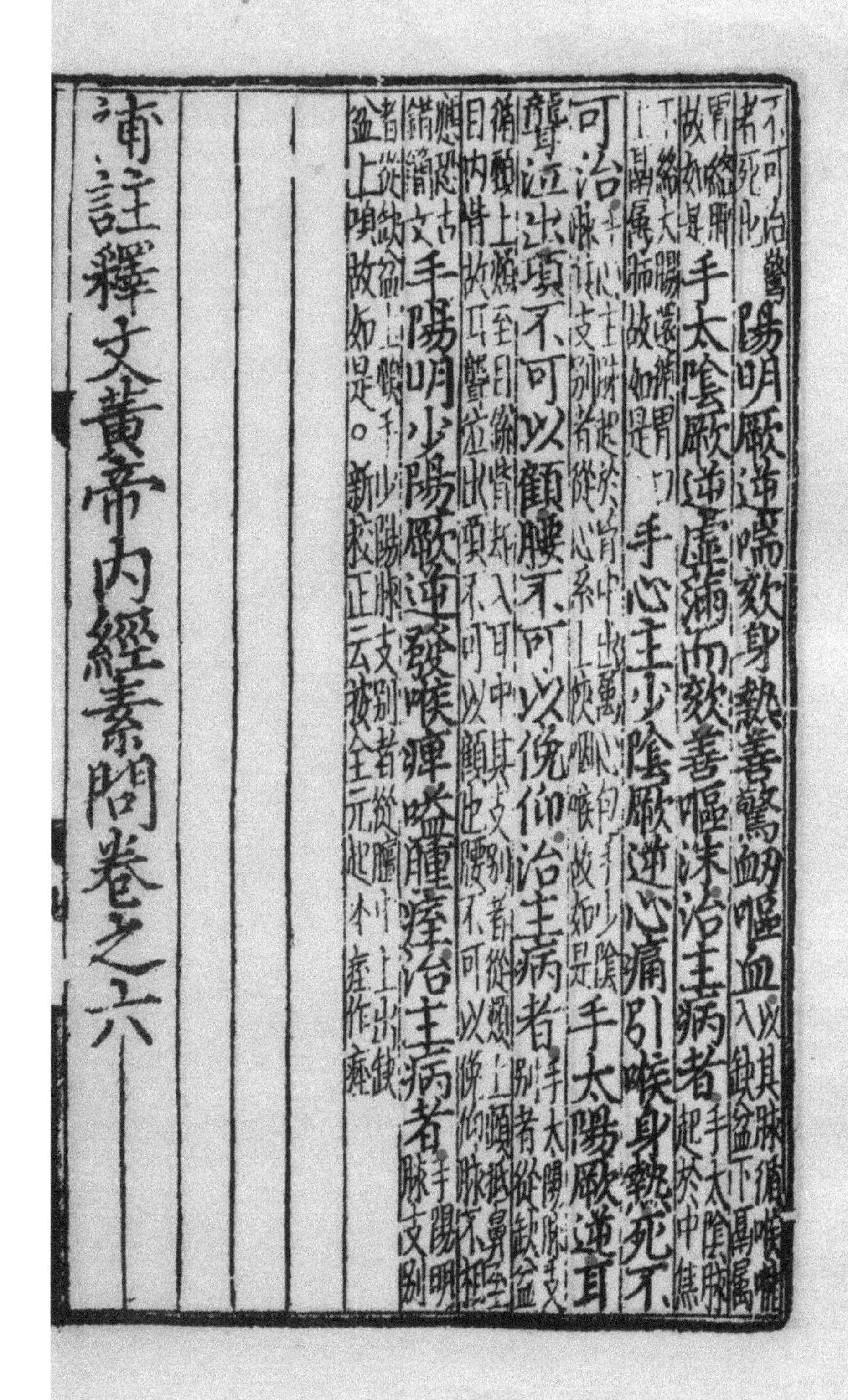

不可治驚者死也陽明厥逆喘欬身熱善驚衄嘔血以其脈循喉嚨入缺盆下鬲屬胃絡脾故如是手太陰厥逆虛滿而欬善嘔沫治主病者手太陰脈起於中焦下絡大腸還循胃口上鬲屬肺故如是手心主少陰厥逆心痛引喉身熱死不可治手心主脈起於胸中出屬心包手少陰脈支別者從心系上俠咽喉故如是手太陽厥逆耳聾泣出項不可以顧腰不可以俛仰治主病者手太陽脈支別者從缺盆循頸上頰至目銳眥却入耳中其支別者從頰上䪼抵鼻至目內眥故耳聾泣出項不可以顧也腰不可以俛仰脈不相應也古錯簡文手陽明少陽厥逆發喉痺嗌腫痓治主病者手陽明脈支別者從缺盆上頸手少陽脈支別者從膻中上出缺盆上項故如是○新校正云按全元起本痓作痙

補註釋文黃帝內經素問卷之六

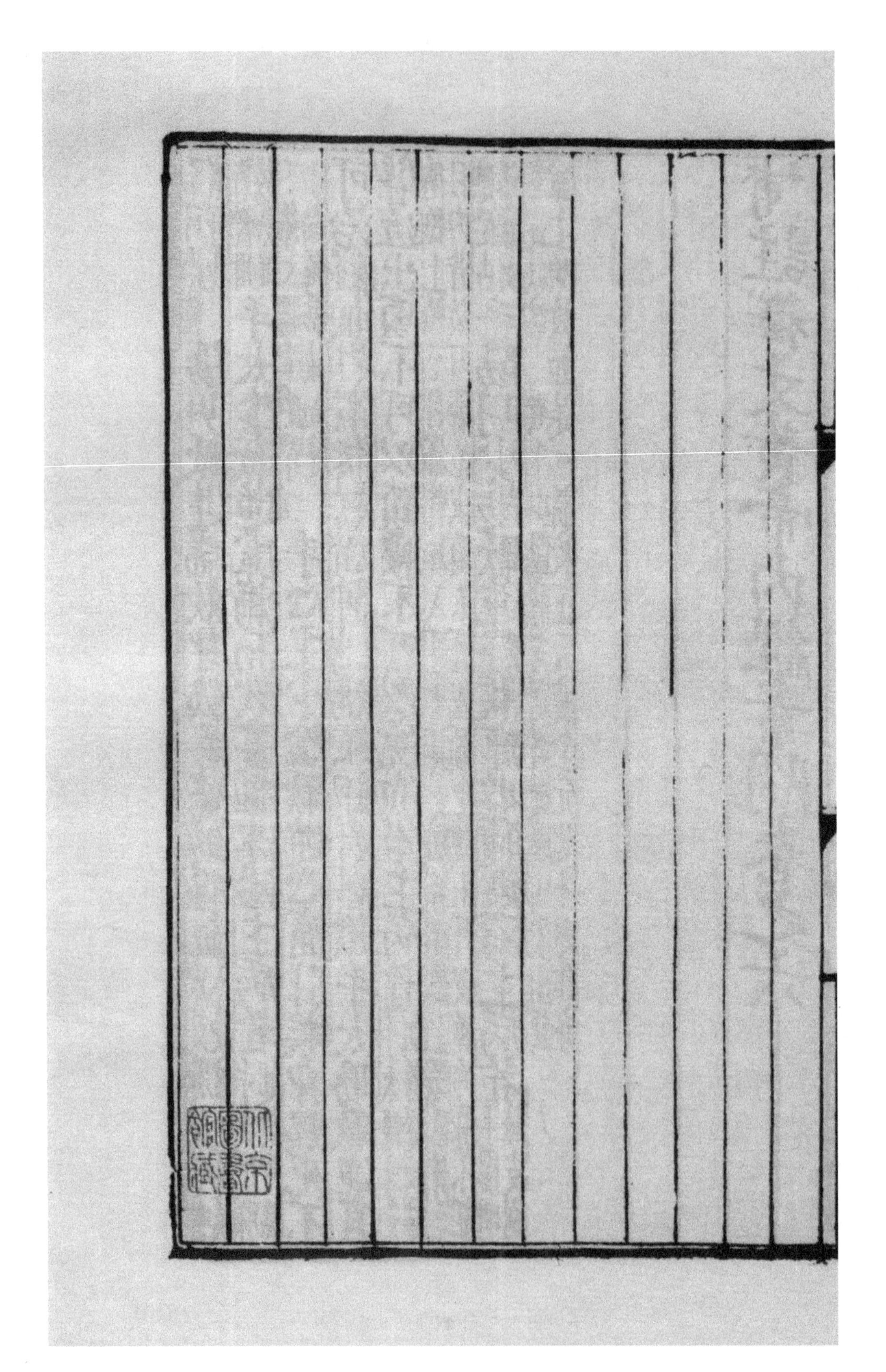

補註釋文黃帝內經素問卷之七

○病能論篇第四十六（新校正云：按全元起本在第五卷。）

黃帝問曰：人病胃脘癰者，診當何如？岐伯對曰：診此者當候胃脈，其脈當沉細，沉細者氣逆，（胃者水穀之海，其血盛氣壯，今反脈沉細者，是逆常平也。○新校正云：按甲乙經沉細作沉濇，太素作沉細。）逆者人迎甚盛，甚盛則熱。（沉細為寒，寒氣格陽，故人迎脈盛。人迎者陽明之脈，故盛則熱也。○人迎，謂結喉旁脈動應手者。）人迎者胃脈也，（胃脈循喉嚨而入缺盆，故云人迎者胃脈也。）逆而盛則熱聚於胃口而不行，故胃脘為癰也。（血氣壯盛而熱內薄之，兩氣合熱，故結為癰也。）帝曰：善。人有臥而有所不安者何也？岐伯曰：藏有所傷，及精有所之寄則安，故人不能懸其病也。（五藏有所傷損，及之水穀精氣有所之寄，扶其下則不能懸其病處於空中也。○新校正云：按甲乙經精有所之寄則安，太素作精有所倚則不安。）帝曰：人之不得偃臥者何也？岐伯曰：肺者藏之蓋也，（居高布葉，四藏下之，故言肺者藏之蓋也。）

肺氣盛則脈大，脈大則不得偃臥。[illegible]故不得偃臥也。論在奇恒陰陽中。奇恒陰陽，上古經篇名，世本闕。帝曰：有病厥者，診右脈沉而緊，左脈浮而遲，不然病主安在？不然，言不沉也。新校正云：按甲乙經不然作不知。岐伯曰：冬診之，右脈固當沉緊，此應四時；左脈浮而遲，此逆四時。在左當主病在腎，頗關在肺，當腰痛也。[illegible]帝曰：何以言之？岐伯曰：少陰脈貫腎絡肺，今得肺脈，腎為之病，故腎為腰痛之病也。左脈浮遲，非肺來見[illegible]以左腎不足，[illegible]故腎為腰痛之病也。帝曰：善。有病頸癰者，或石治之，或鍼灸治之，而皆已，其眞安在？[illegible]岐伯曰：此同名異等者也。言雖同曰頸癰，然其[illegible]等下云。夫癰氣之息者，宜以鍼開除去之；夫氣盛血聚者，宜石而寫之。此所謂同病異治也。息，瘜也，死肉也。[illegible]石，砭石也，可以[illegible]代之。帝曰：有病怒狂者，新校正云[illegible]此病安生？岐伯曰：生於陽也。帝曰：陽何以使人狂？

（[illegible]怒不[illegible]故謂之[illegible]）岐伯曰：陽氣者，因暴折而難決，故善怒也，病名曰陽厥。（言陽氣被折鬱不散也。此人多怒，亦曾因暴折而心不疏暢故爾。如是者皆陽逆躁極所生，故病名陽厥。）帝曰：何以知之？岐伯曰：陽明者常動，（言頸項之脈皆動不止也。陽明常動，動於結喉旁，是謂人迎、氣舍之分位也。若少陽之動，動於曲頰下，是謂天窗、天牖之分位也。若巨陽之動，動於項兩旁大筋前陷者中，是謂天柱、天容之分位也。不應常動而反動甚者，動當病也。[illegible]）巨陽少陽不動，不動而動大疾，此其候也。（[illegible]新校正云：[illegible]天容[illegible]甲乙經[illegible]）帝曰：治之奈何？岐伯曰：奪其食即已。（食少則氣衰，故節去其食，即病自已。新校正云：按甲乙經「奪」作「衰」，太素同也。）夫食入於陰，長氣於陽，故奪其食即已。使之服以生鐵洛為飲。（新校正云：按甲乙經「鐵洛」作「鐵落」，「為飲」作「為後飯」。）夫生鐵洛者，下氣疾也。（[illegible]為人傳寫之誤也。鐵洛味辛，微溫平，主治下氣。方俗或呼為鐵漿，非是生鐵液也。）帝曰：善。有病身熱解墮，汗出如浴，惡風少氣，此為何病？岐伯曰：病名曰酒風。（飲酒中風者也。風論曰：飲酒中風，則為漏風。是亦名漏風也。夫極飲者，陽氣盛而腠理疏，玄府開發，陽盛則筋痿弱，故身體解墮也。腠理疏則風內攻，玄府發則氣外泄，故汗

慶衍音眉
含葉名

出如浴也。風氣[illegible]薄膚腠[illegible]汗多內[illegible]惡風少氣也。[illegible]為酒[illegible]故曰酒風。[illegible]音介[illegible]

帝曰：治之奈何？岐伯曰：以澤瀉、朮各十分，麋銜五分，合以三指撮，為後飯。（朮味苦溫平，主治大風止汗。麋銜味苦平，主治風濕筋痿。澤瀉味甘寒平，主治風濕益氣。由此功用，方故先之。飯後藥先，謂之後飯。）所謂深之細者，其中手如鍼也，摩之切之，聚者堅也，博者大也。上經者，言氣之通天也；下經者，言病之變化也；金匱者，決死生也；揆度者，切度之也；奇恒者，言奇病也。（新校正云：[illegible]）所謂奇者，使奇病不得以四時死也；恒者，得以四時死也。（新校正云：按楊上善云：得病傳之至於其所不勝而死，此為奇。[illegible]）所謂揆者，方切求之也，言切求其脈理也；度者，得其病處，以四時度之也。（凡言所謂者，皆釋未了義。今此所謂，尋前後經文，悉不與此篇義相接，似今數句少成文義者，終是別釋經文，世本既闕第七二篇，應彼闕經錯簡文也，古文斷裂，繆續於此。）

○奇病論篇第四十七（新校正云：按全元起本在第五卷。）

黃帝問曰：人有重身，九月而瘖，此為何也？（重身，謂身中有身，則懷妊者也。瘖[illegible]）

（得言語也任娠九月足少陰脈養胎約氣斷則瘖不能言也）岐伯對曰胞之絡脈絕也（[illegible]脈斷絕而不通流而不能言非天真之氣斷絕也）帝曰何以言之岐伯曰胞絡者繫於腎。少陰之脈貫腎繫舌本。故不能言。（少陰腎脈也氣不營養故舌不能言）帝曰治之奈何岐伯曰無治也當十月復（十月胎去胞絡復通腎脈上營故復舊而言也）刺法曰無損不足益有餘以成其疹（疹謂久病反法而治則胎死不去遂成久固之疹病）然後調之（新校正云按甲乙經及太素無此四字按全元起注云所謂不治者其身九月而瘖身重不得為治須十月滿生後復如常也然後調之則此四字本全元起注文誤書於此當刪去之）所謂無損不足者身羸瘦無用鑱石也（任娠九月筋骨瘦勞力少身重又拒於藏故身形羸瘦不可以鑱石傷也鑱鍼石也）無益其有餘者腹中有形而泄之泄之則精出而病獨擅中故曰疹成也（胎約胞絡腎氣不通因而泄之腎精隨出精液內竭胎則不全胎死腹中著而不去由此獨擅故疹成焉）帝曰病脅下滿氣逆二三歲不已是為何病岐伯曰病名曰息積。此不妨於食不可灸刺積為導引服藥藥不能獨治也（腹中無形脅下逆滿頻歲不愈息且形之氣逆息難故名息積也氣不在胃故不妨於食也灸之則火熱内燔，氣化為膿，刺之則必寫其經，轉成虚敗，故不可灸刺。是可積為導引，使氣流行，久以藥攻，内消瘀蓄，則可矣。若不鍼灸其藥而不積為導引，則藥亦不能獨治之也。帝曰：人有身體髀股䯒皆腫，環齊而痛，是為何病？岐伯曰：病名曰伏梁。以衝脉病，故名曰伏梁。然衝脉者，與足少陰之絡起於腎下，出於氣街，循陰股内廉，斜入膕中，循䯒骨内廉，並足少陰經下入内踝之後，入足下；其上行者，出臍下同身寸之三寸關元之分，俠臍直上，循腹各行，會於咽喉。故身體髀䯒皆腫，繞臍而痛，名曰伏梁。環謂圓繞如環也。此風根也，其氣溢於大腸而著於肓，肓之原在齊下，故環齊而痛也。大腸，廣腸也。經說大腸，當言迴腸也。何者？靈樞經曰：迴腸當臍右環，回周葉積而下；廣腸附脊，以受迴腸，左環葉積上下，辟大。言此則是迴腸，非應言大腸也。然大腸、迴腸俱與肺合，從合而命，故通曰大腸也。不可動之，動之為水溺濇之病也。以衝脉起於腎下，出於氣街，其上行者，起於胞中，上出臍下關元之分，故動之則為水而溺濇也。動謂齊其毒藥而擊動之，使其大下也。此一問答之義，與腹中論同，以為奇病，故重出於此。帝曰：人有尺脉數甚，筋急而見，此為何病？筋急謂掌後尺中兩筋急也。脉要精微論曰：尺外以候腎，尺裏以候腹中。今尺脉數急，脉數為熱，熱當筋緩，反尺中筋急而見，腹中筋當急，故問為病乎。靈樞經曰：熱即筋緩，寒即筋急。岐伯曰：此所謂疹筋，是人腹必急，白色黑色見，則腹急，謂俠齊筋俱急，以尺裏候腹中，故見尺中筋急，則必腹中拘急矣。色見，謂見於面部也。夫相五色者，白為寒，黑為寒，故二色見，病彌甚也。帝曰：人有病頭痛以數歲不已，此安得之？名為何病？頭痛之疾，不當踰月，數年不愈，故怪而問之。岐伯曰：當有所犯大寒，內至骨髓，髓者以腦為主，腦逆故令頭痛，齒亦痛。夫腦為髓主，齒是骨餘，腦逆反寒，骨亦寒入，故令頭痛，齒亦痛。病名曰厥逆。帝曰：善。全元起云：人先生於腦，緣有腦則有骨髓，齒者骨之本也。帝曰：有病口甘者，病名為何？何以得之？岐伯曰：此五氣之溢也，名曰脾癉。癉，謂熱也。脾熱則四藏同稟，故五氣上溢也。生因脾熱，故曰脾癉。夫五味入口，藏於胃，脾為之行其精氣，津液在脾，故令人口甘也。脾熱內滲，津液在脾，胃穀化餘，精氣隨溢，口通脾氣，故口甘，津液在脾，是脾之濕。此肥美之所發也。新校正云：按太素發作致。此人必數食甘美而多肥也，肥者令人內熱，甘者令人中滿，故其氣上溢，轉為消渴。食肥則腠理密，陽氣不得外泄，故肥令人內熱。甘者性氣和緩而發散逆，故甘令人中滿。然內熱則陽氣炎上，炎上則欲飲而嗌乾；中滿則陳氣有餘，有餘則脾氣上溢。故曰其氣上溢，轉為消渴也。陰陽應象大論曰：辛甘發散為陽。靈樞經曰：甘多食之，令人悶。然從中滿以生之。新校正云：按

甲乙經消渴作消癉治之以蘭除陳氣也蘭謂蘭草也神農曰蘭草味辛熱平利水道辟不祥胸中
痰癖也除謂去也陳謂久也言蘭除陳久甘肥不化之氣者以辛能發散故也藏氣法時論曰辛者散也○新校正云按
本草蘭性平不言熱帝曰有病口苦取陽陵泉口苦者病名為何何以
得之岐伯曰病名曰膽癉亦謂熱也膽汁味苦故口苦○新校正云按全元起本及太素無口
苦取陽陵泉六字詳前後文勢疑此為誤夫肝者中之將也取決於膽咽為之使
靈蘭秘典論曰肝者將軍之官謀慮出焉膽者中正之官決斷出焉肝與膽合氣性相通故諸謀慮取決於膽咽膽相應
故咽為使焉○新校正云按甲乙經曰膽者中精之府五藏取決於膽咽為之使疑此文誤此人者數謀
慮不決故膽虛氣上溢而口為之苦治之以膽募俞胸腹曰募背脊
曰俞膽募在乳下二肋外期門下同身寸之五分俞在脊第十椎下兩傍相去各同身寸之一寸半治在陰陽
十二官相使中言治法具於彼篇今經已亡帝曰有癃者一日數十溲此
不足也身熱如炭頸膺如格人迎躁盛喘息氣逆此有餘也
是陽氣太盛於外陰氣不足故有餘也○新校正云詳此十五字舊作文寫按甲乙經太素並無此文再詳乃是全元起
注後人誤書於此今作注書太陰脈細微如髮者此不足也其病安在名

為何病？癃，小便不得也。溲，小便也。頸膺如格，言頸與胸膺如相格拒，不順應也。人迎躁盛，謂結喉兩傍脈動盛滿急數，非常躁速也，胃脈也。太陰脈微細如髮者，謂手大指後同身寸之一寸骨高脈動處脈，則肺脈也。此正手太陰脈氣之所流，可以候五藏也。岐伯曰：病在太陰，其盛在胃，頗在肺，病名曰厥，死不治。病癃數溲，身熱如炭，頸膺如格，息氣逆者，皆手太陰脈當洪大而數，今太陰脈反微細如髮，是病與脈相反也。何以致之？肺氣逆陵於胃而為是，上使人迎躁盛也，故曰病在太陰，其盛在胃也。以喘息氣逆，故云頗亦在肺也。病因氣逆，證不相應，故病名曰厥，死不治也。此所謂得五有餘二不足也。帝曰：何謂五有餘二不足？岐伯曰：所謂五有餘者，五病之氣有餘也；二不足者，亦病氣之不足也。今外得五有餘，內得二不足，此其身不表不裏，亦正死明矣。外五有餘者，一身熱如炭，二頸膺如格，三人迎躁盛，四喘息，五氣逆也。內二不足者，一病癃一日數十溲，二太陰脈微細如髮。夫如是者，謂其病在表，則內有二不足；謂其病在裏，則外得五有餘。表裏既不可馮，補瀉固難為法，故曰此其身不表不裏，亦正死明矣。帝曰：人生而有病巔疾者，病名曰何？安所得之？夫百病者，皆生於風雨寒暑陰陽喜怒也。然始生有形，未犯邪氣，已有巔疾，豈邪氣素傷邪？巔，謂上巔，則頭首也。岐伯曰：病名為胎病，此得之在母腹中時。其母有所大驚，氣上而不下。精氣并居。故令子發為巔疾也。[illegible]帝曰：有病痝然如有水狀，切其脈大緊，身無痛者，形不瘦，不能食，食少，名為何病。[illegible]岐伯曰：病生在腎，名為腎風。[illegible]腎風而不能食，善驚，驚已，心氣痿者死。[illegible]帝曰：善。

大奇論篇第四十八 新校正云：按全元起本在第九卷

肝滿腎滿肺滿皆實，即為腫。[illegible]肺之雍，喘而兩胠滿。[illegible]肝雍，兩胠滿，臥則驚，不得小便。[illegible]腎雍，脚下至少腹滿，[illegible]脛有大小，髀骻大跛，易偏枯。[illegible]

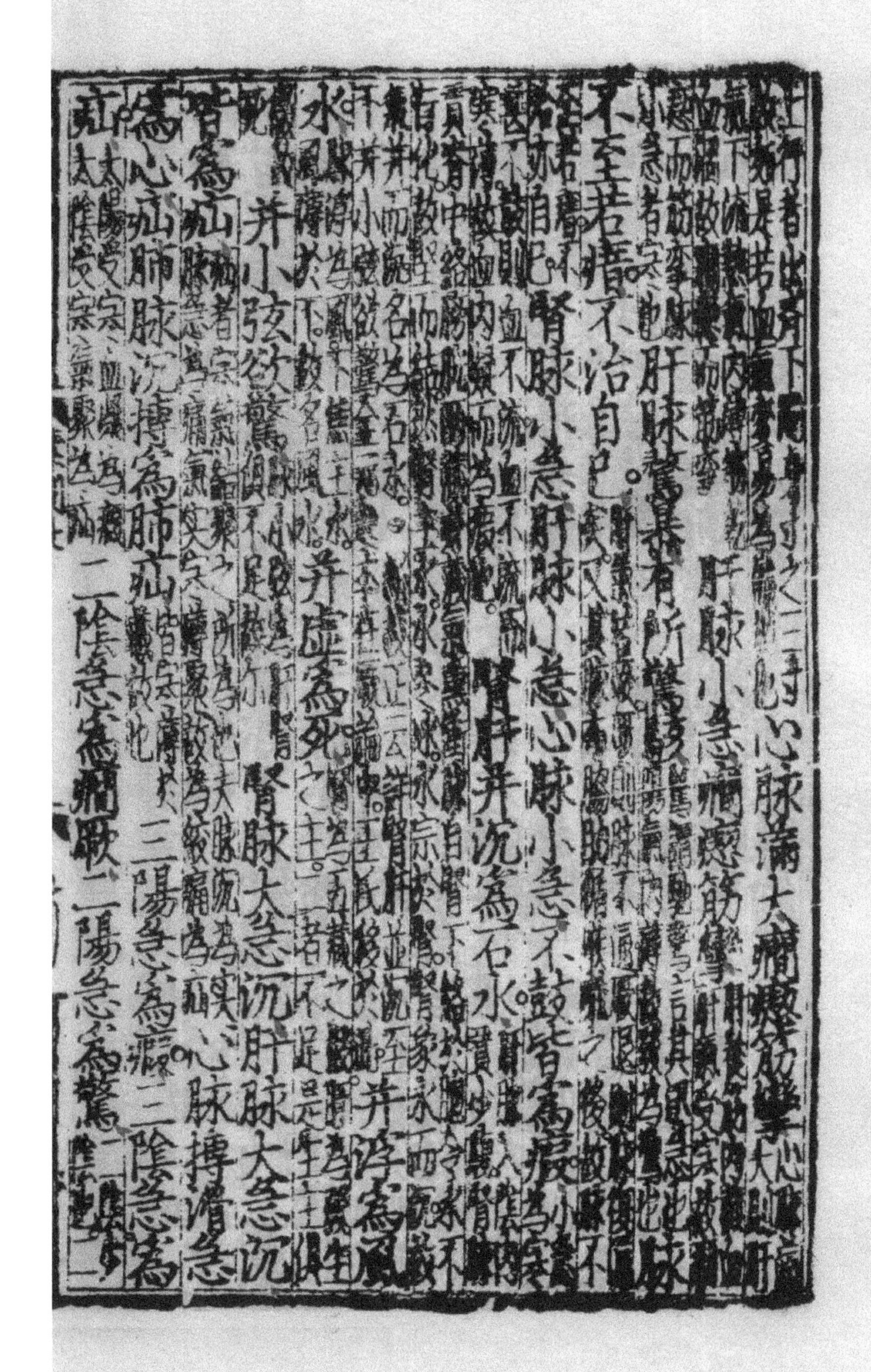

心脈滿大，癇瘈筋攣。肝脈小急，癇瘈筋攣。肝脈騖暴，有所驚駭，脈不至若瘖，不治自已。腎脈小急，肝脈小急，心脈小急不鼓，皆為瘕。腎肝并沉為石水，并浮為風水，并虛為死，并小弦欲驚。腎脈大急沉，肝脈大急沉，皆為疝。心脈搏滑急為心疝，肺脈沉搏為肺疝。三陽急為瘕，三陰急為疝，二陰急為癇厥，二陽急為驚。

[illegible]脾脈外鼓沉為腸澼久自已[illegible]肝脈小緩為腸澼易治[illegible]腎脈小搏沉為腸澼下血[illegible]血溫身熱者死[illegible]心肝澼亦下血[illegible]二藏同病者可治[illegible]其脈小沉濇為腸澼[illegible]其身熱者死熱見七日死[illegible]胃脈沉鼓濇胃外鼓大心脈小堅急皆鬲偏枯[illegible]男子發左女子發右[illegible]不瘖舌轉可治三十日起[illegible]其從者瘖三歲起[illegible]年不滿二十者三歲死[illegible]脈至而搏血衄身熱者死[illegible]脈來懸鉤浮為常脈[illegible]

交漆不若交文
隸之古泰字

脈至如喘，名曰暴厥。（喘謂卒來盛急，去而便衰，如人之喘狀也。）暴厥者，不知與人言。（[illegible]）脈至如數，使人暴驚，（[illegible]）三四日自已。（[illegible]）脈至浮合，浮合如數，（如浮波之合，後至者凌前，速疾而動，無常候也。）一息十至以上，是經氣予不足也，微見九十日死。脈至如火薪然，（[illegible]）是心精之予奪也，草乾而死。（[illegible]）脈至如散葉，是肝氣予虛也，木葉落而死。（[illegible]）脈至如省客，省客者脈塞而鼓，是腎氣予不足也，懸去棗華而死。（[illegible]）脈至如丸泥，是胃精予不足也，榆莢落而死。（[illegible]）脈至如橫格，（脈長而堅，如橫木之在指下也。）是膽氣予不足也，禾熟而死。（[illegible]）脈至如弦縷，是胞精予不足也，病善言，下霜而死，不言可治。（[illegible]）脈至如交漆，交漆者左右傍至也，微見三十日死。

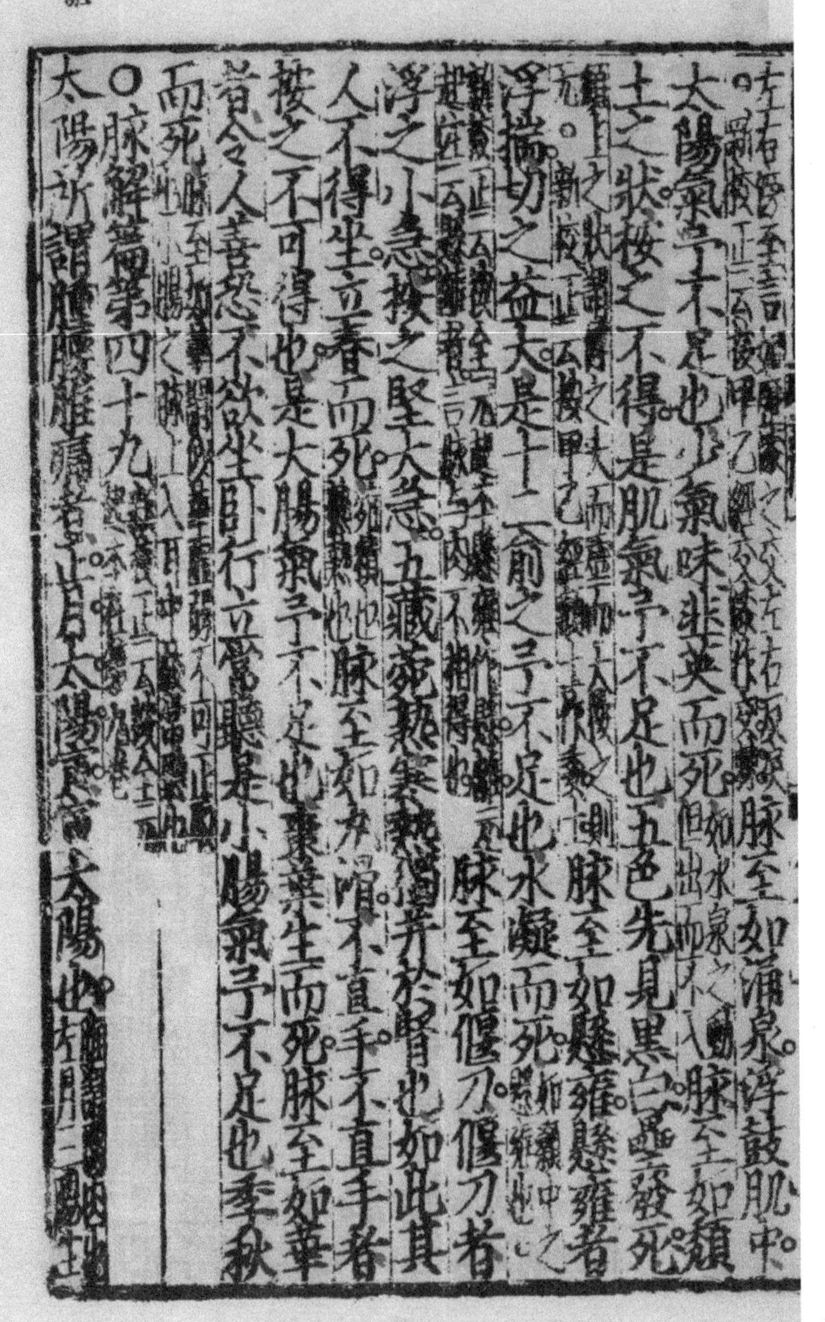

腓音誹

……脈至如涌泉，浮鼓肌中，太陽氣予不足也，少氣味，韭英而死。脈至如頹土之狀，按之不得，是肌氣予不足也，五色先見黑，白壘發死。脈至如懸雍，懸雍者，浮揣切之益大，是十二俞之予不足也，水凝而死。脈至如偃刀，偃刀者，浮之小急，按之堅大急，五藏菀熟，寒熱獨并於腎也，如此其人不得坐，立春而死。脈至如丸滑不直手，不直手者，按之不可得也，是大腸氣予不足也，棗葉生而死。脈至如華者，令人善恐，不欲坐臥，行立常聽，是小腸氣予不足也，季秋而死。

○脈解篇第四十九

太陽所謂腫腰脽痛者，正月太陽寅，寅太陽也。正月陽氣出在上……

耳鳴不獨少陽厥兼主太陽躍

太陽浮為聾

陽也。正月三陽生，主建寅，三陽謂之太陽也。正月陽氣出在上，而陰氣盛，陽未得自次也。正月雖三陽生，而天氣尚寒，以其尚寒，故曰陰氣盛陽未得自次也。故腫腰脽痛也。以其脈抵腰中，入貫臀，過髀樞，故爾。病偏虛為跛者，正月陽氣凍解地氣而出也。所謂偏虛者，冬寒頗有不足者，故偏虛為跛也。以其脈循股內後廉合膕中，下循腨過外踝之後，循京骨至小指外側，故爾也。○新校正云：詳王氏注循股內後廉，按《甲乙經》太陽流注不到股內，股內乃外之誤，當云髀外。所謂強上引背者，陽氣大上而爭，故強上也。強上，謂頸項禁強也，甚則引背矣。所以爾者，以其脈從腦出，別下項背故也。所謂耳鳴者，陽氣萬物盛上而躍，故耳鳴也。以其脈支別者，從巔至耳上角，故爾。所謂甚則狂巔疾者，陽盡在上，而陰氣從下，下虛上實，故狂巔疾也。以其脈上額交巔上，入絡腦，還出；其支別者，從巔至耳上角，故狂巔疾也。頂上曰巔。所謂浮為聾者，皆在氣也。以其脈至耳，故聾也。所謂入中為瘖者，陽盛已衰，故為瘖也。陽氣盛，入中而薄於胞腎，則胞絡腎絡氣不通，故瘖也。胞之脈繫於腎，腎之脈俠舌本，故瘖不能言。內奪而厥，則為瘖俳，此腎虛也。俳，廢也。腎之脈與衝脈並出於氣街，循陰股內廉，斜入膕中，循胻骨內廉，及內踝之後，入足下。

[illegible]少陰不至者厥也[illegible]少陽所謂心脇痛者言少陽盛也盛者心之所表也[illegible]九月陽氣盡而陰氣盛故心脇痛也[illegible]所謂不可反側者陰氣藏物也物藏則不動故不可反側也所謂甚則躍者[illegible]九月萬物盡衰[illegible]草木畢落而墮則氣去陽而之陰氣盛而陽之下長故謂躍[illegible]所謂洒洒振寒者陽明者午也五月盛陽之陰也[illegible]陽盛而陰氣加之故洒洒振寒也[illegible]所謂脛腫而股不收者是五月盛陽之陰也陽者衰於五月而一陰氣上與陽始爭故脛腫而股不[illegible]

收

收也。以其脉下髀抵伏兔下入膝臏中下循䯒外廉下足入中指內間。又其支別者下膝三寸而別以下入中指外間故不收。所謂上喘而爲水者。水者。陰氣下而復上。上則邪客於藏府間。故爲水也。陽明之脉從頭下至足。太陰之脉從足走腹。今陰氣微下而太陰上行。故云陰氣下而復上也。復上則[illegible]不散客於藏府之間化爲水也。所謂胷痛少氣者。水氣在藏府也。水者陰氣也。陰氣在中。故胷痛少氣也。水停於下則氣鬱於上。則肺滿。故胷痛少氣也。所謂甚則厥。惡人與火。聞木音則惕然而驚者。陽氣與陰氣相薄。水火相惡。故惕然而驚也。所謂欲獨閉戶牖而處者。陰陽相薄也。陽盡而陰盛。故欲獨閉戶牖而居。[illegible]惡喧故爾。所謂病至則欲乘高而歌。弃衣而走者。陰陽復爭而外并於陽。故使之弃衣而走也。新校正云詳所謂甚則厥至此与前陽明脉解論相通。所謂客孫脈則頭痛鼻鼽腹腫者。陽明并於上。上者則其孫絡太陰也。故頭痛鼻鼽腹腫也。太陰所謂病脹者。太陰子也。十一月萬物氣皆藏於中。故曰病脹。陰氣太盛太陰始於子故一云子也。以其脉入腹屬脾

得後謂得大便也氣謂快氣

絡胃。[illegible] 所謂上走心爲噫者。陰盛而上走於陽明。陽明絡屬心。故曰上走心爲噫也。[illegible]

所謂食則嘔者。物盛滿而上溢。故嘔也。[illegible]

所謂得後與氣則快然如衰者。十一月陰氣下衰。而陽氣且出。故曰得後與氣則快然如衰也。

少陰所謂腰痛者。少陰者腎也。十月萬物陽氣皆傷。故腰痛也。[illegible]

所謂嘔欬上氣喘者。陰氣在下。陽氣在上。諸陽氣浮。無所依從。故嘔欬上氣喘也。[illegible]

所謂色色不能久立久坐。起則目䀮䀮無所見者。萬物陰陽不定。未有主也。秋氣始至。微霜始下。而方殺萬物。陰陽內奪。故目䀮䀮無所見也。

所謂少氣善怒者。陽氣不治。陽氣不治則陽氣不得出。肝氣當治而未得。故善怒。[illegible]

善怒者名曰煎厥。所謂恐如人將捕之者，秋氣萬物未有畢去，陰氣少，陽氣入，陰陽相薄，故恐也。所謂惡聞食臭者，胃無氣，故惡聞食臭也。所謂面黑如地色者，秋氣内奪，故變於色也。所謂欬則有血者，陽脈傷也，陽氣未盛於上而脈滿，滿則欬，故血見於鼻也。厥陰所謂癩疝，婦人少腹腫者，厥陰者辰也，三月陽中之陰，邪在中，故曰癩疝少腹腫也。厥陰之脈循陰器抵少腹故尔。所謂腰脊痛不可以俛仰者，三月一振榮華，萬物一俛而不仰也。所謂癩癃疝膚脹者，曰陰亦盛而脈脹不通，故曰癩癃疝也。所謂甚則嗌乾熱中者，陰陽相薄而熱，故嗌乾也。此一篇殊與前後經文不相連接，別釋經脈發病之源，與靈樞經流注略同，所指殊異。新校正云：詳此篇所解，多甲乙經是動所生之病，雖復少有異處，大概則不殊矣。

刺要論篇第五十　新校正云：按全元起本在第六卷刺齊篇中。

黃帝問曰：願聞刺要。岐伯對曰：病有浮沉，刺有淺深，各至其理無過其道。道謂氣所行之道也。過之則內傷，不及則生外壅，壅則邪從之。過之內傷，以大深也。不及外壅，以妄益他分之氣也。氣益而外壅，故邪隨虛而從之也。淺深不得，反為大賊，內動五藏，後生大病。賊謂私害，動謂動亂。然不及則外壅，過之則內傷，既且外壅內傷，是為大病之階漸爾，故曰後生大病也。故曰：病有在毫毛腠理者，有在皮膚者，有在肌肉者，有在脈者，有在筋者，有在骨者，有在髓者。毛長者曰毫，皮之文理曰腠理，然二者皆皮之可見者也。是故刺毫毛腠理無傷皮，皮傷則內動肺，肺動則秋病溫瘧，泝泝然寒慄。針經曰：凡刺有五，以應五藏，一曰半刺。半刺者，淺內而疾發針，令針傷多，如拔髮狀，以取皮氣，此肺之應也。然此其淺以應於肺，腠理毫毛猶應更淺，當取髮根淺深之半耳。所以然者，肺之合皮，王於秋氣，故肺動則秋病溫瘧，泝泝然寒慄也。泝音素。刺皮無傷肉，肉傷則內動脾，脾動則七十二日四季之月，病腹脹煩，不嗜食。脾之合肉，寄王四季，又其脈從股內前廉入腹，屬脾絡胃，上膈俠咽，連舌本，散舌下；其支別者，復從胃別上膈，注心中，故傷肉則動脾，脾動則四季之月腹脹煩而不嗜食也。七十二日四季之月者，謂三月、六月、九月、十二月各十二日後，土寄王十八日也。刺肉無傷脈，脈傷則內動心，心動則夏病心痛。心之合脈，王於夏氣。

（手少陰之脈，起於心中，出屬心系；心包心主之脈，起於胸中，出屬心包。平人氣象論曰：藏真通於心。故脈傷則動心。）心動則夏病心痛。刺脈無傷筋，筋傷則內動肝，肝動則春病熱而筋弛。（肝之合筋也，肝王於春，氣相應，故熱。筋傷則肝動，肝動則春病熱而筋弛緩也。弛，施是反。）刺筋無傷骨，骨傷則內動腎，腎動則冬病脹腰痛。（腎之合骨，腎王於冬，故骨傷則動腎，腎動則冬病也。腰為腎府，故腰痛。腎脈直行者，從腎上貫肝鬲，故脹也。）刺骨無傷髓，髓傷則銷鑠胻酸，體解㑊然不去矣。（髓者骨之充。鍼經曰：髓海不足，則腦轉耳鳴，胻酸眩冒。故髓傷則腦髓銷鑠，胻酸，體解㑊然不去也。[illegible]解㑊，謂強不強，弱不弱，熱不熱，寒不寒，解解㑊㑊然，不可名之也。[illegible]）

刺齊論篇第五十一（新校正云：按全元起本在第六卷。）

黃帝問曰：願聞刺淺深之分。（謂皮肉筋脈骨之分位也。）岐伯對曰：刺骨者無傷筋，刺筋者無傷肉，刺肉者無傷脈，刺脈者無傷皮，刺皮者無傷肉，刺肉者無傷筋，刺筋者無傷骨。帝曰：余未知其所謂，願聞其解。岐伯曰：刺骨無傷筋者，鍼至筋而去，不及骨也。

市當作布字之誤也

刺筋無傷肉者。至肉而去。不及筋也。刺肉無傷脈者。至脈而去。不及肉也。刺脈無傷皮者。至皮而去。不及脈也。是皆謂遣邪也。然筋有寒邪。肉有風邪。脈有熱邪。皮有濕邪。則如是遣之。所謂邪者。皆言其非順正氣而相干犯也。○新校正云詳此謂刺淺不至所當刺之處也。下文則誡其太深也。所謂刺皮無傷肉者。病在皮中。鍼入皮中。無傷肉也。刺肉無傷筋者。過肉中筋也。刺筋無傷骨者。過筋中骨也。此之謂反也。此則誡過分太深也。○新校正云按全元起云刺如此者是謂傷。此皆過。過必損其血氣。是謂逆也。邪必因而入也。

① 刺禁論篇第五十二 新校正云按全元起本在第六卷

黃帝問曰。願聞禁數。岐伯對曰。藏有要害。不可不察。肝生於左。肝象木。王於春。春陽發生。故生於左也。肺藏於右。肺象金。王於秋。秋陰收殺。故藏於右也。○新校正云按楊上善云肝為少陽陽長之始故曰生。肺為少陰陰藏之初故曰藏。心部於表。陽氣主外。心象火也。腎治於裏。陰氣主內。腎象水也。○新校正云按楊上善云心為五藏部主故得稱部。腎間動氣內治五藏故曰治。脾為之使。營動不已。糟粕水穀。故使者也。胃為之市。水穀所歸。五味皆入。如市雜。故為市也。鬲

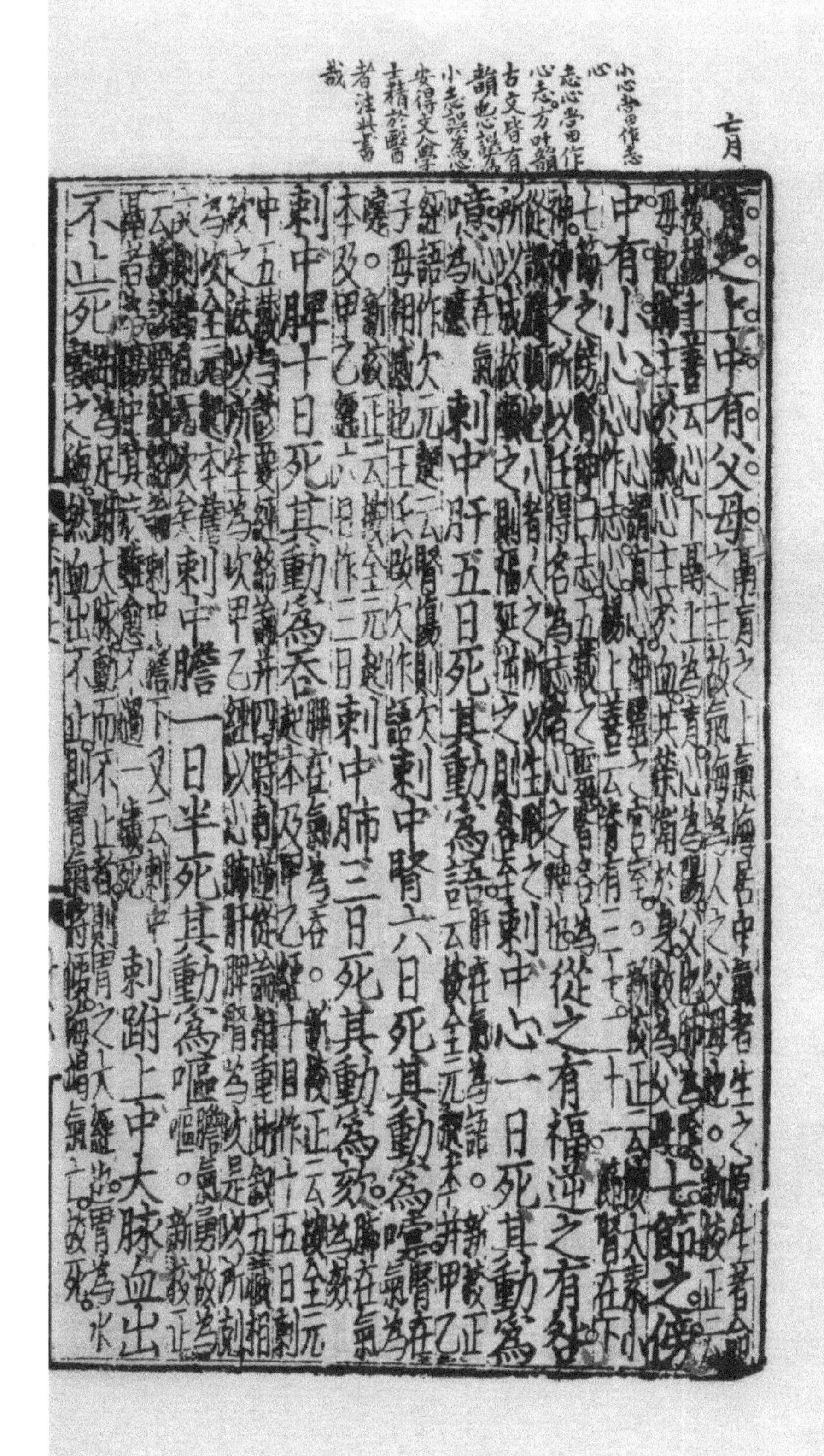

肓之上，中有父母。[illegible]

七節之傍，中有小心。[illegible]

從之有福，逆之有咎。[illegible]

刺中心，一日死，其動為噫。[illegible]

刺中肝，五日死，其動為語。[illegible]

刺中腎，六日死，其動為嚏。[illegible]

刺中肺，三日死，其動為欬。[illegible]

刺中脾，十日死，其動為吞。[illegible]

刺中膽，一日半死，其動為嘔。[illegible]

刺跗上，中大脈，血出不止，死。[illegible]

刺面中溜脉，不幸為盲。面中溜脉者，手太陽任脉之交會。手太陽脉自顴而斜行至目内眥；任脉自鼻鼽兩傍上行至瞳子下。故刺面中溜脉，不幸為盲。刺頭中腦戶，入腦立死。腦戶，穴名也，在枕骨上，通於腦中。然腦為髓之海，真氣之所聚，鍼入腦則真氣泄，故立死。刺舌下中脉太過，血出不止為瘖。舌下脉，脾之脉也。脾脉者，俠咽連舌本，散舌下。血出不止則脾氣不能營運於舌，故瘖不能言語。刺足下布絡中脉，血不出為腫。布絡，謂當內踝前足下空處布散之絡，正當然谷穴分也。絡中脉，則衝脉也。衝脉者，並少陰之經，下入內踝之後，入足下。然刺之而血不出，則腎脉與衝脉氣並歸於然谷之中，故為腫。刺郄中大脉，令人仆脫色。郄中，委中也。在膝後屈處膕中央約文中動脉，足太陽經脉之所入也，為合。刺可入同身寸之五分，留七呼。若刺之過禁，則令人仆倒而面色如脫去也。足太陽脉起於目内眥，上額交巔上。刺氣街中脉，血不出為腫鼠僕。氣街之中，膽胃脉也。膽之脉循脇裏出氣街；胃之脉俠臍入氣街中。其支別者起胃下口，循腹裏至氣街中而合。今刺之而血不出，則血脉氣並聚於中，故內結為腫，如伏鼠之形也。氣街在腹下俠臍兩傍相去四寸，鼠僕上一寸，動脉應手也。氣府論注云……刺脊間中髓，為傴。……

刺乳上，中乳房，為腫根蝕。乳之上下皆足陽明之脈也。乳房之中，乳液滲泄，胸中氣血皆外湊之，然刺中乳房，則氣更交湊，故為大腫。中有膿根，內蝕肌膚，化為膿水，而久不愈。刺缺盆中內陷，氣泄，令人喘欬逆。五藏者，肺為之蓋，缺盆為之道，肺藏氣而主息，又在氣為欬。刺缺盆中內陷，則肺氣外泄，故令人喘欬逆也。刺手魚腹內陷，為腫。手魚腹內，肺脈所流，故刺之內陷則為腫也。○新校正云：按《甲乙經》……當作……

無刺大醉，令人氣亂。脈數過度，因刺而亂也。無刺大怒，令人氣逆。怒者氣逆，刺之益甚。無刺大勞人，經氣越也。無刺新飽人，氣盛滿也。無刺大飢人，氣不足也。無刺大渴人，血脈乾也。無刺大驚人。神蕩越而氣不治也。○新校正云：詳無刺大醉至此七條，與《靈樞經》相出入。《靈樞經》云：新內無刺，已刺無內；大怒無刺，已刺無怒；大勞無刺，已刺無勞；大醉無刺，已刺無醉；大飽無刺，已刺無飽；大飢無刺，已刺無飢；大渴無刺，已刺無渴；大驚大恐，必定其氣，乃刺之也。

刺陰股中大脈，血出不止，死。陰股之中，脾之脈也。脾者，中央土，孤藏以灌四傍，今血出不止，脾氣將竭，故死。○新校正云：按陰股中大脈……

刺客主人內陷中脈，為內漏、為聾。客主人，穴名也，今名上關，在耳前上廉起骨，開口有空，手少陽、足陽明之會。刺陷脈中，言刺太深……

也。刺大深則交脈破決故為耳內之漏脈內漏則氣不營故聾。○新校正云詳客主人穴与氣穴論注同按甲乙經及氣府論注云手足少陽足陽明三脈之會疑此脫足少陽一脈也。刺膝髕出液為跛膝為筋府筋會於中液出筋乾故跛。髕音牝刺臂太陰脈出血多立死臂太陰者肺脈也肺者主行榮衛陰陽治節由之血出多則榮衛絕故立死。刺足少陰脈重虛出血為舌難以言足少陰腎脈也足少陰脈貫腎絡肺繫舌本故重虛出血則舌難言也。刺膺中陷中肺為喘逆仰息肺氣上泄逆所致也。刺肘中內陷氣歸之為不屈伸肘中謂肘屈折之中尺澤穴中也刺過陷脈惡氣歸之氣固關節故不屈伸也。刺陰股下三寸內陷令人遺溺股下三寸腎之絡也。衝脈与少陰之絡皆起於腎下出於氣街並循於陰股其上行者出胞中故刺陷脈則令人遺溺也。刺腋下脅間內陷令人欬腋下肺脈也。肺之脈從肺系橫出腋下真心藏脈直行者從心系卻上腋下刺陷脈則心肺俱動故欬也。刺少腹中膀胱溺出令人少腹滿胞氣外泄穀氣歸之故少腹滿也少腹謂齊下也。刺腨腸內陷為腫腨腸股後腸也腸中足太陽脈也太陽氣泄故為腫。刺匡上陷骨中脈為漏為盲匡目匡也骨中謂目匡骨中也匡骨中脈目之系肝之脈也刺內陷則眼系絕故為目漏目盲刺關節中液出不得屈伸諸筋者皆屬於節津液滲潤之液出則筋膜乾故不得屈伸也。

勿按穴俞且開故得經虛邪氣發泄也。徐而疾則實者，徐出鍼而疾按之；疾而徐則虛者，疾出鍼而徐按之。徐出謂得經氣已久乃出之。疾按謂鍼出穴已速疾按之，則真氣不泄，經脈氣全，故徐而疾乃實也。疾出鍼謂鍼入穴已至於經脈即疾出之。徐按謂鍼出穴已徐緩按之，則邪氣得泄，精氣復固，故疾而徐乃虛也。言實與虛者，寒溫氣多少也。寒溫謂經脈陰陽之氣也。若無若有者，疾不可知也。言其冥昧不可即而知也。夫不可即知，故若無；慧然神悟，故若有也。察後與先者，知病先後也。知病先後，乃補寫之。為虛與實者，工勿失其法。鍼經曰：經氣已至，慎守勿失，此之謂也。新校正云：按甲乙經云：若有若無，為虛與實。若得若失者，離其法也。妄為補寫，離亂大經，誤補實者轉令若得，誤寫虛者轉令若失也。鍼經曰：無實實，無虛虛，此其誡也。新校正云：詳自篇首至此，與太素九鍼解篇經同而解異，二經互相發明也。虛實之要，九鍼最妙者，為其各有所宜也。熱在頭身，宜鑱鍼；肉分氣滿，宜員鍼；脈氣虛少，宜鍉鍼；寫熱出血，發泄固病，宜鋒鍼；破癰腫，出膿血，宜鈹鍼；調陰陽，去暴痺，宜員利鍼；治經絡中痛痺，宜毫鍼；痺深居骨解腰脊節腠之間者，宜長鍼；虛風舍於骨解皮膚之間，宜大鍼。此之謂各有所宜也。新校正云：按別本鍉一作鑱，音氐。補寫之時者，與氣開闔相合也。氣當時刻謂之開，已過未至謂之闔。時刻者，然水下一刻，人氣在太

觀注開用右手閉用左手

少者。得之有所脫血濕居下也。脫血則血虛，血虛則氣盛內鬱，化成津液，流入下焦，故云濕居下也。穀入少而氣多者。邪在胃及與肺也。胃氣不足，肺氣下流於胃中，故邪在胃。然肺氣入胃，則肺氣不自守，氣不自守，則邪氣從之，故云邪在胃及與肺也。脈小血多者。飲中熱也。飲謂留飲也。飲留脾胃之中，則脾氣溢，脾氣溢，則發熱中。脈大血少者。脈有風氣。水漿不入。此之謂也。風氣盛滿，則水漿不入於脈。夫實者氣入也。虛者氣出也。入為陽，出為陰，陰生於內故出，陽生於外故入。氣實者熱也。氣虛者寒也。陽盛而陰內拒故熱，陰盛而陽外微故寒。入實者左手開鍼空也。入虛者左手閉鍼空也。言用鍼之補瀉也。右手持鍼，左手捻穴，故實者左手開鍼空以寫之，虛者左手閉鍼空以補之也。

○鍼解篇第五十四 新校正云：按全元起本在第六卷。

黃帝問曰：願聞九鍼之解，虛實之道。岐伯對曰：刺虛則實之者，鍼下熱也，氣實乃熱也。滿而泄之者，鍼下寒也，氣虛乃寒也。菀陳則除之者，出惡血也。菀，積也。陳，久也。除，去也。言絡脈之中血積而久者，鍼刺而除去之。邪盛則虛之者，出鍼勿按。邪者，不正之目，非本經氣，是則謂邪，非言鬼毒精邪之所勝也。

跗之王注亦作跗上膝分注作脈分

言刺鍼元左右必正其神者，欲瞻病人目制其神，令氣易行也。令氣易行則神使中外易調也。所謂三里者，下膝三寸也。所謂跗之者，新校正云：按全元起本跗之作低胻，太素作付之。按骨空論跗之疑作跗上。舉膝分易見也。三里，穴名，正在膝下三寸，䯒外兩筋肉分間，極重按之，則足跗上動脈止矣，故曰舉膝分易見也。巨虛者，蹻足䯒獨陷者。巨虛，穴名也。蹻，謂舉也。取巨虛下廉，當舉足取之，則䯒外兩筋之間陷下也。下廉者，陷下者也。欲知下廉穴者，䯒外兩筋之間獨陷下者，則其處也。

帝曰：余聞九鍼，上應天地四時陰陽，願聞其方，令可傳於後世以為常也。岐伯曰：夫一天、二地、三人、四時、五音、六律、七星、八風、九野，身形亦應之，鍼各有所宜，故曰九鍼。新校正云：按此文與靈樞經相出入。人皮應天。覆蓋於物，天之象也。人肉應地。柔厚安靜，地之象也。人脈應人。盛衰變易，人之象也。人筋應時。堅固真定，時之象也。人聲應音。備五音故。人陰陽合氣應律。交會氣通，相生無替，則律之象。新校正云：按別本替一作僭。人齒面目應星。人面應七星者，所謂面有七孔應之也。新校正云：詳此注乃全元起之辭也。人出入氣應風。動出往來，風之象也。人九竅三百六十五絡應野。身形之外，野之象也。

陽。水下二刻，人氣在少陽。水下三刻，人氣在陽明。水下四刻，人氣在陰分。水下不已，氣行不已。如是則當刻者謂之開，過刻及未至者謂之闔。鍼經曰：謹候其氣之所在而刺之，是謂逢時。此所謂補寫之時也。○新校正云：詳自篇首至此文，出靈樞經，素問解之，互相發明也。甲乙經無補寫之時以鍼為之者[illegible]四字。九鍼之名各不同形者，鍼窮其所當補寫也。言各不同形者，謂長短鋒穎不等，窮其補寫，謂各隨其療而用之也。○新校正云：按九鍼之形，今具甲乙經。刺實須其虛者，留鍼陰氣隆至乃去鍼也。刺虛須其實者，陽氣隆至鍼下熱乃去鍼也。言要以氣至而有效也。經氣已至，慎守勿失者，勿變更也。變謂變易，更謂改更，皆變法也。言得氣至，必宜謹守，無變其法，反招損也。深淺在志者，知病之內外也。志一為意，志意皆行鍼之用也。近遠如一者，深淺其候等也。言氣雖近遠不同，然其測候，皆以氣至而有效也。如臨深淵者，不敢墮也。言氣候補寫，如臨深淵，不敢墮慢，失補寫之法也。手如握虎者，欲其壯也。壯謂持鍼堅定也。鍼經曰：持鍼之道，堅者為寶。則其義也。○新校正云：按甲乙經寶字作實。神無營於眾物者，靜志觀病人，無左右視也。目絕妄視，心專一務，則用之必中，無惑亂也。○新校正云：詳自刺實須其虛至此十八句，是寶命全形論文，此又為之解，亦互相發明也。義無邪下者，欲端以正也。[illegible]

跗之王注亦作跗上膝分注作脉分

無左右刺必正其神者，欲瞻病人目，制其神，令氣易行也。檢彼精神，令無散越，則氣為神使，中外易調也。所謂三里者，下膝三寸也。所謂跗之上者，新校正云：按全元起本跗之作低胻。[illegible]作付之。按骨空論[illegible]跗之[illegible]跗上。舉膝分易見也。三里，穴名，正在膝下三寸，胻外兩筋肉分間，[illegible]則足跗上動脈止矣，故曰舉膝分易見。巨虛者，蹻足胻獨陷者。巨虛，穴名也。蹻，謂舉也。[illegible]巨虛下[illegible]則胻外兩筋之間陷下[illegible]。下廉者，陷下者也。[illegible]則其氣也。帝曰：余聞九鍼，上應天地四時陰陽，願聞其方，令可傳於後世以為常也。岐伯曰：夫一天、二地、三人、四時、五音、六律、七星、八風、九野，身形亦應之，鍼各有所宜，故曰九鍼。新校正云：詳此文與靈樞經相出入。人皮應天。覆蓋於物，天之象也。人肉應地。柔厚安靜，地之象也。人脉應人。盛衰變易，人之象也。人筋應時。堅固真定，時之象也。人聲應音。備五音故。人陰陽合氣應律。交會氣通，相生無替，則律之象。新校正云：[illegible]不[illegible]一作[illegible]。人齒面目應星。人面應七星，所謂面有七孔應之也。新校正云：詳此注乃全元起之辭也。人出入氣應風。動出往來，風之象也。人九竅三百六十五絡應野。[illegible]野之象也。

故一鍼皮二鍼肉三鍼脉四鍼筋五鍼骨六鍼調陰陽七鍼益精八鍼除風九鍼通九竅除三百六十五節氣此之謂各有所主也（一鑱針二員針三鍉針四鋒針五鈹針六員利針七毫針八長針九大針○新校正云按別本鑱針一作鑱）人心意應八風（動靜不形風之象也）人氣應天（運行不息天之象也）人髮齒耳目五聲應五音六律（髮齒生長耳目清通五聲應同故應五音六律也）人陰陽脉血氣應地（人陰陽有六合生成脉血氣有虛實盈衰故應地也）人肝目應之九（肝氣通目木生數三三而三之則應之九也）九竅三百六十五（新校正云按全元起本無此七字）人一以觀動靜天二以候五色七星應之以候髮毋澤五音一以候宮商角徵羽六律有餘不足應之二地一以候高下有餘九野一節俞應之以候閉節三人變一分人候齒泄多血少十分角之變五分以候緩急六分不足三分寒關節第九分四時人寒溫燥濕四時一應之以候相反一四方各作解（此一百二十四字蠹簡爛文義理殘缺莫可尋究而上古書故且載之以佇後之具本也○新校正云詳王氏云一百二十四字今有一百二十三字）

[illegible]四十二字
[illegible]亡一字

○長刺節論篇第五十五 新校正云按全元起本在第三卷

刺家不診聽病者言在頭頭疾痛為藏鍼之 藏猶深也言深刺之故下文曰 ○新校正云按全元起本云為鍼之無藏字 刺至骨病已上無傷骨肉及皮皮者道也 皮者鍼之道故刺骨無傷骨肉及皮也

陰刺入一傍四處治寒熱 頭有寒熱則用陰刺法治之○陰刺謂卒刺之如此數也○新校正云按別本卒刺一作陽刺按甲乙經陽刺者正內一傍內四陰刺者左右卒刺之○此陰刺疑是陽刺

深專者刺大藏 寒熱病氣深專攻中者當刺五藏以拒之 迫藏刺背背俞也 迫近也漸近於藏則刺背五藏之俞也 刺之迫藏藏會 言刺近於藏者何以是藏氣之會發也 腹中寒熱去而止 言刺背俞者無問其數要以寒熱去乃止鍼 與刺之要發鍼而淺出血 若與諸俞刺之則如此

治腐腫者刺腐上視癰小大深淺刺 腐腫謂腫中肉腐敗為膿血者也癰小者淺刺之癰大者深刺之○新校正云按全元起本及甲乙經腐作癰 刺大者多血小者深之必端內鍼為故止 癰之大者多出血癰之小者但直鍼之而已○新校正云按甲乙經云刺大者多而深之必端內鍼為故止此文云小者深之疑此誤 病在少腹

有積刺皮骭以下至少腹而止刺俠脊兩傍四椎間刺兩髂髎季脅肋間導腹中氣熱下已少腹積謂寒熱之氣結積也皮骭謂齊下同身寸之五寸橫約文審刺而勿過深之刺禁論曰刺少腹中膀胱溺出令人少腹滿由此故不可深之矣俠脊四椎之間據經無俞恐當云五椎間五椎之下兩傍正心之俞心應少腹故當言之間也髂為腰骨髂一為髎字形相近之誤也髎謂居髎腰側穴也季脅肋間當是刺季脅之間京門穴也○新校正云按全元起本作皮只

病在少腹腹痛不得大小便病名曰疝得之寒刺少腹兩股間刺腰髁骨間刺而多之盡炅病已厥陰之脈環陰器抵少腹衝脈與少陰之絡皆起於腎下出於氣街循陰股其後行者自少腹以下骨中央女子入繫廷孔其絡循陰器合篡間繞篡後別繞臀至少陰與巨陽中絡者合少陰上股內後廉貫脊屬腎其男子循莖下至篡與女子等故刺少腹及兩股間又刺腰髁骨間也腰髁骨者腰房俠脊平立陷者中按之有骨處也炅熱也病因寒生故熱之病已○新校正云按別本炅一作熱

病在筋筋攣節痛不可以行名曰筋痺刺筋上為故刺分肉間不可中骨也分肉謂肉分間有筋維絡處也刺筋無傷骨故不可中骨也病起筋

□病已止。[illegible]病已乃止。病在肌膚，肌膚盡痛，名曰肌痹，傷於寒濕，刺大分小分，多發鍼而深之，以熱為故。大分謂大肉之分，小分謂小肉之分。無傷筋骨，傷筋骨，癰發若變。[illegible]則邪氣反沉，病益[illegible]傷筋骨[illegible]內傷良[illegible]又曰鍼大深[illegible]故癰發若變也。諸分盡熱，病已止。熱可消寒，故病已則止。

病在骨，骨重不可舉，骨髓酸痛，寒氣至，名曰骨痹，深者刺無傷脈肉為故，其道大分小分，骨熱病已止。骨痹刺無傷脈肉者何？以刺其氣通[illegible]肉之大小分中也。

病在諸陽脈，且寒且熱，諸分且寒且熱，名曰狂，氣狂亂也。刺之虛脈，視分盡熱，病已止。

病初發，歲一發不治，月一發不治，月四五發，名曰癲病，刺諸分諸脈，其無寒者，以鍼調之，病已止。[illegible]

病風且寒且熱，炅汗出，一日數過，先刺諸分理絡脈，汗出且寒且熱，三日一刺，百日而已。

病大風，骨節重，鬚眉墮，名曰大風，刺肌肉為故，汗出百日，[illegible]刺骨髓，汗出百日，泄衛氣之怫熱。凡二百日，鬚眉生而止鍼。

熱拂衛泄

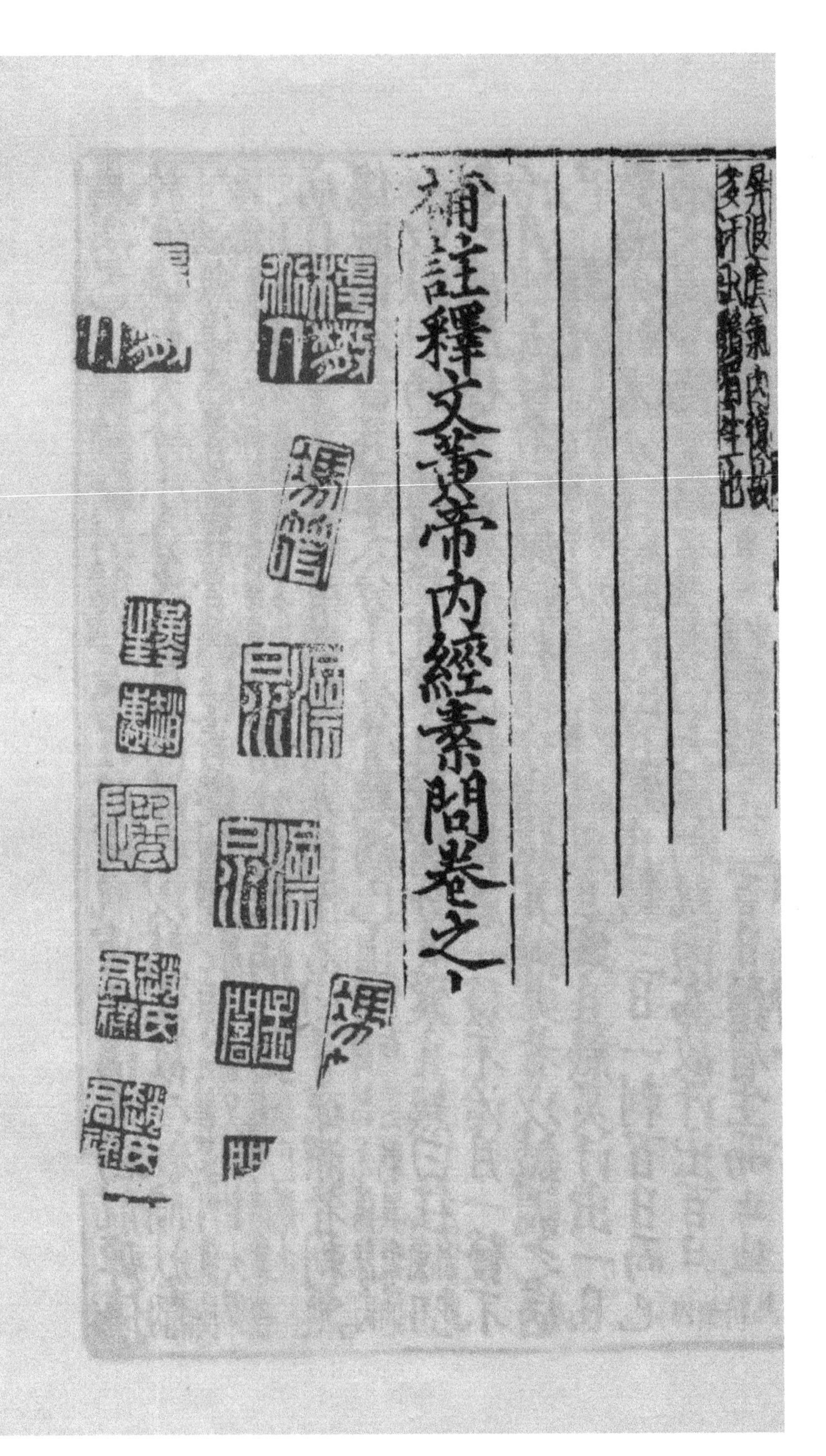
補註釋文黄帝内經素問卷之